Assim falava Zaratustra

Dados Internacionais de Catalogação na Publicação (CIP)
(Câmara Brasileira do Livro, SP, Brasil)

Nietzsche, Friedrich, 1844-1900.
　　Assim falava Zaratustra : um livro para todos
e para ninguém / Friedrich Nietzsche ; tradução
de Mário Ferreira dos Santos. 3. ed. – Petrópolis, RJ :
Vozes, 2014. (Vozes de Bolso)

　　5ª reimpressão, 2024.

　　ISBN 978-85-326-4177-9
　　Título original: Also sprach Zarathustra: Ein
Buch für Alle und Keinen
　　1. Filosofia alemã I. Título. II. Série.

07-7706　　　　　　　　　　　　　　　　　　　　CDD-193

Índices para catálogo sistemático:

1. Alemanha : Filosofia　193
2. Filosofia alemã　193
3. Filósofos alemães　193

Friedrich Nietzsche

Assim falava Zaratustra
Um livro para todos e para ninguém

Tradução de Mário Ferreira dos Santos

Vozes de Bolso

Tradução do original em alemão intitulado:
Also sprach Zarathustra – Ein Buch für Alle und Keinen

Traduzido da edição alemã de Alfredo Kröner – Leipzig 1919.

© desta tradução:
2011, Editora Vozes Ltda.
Rua Frei Luís, 100
25689-900 Petrópolis, RJ
www.vozes.com.br
Brasil

Todos os direitos reservados. Nenhuma parte desta obra poderá ser reproduzida ou transmitida por qualquer forma e/ou quaisquer meios (eletrônico ou mecânico, incluindo fotocópia e gravação) ou arquivada em qualquer sistema ou banco de dados sem permissão escrita da editora.

Conselho editorial	**Produção editorial**
Diretor Volney J. Berkenbrock	Aline L.R. de Barros Marcelo Telles Mirela de Oliveira
Editores Aline dos Santos Carneiro Edrian Josué Pasini Marilac Loraine Oleniki Welder Lancieri Marchini	Natália França Otaviano M. Cunha Priscilla A.F. Alves Rafael de Oliveira Samuel Rezende Vanessa Luz Verônica M. Guedes
Conselheiros Elói Dionísio Piva Francisco Morás Gilberto Gonçalves Garcia Ludovico Garmus Teobaldo Heidemann	
Secretário executivo Leonardo A.R.T. dos Santos	

Diagramação: AG.SR Desenv. Gráfico
Capa: visiva.com.br

ISBN 978-85-326-4177-9

Este livro foi composto e impresso pela Editora Vozes Ltda.

Sumário

Palavras prévias do tradutor, 9

Prólogo de Zaratustra, 11

OS DISCURSOS DE ZARATUSTRA

Primeira parte

    Das três metamorfoses, 31

    Das cátedras da virtude, 34

    Dos crentes em Além-Mundos, 38

    Dos que desprezam o corpo, 42

    Das alegrias e das paixões, 45

    Do pálido criminoso, 48

    Ler e escrever, 51

    Uma árvore na montanha, 54

    Dos predicadores da morte, 58

    Da guerra e dos guerreiros, 61

    Do novo ídolo, 64

    Das moscas da praça pública, 67

    Da castidade, 71

    Do amigo, 73

    Dos mil e um fins, 76

    Do amor ao próximo, 79

Do caminho do criador, 81

Das velhas e jovens mulherzinhas, 85

A picada da víbora, 88

Do filho e do casamento, 90

Da morte livre, 93

Da virtude dadivosa, 97

Segunda parte

O menino do espelho, 105

Nas Ilhas Bem-aventuradas, 109

Dos compassivos, 113

Dos sacerdotes, 117

Dos virtuosos, 121

Da canalha, 125

Das tarântulas, 129

Dos sábios célebres, 133

Noturno, 137

Canção para dançar, 140

Canto sepulcral, 143

Do domínio de si, 147

Dos sublimes, 152

Do país da cultura, 155

Do imaculado conhecimento, 159

Dos sábios, 163

Dos poetas, 166

Dos grandes acontecimentos, 170

O profeta, 175

Da redenção, 180

Da prudência humana, 186

A hora mais silenciosa, 190

Terceira parte

O viandante, 197

Da visão e do enigma, 201

Da beatitude involuntária, 207

Antes do nascer do sol, 211

Da virtude amesquinhadora, 215

No Monte das Oliveiras, 222

Do "seguir adiante", 226

Dos trânsfugas, 230

O regresso à pátria, 235

Dos três males, 240

Do espírito de Pesadume, 246

Das antigas e das novas tábuas, 252

O convalescente, 274

Do grande anelo, 282

Outra canção para dançar, 286

Os sete selos (Ou: A canção do Sim e do Amém), 291

Quarta e última parte

A oferenda de mel, 299

O grito de angústia, 304

Diálogo com os reis, 308

A sanguessuga, 313

O encantador, 317

Em disponibilidade, 324

O homem mais feio, 329

O mendigo voluntário, 335

A sombra, 340

Ao meio-dia, 345

A saudação, 349

A ceia, 356

Do Homem Superior, 359

O canto da melancolia, 371

Da ciência, 375

Entre as filhas do deserto, 379

O despertar, 383

A festa do asno, 387

O canto da embriaguez, 392

O sinal, 401

Palavras prévias do tradutor

A tradução das obras de Nietzsche é sempre um esforço, um dispêndio de energias, que só o podem compreender aqueles que a realizam. Muitos são os escolhos que encontra pela frente o tradutor, e sobretudo a impossibilidade em que se vê muitas vezes de verter para outro idioma o que é característico do seu estilo, e que só a língua alemã permite expressar.

Procurei por todos os meios ao meu alcance ser o mais fiel ao ritmo, ao estilo e às modalidades de expressão nietzscheana. E, se muitas vezes não a reproduzi, foi porque seria demasiadamente dura na nossa língua, e por me ter colocado sempre na posição de Nietzsche e como escreveria *Zaratustra* em português.

Se em certas ocasiões há um lirismo melódico e noutras nos encontramos antearestas duras, "antemarteladas", é do próprio estilo do autor. Procurei, tanto quanto me foi possível, e aqui esteve o melhor da minha atenção e do meu trabalho, ser o mais fiel ao pensamento, nunca sacrificando este em benefício do estilo.

Em *Ecce Homo*, Nietzsche nos conta como surgiu a ideia de *Zaratustra*. Duas visões que teve, uma em 1881 e outra em 1883, fizeram-no viver o Eterno Retorno e a figura da personagem, que lhe apareceu subitamente, como nos conta.

Nietzsche devotara-se durante grande parte de sua vida ao estudo dos pré-socráticos, dos pitagóricos, de alguns pensadores bramânicos e budistas. Em sua simbólica aparecem os símbolos de todas essas ideias que procuramos manter no presente texto.

A atual tradução é completa e, apesar das grandes dificuldades, nenhum trecho de sua obra foi posto de lado.

Para a interpretação dos símbolos nietzscheanos, servi-me de poucas fontes, e das mais seguras, dando minha contribuição, com o intuito de poder oferecer ao leitor brasileiro uma visão tão clara quanto possível do genuíno pensamento do filósofo-poeta de Sils-Maria.

Sei que algumas das minhas afirmativas poderão provocar oposições, mas, de antemão, respondendo à crítica fácil, devo dizer que nenhuma das que apresento são peregrinas e todas estão fundadas num estudo de vários e longos anos, em que compulsei, não só toda a obra de Nietzsche, como os seus mais categorizados comentadores. Esta a razão por que, em certas ocasiões, não pareça Nietzsche como o desejam ver, segundo certas posições filosóficas, alguns daqueles que procuram interpretá-lo. O meu amor à obra desse grande poeta e a minha fidelidade ao seu pensamento não me permitiriam que procedesse de outro modo.

Mário Ferreira dos Santos

Prólogo de Zaratustra

I

Quando Zaratustra completou trinta anos, abandonou sua pátria e o lago de sua pátria e foi para a montanha. Ali, durante dez anos, alimentou-se de seu espírito e de sua solidão, sem deles se fatigar.

Mas, um dia, finalmente, transmutou-se-lhe o coração – e, de manhã, ao levantar-se com a aurora, pôs-se ante o sol e assim falou:

– Grande astro! Que seria de tua felicidade se te faltassem aqueles a quem iluminas?

Há dez anos ascendes até a minha caverna e terte-ias cansado de tua luz e deste trajeto, se não estivéssemos lá, eu, minha águia e minha serpente.

Mas nós te esperávamos todas as manhãs, para tomarmos o teu supérfluo e por isso te bendizíamos.

Vê: estou enfastiado de minha sabedoria, como a abelha que acumulou demasiado mel. Necessito de mãos que se estendam para mim.

Eu quisera dar e repartir, até o dia em que os sábios entre os homens sintam-se alegres de sua loucura e os pobres de sua riqueza.

Por isso devo descer às profundidades, como tu durante a noite, astro exuberantemente rico, quando mergulhas abaixo do mar para levar a tua luz ao mundo inferior.

E devo "descer", como tu, assim como dizem os homens, até aqueles a quem quero baixar.

Bendiz-me, portanto, olho tranquilo, que podes ver sem inveja até o excesso de felicidade!

Bendiz o cálice que vai desbordar, para que dele fluam as douradas águas, levando a todos os lados o reflexo de tua delícia.

Olha! Este cálice deseja esvaziar-se outra vez e Zaratustra outra vez quer tornar-se homem!

Assim começou a descida de Zaratustra.

II

Zaratustra desceu sozinho da montanha sem encontrar ninguém. Ao chegar aos bosques, deparou-se-lhe subitamente um velho, que havia saído de sua santa cabana para procurar raízes na floresta.

E o velho falou desta forma a Zaratustra:

– Não me é desconhecido este viandante. Há anos que passou por aqui. Chamava-se Zaratustra; mas está mudado.

Aquela vez levavas para a montanha as tuas cinzas. Queres hoje levar ao vale o teu fogo? Não temos o castigo reservado aos incendiários?

Sim, reconheço Zaratustra. Límpido é o seu olhar, e os lábios não encobrem nenhum desgosto. Não se aproxima daqui como um bailarino?

Mudado é Zaratustra; Zaratustra tornou-se criança; despertou Zaratustra. Que queres agora entre os que dormem?

Como no seio do mar, vivias tu em tua solidão, e esse mar te levava. Desgraçado de ti! Queres saltar em terra? Desgraçado de ti! Queres outra vez levar tu mesmo o peso do teu corpo?

Zaratustra respondeu:

– Amo os homens.

– Por que – disse o santo – me retirei para a floresta e para a solidão? Não foi acaso por amar demasiadamente os homens?

Agora, amo a Deus; não amo os homens. O homem é para mim uma coisa excessivamente incompleta. O amor ao homem matar-me-ia.

Zaratustra respondeu:

– Falei porventura de amor? Trago um presente para os homens.

– Não lhes dês nada – disse o santo. – Antes, tira-lhes parte do seu fardo, que os ajudarás a levá-lo. Nada alegrá-los-á mais; e possas tu, também, te satisfazer.

E se queres dar um presente, que seja, então, uma esmola, e ainda espera que te peçam.

– Não – replicou Zaratustra –, não dou esmolas. Não sou tão pobre para tanto.

O santo pôs-se a rir de Zaratustra, e disse-lhe:

– Então, cuida que aceitem os teus tesouros. Desconfiam dos solitários e não acreditam que venhamos dar-lhes presentes.

Nossos passos soam demasiadamente solitários ao longo de suas ruas. E à noite, em seus leitos, ao ouvir passar um homem muito antes do amanhecer, perguntam a si mesmos. Aonde irá o ladrão?

Não vai para junto dos homens! Fica no bosque! Prefere então os animais! Por que não queres ser como eu – urso entre os ursos, ave entre as aves?

– E que faz o santo no bosque? – perguntou Zaratustra. O santo respondeu:

– Componho cânticos e os canto, e quando os faço, rio, choro e murmuro. Assim louvo a Deus.

Cantando, chorando e murmurando, louvo a Deus, que é o meu Deus. Mas, vamos, qual é o presente que nos trazes?

Ao ouvir Zaratustra estas palavras, saudou o santo e lhe disse:

– Que teria para vos dar? Deixai-me ir embora bem depressa, para que não vos tire nada!

E assim se separaram um do outro, o velho e o homem, rindo como riem duas crianças.

Mas Zaratustra quando só, falou assim ao seu coração:

– Será possível? Esse santo ancião não ouviu em sua floresta que *Deus morreu!*

III

Ao chegar Zaratustra à cidade mais próxima, na orla dos bosques, encontrou uma grande multidão reunida na praça pública. Estava anunciada a exibição de um bailarino de corda. E Zaratustra dirigiu-se à multidão com estas palavras:

– Eu vos ensino o Além-Homem. O homem é algo que deve ser superado. Que fizestes para superá-lo?

Até agora todos os seres criaram alguma coisa que os ultrapassou; quereis ser o refluxo dessa grande maré e retornar ao animal, em vez de superar o homem?

Que é o símio para o homem? Uma irrisão ou uma dolorosa vergonha. Pois tal deve ser o homem para o Além-Homem: uma irrisão ou uma vergonha.

Percorrestes o caminho que vai do verme ao homem, tendes ainda em vós muito do verme. Outrora fostes símios e até hoje o homem é ainda mais símio que todos os símios.

Até o mais sábio entre vós é um ser indeciso e híbrido entre planta e fantasma. Acaso vos aconselhei que vos tornásseis planta ou fantasma?

Eis, eu vos ensino o Além-Homem.

O Além-Homem é o sentido da terra. Assim fale a vossa vontade: possa o Além-Homem tornar-se o sentido da terra!

Exorto-vos, ó meus irmãos, a *permanecerdes fiéis à terra*, e a não acreditar naqueles que vos falam de esperanças supraterrestres. São eles envenenadores, conscientemente ou não. São menosprezadores da vida, moribundos intoxicados de um cansaço da terra; que pereçam, pois!

Blasfemar contra Deus era outrora a maior das blasfêmias; mas Deus morreu, e com ele mortos são os blasfemadores. Agora o crime mais espantoso é blasfemar da terra, e dar mais valor às entranhas do insondável do que ao sentido da terra.

Outrora tinha a alma um olhar de desdém para o corpo; e nada era superior a esse desdém. Queria a alma um corpo magro, horrível, consumido de fome! Julgava assim libertar-se dele e da terra!

Ó! Essa mesma alma era magra, horrível e consumida de fome. E a crueldade era o deleite dessa alma!

Mas, irmãos meus, respondei-me: que diz vosso corpo de vossa alma? Não é a vossa alma pobreza, imundície e deplorável prazer?

Na verdade, é o homem um rio turvo. É preciso ser o mar para receber um rio turvo, sem tornar imundas as suas águas.

Pois bem, eu vos ensino o Além-Homem. Ele é esse mar, e nele irá abismar-se o vosso grande menosprezo.

Qual é o maior acontecimento que pode sobrevir em vossa vida?

É a hora do grande menosprezo. A hora em que vos enfastiareis da vossa própria felicidade e também da vossa razão e da vossa virtude.

A hora em que digais: "Que me importa a minha felicidade! É pobreza, imundície e deplorável prazer! Ora, a minha felicidade deveria ser uma justificação da existência".

A hora em que digais: "Que me importa a minha razão! Tem ela fome de saber, como o leão tem fome de alimento? Ela é pobreza, imundície e deplorável prazer!"

A hora em que digais: "Que me importa a minha virtude? Ainda me não enlouqueceu. Como estou farto do meu bem e do meu mal! Tudo isso é pobreza, imundície e deplorável prazer!"

A hora em que digais: "Que importa a minha justiça?! Não me parece que ainda sou fatalmente fogo e carvão! Ora, o justo é fogo e carvão!"

A hora em que digais: "Que me importa a minha compaixão! Não é a compaixão a cruz onde se crava aquele que ama os homens? Ora, a minha compaixão não é uma crucificação?"

Alguma vez falastes assim a vós mesmos? Já elevastes assim a vossa voz? Ah! Não vos ter eu ouvido falar assim!

Não são os vossos pecados, é a vossa vã satisfação que clama aos céus, é a vossa mesquinhez até no pecado, que clama aos céus!

Onde está, pois, o raio que vos lamberá com a sua língua? Onde a loucura contra a qual é mister inocular-vos a vacina?

Vede; eu vos ensino o Além-Homem: "É ele esse raio, ele essa loucura!"

Depois que Zaratustra disse estas palavras, um homem dentre a multidão exclamou:

– Já ouvimos falar demais desse saltimbanco! Mostra-o agora. E todos riram de Zaratustra. Mas o saltimbanco, que julgo que tais palavras eram para ele, pôs-se imediatamente a trabalhar.

IV

Zaratustra, entretanto, olhava estupefato o povo. E falou assim:

– O homem é uma corda estendida entre o animal e o Além- Homem: uma corda sobre um abismo. Perigoso passar um abismo, perigoso seguir esse caminho, perigoso olhar para trás, perigoso temer e parar.

A grandeza do homem consiste em ser uma ponte e não uma meta; o que se pode amar no homem, é ser ele uma *ascensão* e um *declínio*.

Amo aos que não sabem viver senão com a condição de perecer, porque, perecendo, eles passam além.

Amo os repletos de um grande desprezo, porque trazem em si o respeito supremo, e são flechas do desejo dirigidas para a outra margem.

Amo aos que não necessitam procurar além das estrelas uma razão para perecer e oferecer-se em sacrifício, mas que se imolam à terra, para que a terra pertença um dia ao Além-Homem.

Amo ao que vive apenas para conhecer e quer conhecer para permitir que um dia viva o Além-Homem. Essa é a sua maneira de querer a própria perda.

Amo ao que trabalha e inventa, a fim de erigir um dia a morada do Além-Homem, e preparar para ele a terra, os animais e as plantas. Essa é a sua maneira de querer a própria perda.

Amo ao que ama a sua virtude, porque a virtude é vontade de perecer e flecha do desejo.

Amo ao que não reserva para si nem uma gota de seu espírito, mas que quer ser totalmente o espírito de sua virtude, porque assim, como Espírito, atravessa a ponte.

Amo ao que transforma sua virtude em inclinação e em destino; é assim que, por amor de sua virtude, quererá viver ainda, e não mais viver.

Amo ao que não quer ter demasiadas virtudes. Uma virtude é mais virtude do que duas, é um nó mais forte em que se aferra o destino.

Amo aquele cuja alma pródiga recusa qualquer gratidão, nem devolve o que quer que seja; porque dá sempre e nada reserva para si.

Amo ao que se envergonha, quando vê os dados caírem a seu favor, e pergunta a si mesmo então: "Sou um trapaceiro?", porque sua vontade é perecer.

Amo ao que lança de antemão às suas ações palavras de ouro e cumpre sempre mais do que promete, porque sua vontade é perecer.

Amo ao que previamente justifica os homens vindouros, e redime os do passado, porque sua vontade é perecer com os do presente.

Amo ao que castiga a seu Deus, porque ama a seu Deus, porque morrerá da cólera de seu Deus.

Amo aquele cuja alma é profunda, até em sua ferida, e que pode morrer de qualquer acidente, porque é de boa vontade que passará a ponte.

Amo aquele cuja alma se desdobra a ponto de esquecer a si mesmo e de todas as coisas que traz consigo, porque assim todas as coisas causarão sua ruína.

Amo ao livre de coração e de espírito, porque assim sua cabeça serve de entranhas ao coração, e será o coração que o fará perecer.

Amo a todos os que são como essas gotas pesadas que caem, uma a uma, da sombria nuvem suspensa sobre os homens; anunciam que é próximo o relâmpago; e eles perecem por serem seus anunciadores.

Vede: eu sou o anunciador do raio, sou uma pesada gota caída da nuvem; mas esse raio chama-se o Além-Homem.

V

Pronunciadas estas palavras, Zaratustra, em silêncio, olhou outra vez o povo. "Ei-los aí, disse ao seu coração, ei-los que riem; não me compreendem; não sou a boca para tais ouvidos.

Será mister, em primeiro lugar, romper-lhes os tímpanos para que aprendam a ouvir com os olhos? Será preciso atroar os ares como os címbalos ou como os predicadores da Quaresma? Ou só acreditam eles nos tartamudos?

Há alguma coisa de que eles se orgulham. Como chamam, pois, a tal coisa de que estão orgulhosos? Chamam-na *cultura*, e é o que os distingue dos guardadores de cabras.

Não gostam de ser tratados com a palavra 'desprezo', por isso falar-lhes-ei ao seu orgulho.

Falar-lhes-ei do que há de desprezível: quero dizer do *último homem*."

E Zaratustra falou assim ao povo:

"É tempo de que o homem visualize um objetivo para si.

É tempo de que o homem plante a semente de sua mais alta esperança.

Ainda é seu solo bastante rico. Mas um dia, pobre e avaro será ele, e, nele, já não poderá crescer nenhuma árvore elevada.

Ah! Aproxima-se o tempo, em que o homem não lançará mais a flecha de seu desejo acima dos homens, e em que as cordas de seu arco já não saberão mais vibrar.

Eu vos digo: é necessário ter um caos em si para poder dar à luz uma estrela bailarina. Eu vos digo: tendes ainda um caos dentro de vós".

Ah! Aproxima-se o tempo em que o homem será incapaz de dar à luz uma estrela bailarina.

O que vem é a época do homem mais desprezível entre todos, que nem poderá mais desprezar a si mesmo.

Vede! Eu vos mostro o *último homem*.

"Que é o amor? Que é o criar? Que é o anelar? Que é a estrela?"

Assim perguntará o último homem, piscando os olhos.

A terra tornar-se-á exígua, e, sobre ela, veremos saltitar o último homem que tudo amesquinhará. Sua espécie é indestrutível como a da pulga; o último homem é o que viverá por mais tempo.

– Descobrimos a felicidade – dizem os últimos homens, piscando os olhos.

Eles abandonarão as comarcas onde a vida for dura; porque terão necessidade do calor.

Amarão ainda o seu próximo, e se esfregarão uns aos outros; porque necessitarão do calor.

Adoecer, ter desconfiança, parecer-lhes-ão pecados; andarão com cautela.

Um pouco de veneno, uma ou outra vez; ele oferecerá sonhos agradáveis. E muitos venenos, afinal, para ter uma morte agradável.

Trabalhar-se-á ainda, porque o trabalho é uma distração. Mas procurar-se-á que a distração não fatigue.

Ninguém será rico nem pobre; são ambas coisas demasiado penosas. Quem quererá ainda governar? Quem quererá ainda obedecer? São ambas coisas demasiado penosas.

Nenhum pastor, e um só rebanho! Todos quererão o mesmo, todos serão iguais; e quem pensar diferentemente entrará voluntariamente num manicômio.

– Outrora todos eram loucos – dirão os malignos piscando os olhos.

Ser-se-á prudente, e saber-se-á tudo quanto já aconteceu: assim ter-se-á do que ridicularizar interminavelmente. Disputar-se-á ainda; mais rápidas serão as reconciliações, temerosas de alterar a digestão.

Ter-se-á seu prazerzinho do dia, e o seu prazerzinho da noite; mas se reverenciará a saúde.

– Descobrimos a felicidade – dirão os últimos homens, piscando os olhos.

Aqui acabou o primeiro discurso de Zaratustra – o qual também se chama o "prólogo" – porque neste momento foi interrompido pelos gritos e pela hilariedade da multidão.

– Dá-nos este último homem, Zaratustra – exclamavam – faz-nos semelhantes a esse último homem! E damos de presente para ti o Além-Homem.

E todo o povo exultava e estalava a língua. Zaratustra ficou triste e disse ao seu coração:

– Não me compreendem; não é a minha boca a boca de que necessitam esses ouvidos.

Vivi demasiadamente nas montanhas; escutei demasiadamente os arroios e as árvores, e agora lhes falo como se fala aos guardadores de cabras.

Plácida é a minha alma e luminosa como a montanha na manhã. Mas eles creem que sou frio, e me tomam por um sinistro farsante.

E, no entanto, eles me olham e riem; e, ainda, além de rir, odeiam-me e, enquanto riem, seguem odiando-me.

Há gelo em seus risos.

VI

Mas sucedeu, então, um fato que fez calar todas as bocas e fixar sobre ele todos os olhares. Pois, nesse momento, o saltimbanco tinha começado a trabalhar; saíra de uma pequena poterna e andava pela corda estendida entre duas torres sobre a praça pública e a multidão. Quando estava justamente à metade do caminho, a portinhola abriu-se novamente, e um acrobata, todo colorido, com ar de palhaço, saltou de um pulo, e dirigiu-se a grandes passos em direção ao primeiro.

– Anda, coxo – gritava ele com sua voz horrível; anda molenga, manhoso, cara deslavada! Olha que te piso os calcanhares! Que fazes aí entre essas duas torres? É na torre que está o teu lugar, onde deveriam encerrar-te; tu barras o caminho a um melhor que tu.

E a cada palavra ele mais se aproxima. Mas como não estivesse mais que a um passo do primeiro, sucedeu essa coisa tremenda que fez calar todas as bocas e mudos e fixos todos os olhares. O que se aproximava soltou um grito diabólico, e saltou por cima do que lhe barrava o caminho. E este, ao ver a vitória do rival, perdeu a cabeça, e soltou a corda, atirou também o balancim e precipitou-se no vácuo num turbilhão de braços e de pernas. A praça e a multidão pareciam o mar quando a tempestade se eleva. Todos fugiram atropeladamente, sobretudo do lugar onde o corpo ia cair.

Mas Zaratustra não se mexeu, e o corpo caiu bem próximo a ele, destroçado, mas ainda vivo. Em poucos instantes o ferido recuperou a consciência e viu Zaratustra, de joelhos, ao seu lado.

– Que fazes aqui? – disse ele afinal – Eu já sabia há muito tempo que o diabo me daria uma rasteira. Ele vai levar-me para o inferno; queres acaso impedi-lo?

– Palavra de honra, amigo – respondeu Zaratustra – tudo quanto dizes não existe; não há diabo nem inferno. Tua alma vai morrer mais depressa ainda que o teu corpo. Não temas mais.

O homem ergueu um olhar desconfiado.

– Se falas verdade, disse-lhe, nada perderei perdendo a vida. Nada mais fui que um animal ao qual ensinaram a dançar à força de pancadas e magros alimentos.

– Não – disse Zaratustra. – Tu fizeste do perigo a tua profissão, o que não é para desprezar. Agora vais morrer por causa da tua profissão; por isso vou enterrar-te com as minhas próprias mãos.

A essas palavras o moribundo nada respondeu. Apenas agitou a mão como se procurasse a de Zaratustra para lhe agradecer.

VII

Entretanto a noite descia, envolvendo a praça de trevas; então a multidão dispersou-se, porque até a curiosidade e o terror se cansam.

Mas Zaratustra permaneceu sentado na terra, ao lado do cadáver, mergulhado em seus pensamentos; e esqueceu-se do tempo.

Finalmente, sobreveio a noite, e um frio gélido soprou sobre o solitário. Zaratustra ergueu-se, e disse em seu coração:

– Na verdade, Zaratustra fez uma bela pesca hoje. Não um homem, mas um cadáver!

A vida humana é sinistra e sempre desprovida de sentido; basta um palhaço para lhe ser fatal.

Ensinarei aos homens qual é o sentido de sua existência, quero dizer, o Além-Homem, o raio que deve jorrar da pesada nuvem humana.

Mas estou ainda bem longe deles, e meus pensamentos têm um sentido que não fala aos seus sentidos. Os homens não veem ainda em mim senão um termo entre um louco e um cadáver.

Obscura é a noite, obscuros os caminhos de Zaratustra. Vem, companheiro rígido e gélido. Eu te levarei lá, onde, por minhas mãos, serás enterrado.

VIII

Tendo falado assim ao seu coração, Zaratustra colocou o cadáver às costas e pôs-se a caminho. Mal andara cem passos, quando se lhe acercou furtivamente um homem que lhe falou baixinho ao ouvido. Quem falava era o palhaço da torre.

– Sai desta cidade, Zaratustra, – disse ele; – há aqui demasiada gente que te odeia. Os bons e os justos odeiam-te, e chamam-te o seu inimigo e desprezador; os fiéis da verdadeira crença odeiam-te, e dizem que és o perigo da multidão. Tiveste sorte porque riram de ti, e, na verdade, falavas como um palhaço. Tiveste sorte em te associar a este cão morto; rebaixando-te deste modo, salvaste-te por hoje; mas sai desta cidade, senão amanhã poderei saltar por cima de ti, um vivo por cima de um morto.

E o homem desapareceu, e Zaratustra seguiu o seu caminho pelas vielas escuras.

À porta da cidade encontrou os coveiros.

Erguendo até o seu rosto as lanternas, reconheceram Zaratustra e zombaram dele.

– Zaratustra leva o cão morto! Bravo, Zaratustra tornou-se coveiro! As nossas mãos são puras demais para tocar em semelhante caça! Com que então Zaratustra quer roubar o pitéu ao demônio! Arre! Coragem e bom apetite! A não ser que o diabo seja melhor ladrão que Zaratustra, e não acabe por levar os dois! E puseram-se a rir, cochichando uns com os outros.

Zaratustra não respondeu e seguiu o seu caminho. Após duas horas de andar à beira de bosques e de lagoas, já ouvia uivar os lobos famintos, e também a ele o atormentava a fome. Por isso passou ante uma casa isolada onde brilhava uma luz.

– Assalta-me a fome como um salteador – disse Zaratustra. – A fome assalta-me no meio dos bosques e das lagoas e na noite escura.

Estranhos caprichos tem a minha fome. Geralmente ela só me aparece depois de comer, e hoje, durante todo o dia, ela não me apareceu. Onde se ocultou ela?

Falando assim, Zaratustra bateu à porta da casa. Logo apareceu um velho, com uma luz, e perguntou: – Quem vem até mim e ao meu leve sono?

– Um vivo e um morto – respondeu Zaratustra. – Dá-me de comer e de beber; esqueci-me de fazê-lo durante o dia. Quem dá de comer ao faminto, reconforta a própria alma. Assim fala a sabedoria.

O velho retirou-se; mas voltou logo, e ofereceu a Zaratustra pão e vinho.

– É má esta terra para os que têm fome – disse ele. – Eis por que habito nela. Homens e animais vêm até mim, o solitário. Mas chama também o teu companheiro para comer e beber; está mais cansado do que tu.

Zaratustra respondeu:

– O meu companheiro está morto; não é fácil decidi-lo a comer.

– Nada tenho com isso – resmungou o velho. – O que bate à minha porta deve receber o que lhe ofereço. Come, e passa bem.

Zaratustra tornou a caminhar outras duas horas, confiando-se à luz das estrelas, porque estava acostumado às caminhadas noturnas e gostava de contemplar em pleno rosto tudo quanto dorme.

Quando raiou a aurora, encontrava-se Zaratustra num espesso bosque, e já não via nenhum caminho. Então colocou o cadáver no oco de uma árvore, à altura da sua cabeça – pois queria pô-lo ao abrigo dos lobos – e deitou-se no chão, sobre a relva.

Logo adormeceu, cansado de corpo, mas de alma tranquila.

IX

Zaratustra dormiu muito tempo, e por ele passou a aurora e também toda a manhã. Por fim, abriu os olhos; surpreso, olhou o bosque e o silêncio. Surpreso, olhou para dentro de si mesmo. Levantou-se, rápido, como um navegante que vê a terra inesperadamente, e lança um grito de alegria; pois havia visto uma verdade nova. E falou assim ao seu coração:

– Um raio de luz veio até mim; de companheiros preciso eu, e vivos, não companheiros mortos, e cadáveres, que os leve comigo para aonde quero.

É de companheiros, e vivos, que preciso; companheiros que me sigam – porque desejam seguir a si próprios – por onde eu vá.

Um raio de luz veio até mim: não é à multidão que deve falar Zaratustra, mas a companheiros! Zaratustra não deve ser o pastor de um rebanho, nem o cão do pastor!

Vim para separar muitas ovelhas do rebanho. Será preciso que o povo e o rebanho se irritem contra mim; Zaratustra quer que os pastores vejam nele um ladrão.

Pastores, digo eu, mas eles se chamam os bons e os justos. Pastores, digo eu, mas eles se chamam os fiéis da verdadeira fé.

Olhai os bons e os justos. A quem odeiam mais? A quem quebra as suas tábuas de valores, ao infrator, ao destruidor. Mas esse é o criador.

Vede os fiéis de todas as crenças! A quem odeiam mais? Ao que rompe suas tábuas de valores, ao infrator, ao destruidor. Mas esse é o criador.

Companheiros busca o criador, e não cadáveres, nem rebanhos, nem crentes; colaboradores busca o criador, que gravem novos valores em novas tábuas.

Companheiros busca o criador para seguir com ele; porque tudo está maduro para a colheita. Mas lhe faltam foices, e por isso arranca espigas com as mãos, e fica contrariado.

Companheiros busca o criador que saibam afiar suas foices. Destruidores e detratores do bem e do mal serão chamados. Mas serão recoletores que primeiro colherão, e descansarão depois.

Colaboradores, procura Zaratustra, que colham e descansem com ele. Que tem ele que ver com rebanhos, pastores, e cadáveres!

E tu, meu primeiro companheiro, descansa em paz! Eu te enterrei com cuidado na árvore oca; deixo-te bem abrigado dos lobos.

Mas me separo de ti; os tempos são chegados. Entre uma aurora e outra aurora, veio iluminar-me uma nova verdade.

Não serei nem pastor nem coveiro. Nunca mais voltarei a falar ao povo, e pela última vez falei a um morto.

É aos criadores, aos que colhem, e que descansam após realizada a sua tarefa, que eu quero me unir; eu lhes ensinarei o arco-íris, e todos os degraus que levam ao Além-Homem.

Cantarei aos solitários, e aos que são dois em sua solidão; e a quem tiver ouvidos para as coisas inauditas, tornar-lhes-ei triste o coração com a minha ventura.

Sigo para o meu fim, sigo o meu caminho; saltarei por cima dos hesitantes e dos retardados. Assim será a minha marcha o seu declínio.

X

Tinha assim falado Zaratustra ao seu coração, quando o sol atingiu o seu zênite. Ergueu os olhos, penetrando nas alturas do céu, porque ouviu, sobre ele, o grito penetrante de uma ave. E viu.

Uma águia descrevia grandes círculos no ar e trazia suspensa uma serpente, não como presa, mas como uma amiga, porque ela ia enroscada ao seu pescoço.

– São os meus animais! – disse Zaratustra, e o seu coração encheu-se de alegria.

O animal mais arrogante que existe sob o sol e o animal mais astucioso que há sob o sol saíram para fazer reconhecimento.

Queriam descobrir se Zaratustra ainda vivia. E vivo ainda, na verdade?

Mais perigos encontrei entre os homens do que entre os animais; perigosos caminhos segue Zaratustra. "Que meus animais me guiem!"

Depois de dizer estas palavras, Zaratustra lembrou-se das palavras do santo do bosque, suspirou, e falou ao seu coração:

– Seja eu mais sábio! Seja eu mais profundamente sábio, como a minha serpente.

Mas peço o impossível; rogo, pois, à minha altivez, que acompanhe sempre a minha sabedoria!

E se um dia me abandonar a minha sabedoria – ah! Ela gosta tanto de voar! – possa então minha altivez voar com a minha loucura!

Assim começou a descida de Zaratustra.

OS DISCURSOS DE ZARATUSTRA

Primeira parte

Das três metamorfoses

Três metamorfoses do espírito vos menciono: de como o espírito se muda em camelo, e em leão o camelo, e em criança, finalmente, o leão.

Muitas coisas parecem pesadas ao espírito, ao espírito robusto e paciente, imbuído de respeito. Pesadas e das mais pesadas é o que reclama aos gritos a sua força.

– Que é pesado? – pergunta o espírito tornado besta de carga, e ajoelha-se como o camelo que quer estar bem carregado.

– Que é o mais pesado, heróis? – pergunta o espírito tornado besta de carga. – Pois deleitai-a sobre mim, para que eu goze de minhas forças?

Não é rebaixar-nos para mortificar o nosso orgulho? Deixar brilhar a sua loucura para burlar-se de sua sensatez?

Ou então abandonarmos nossa causa, quando ela celebra sua vitória? Escalar altos montes para tentar o Tentador?

Ou é sustentar-se com bolotas e a erva do conhecimento, e fazer jejuar a alma por amor da verdade?

Ou é estar enfermo e despedir os consoladores, e travar amizade com surdos, que não ouvem nunca o que desejam?

Ou será submergir-se em água imunda, quando ela é a água da verdade, e não afastar de si as frias rãs e os sapos quentes?

Ou é amar aos que nos desprezam e estender a mão ao fantasma que quer nos assustar?

O espírito tornado besta de carga atira sobre si todos estes pesados fardos; e igual ao camelo, que se apressa para alcançar o deserto, também ele se apressa para alcançar o seu deserto.

E lá, nessa solidão extrema, produz-se a segunda metamorfose; o espírito torna-se leão; quer conquistar a liberdade, e ser amo em seu próprio deserto.

Busca aqui o seu último amo; quer ser inimigo seu e de seu último deus; quer lutar pela vitória com o grande dragão.

Qual é o grande dragão que o espírito não quer chamar nem Deus nem Senhor? "Tu deves", chama-se o grande dragão. Mas o espírito do leão diz: "Eu quero!"

O "tu deves" barra-lhe o caminho, um animal escamoso de áureo fulgor; e em cada uma de suas escamas brilha em letras douradas: "Tu deves!"

Valores milenários brilham nessas escamas, e assim fala o mais poderoso de todos os dragões: "Todo o valor das coisas brilha em mim".

"Todos os valores já foram criados, e todos os valores criados: sou eu. Na verdade, não deve haver daqui por diante 'eu quero'. Assim falou o dragão."

"Meus irmãos, para que preciso do leão no meu espírito? Não basta a besta de carga resignada e respeitosa?"

Criar valores novos, nem mesmo o leão o pode; mas a liberdade para a criação nova, isso pode o poder do leão.

Para conquistar sua própria liberdade, o direito sagrado de dizer não, até ante o dever, para tanto, meus irmãos, é preciso ser leão.

Conquistar o direito de criar valores novos é a mais terrível empresa para um espírito resignado e respeitoso. Certamente veria em tal ato uma façanha de salteador e de animal de rapina.

Como os mais santos, amou uma vez o "tu deves", e agora há de ver a ilusão e o arbitrário ainda no mais profundo do que há de mais sagrado no mundo e conquistar assim, após uma grande luta, o direito à liberdade a expensas de seu amor. É necessário um leão para tão grande violência.

"Mas, dizei-me, irmãos: que pode fazer a criança, onde o próprio leão foi incapaz? Por que o rapace??? Leão deve tornar-se criança?

Inocência é a criança, o esquecimento, novo começar, jogo, roda que gira sobre si mesma, primeiro movimento, santa afirmação.

Na verdade, meus irmãos, para brincar o brinquedo dos criadores é necessário ser uma santa afirmação: o espírito quer agora a *sua* vontade; tendo perdido o mundo, quer ganhar para si o *seu* mundo.

Três metamorfoses do espírito vos mencionei: de como o espírito se mudava em camelo, de camelo em leão, e o leão, finalmente, em criança."

Assim falava Zaratustra. E nesse tempo residia na cidade que se chamava a "Vaca de Variadas Cores".

Das cátedras da virtude

Elogiaram a Zaratustra um sábio que falava doutamente do sono e da virtude; por isso o acumulavam de honras e recompensas, e todos os jovens acudiam à sua cátedra. Para ele se dirigiu Zaratustra, e com todos os jovens sentou-se diante da cátedra. E o sábio falou assim:

– Honrai o sono, e respeitai-o! Eis aqui o principal. Evitai a todos os que dormem mal, e permanecem despertos de noite.

Até o próprio ladrão envergonha-se em presença do sono: furtivo desliza-se silenciosamente através da noite. Mas impudente é o sereno da noite, e é impudentemente que leva a sua corneta.

Não é mesquinha arte saber dormir; é preciso ter velado todo um dia para consegui-lo.

Precisarás dez vezes ao dia vencer a ti mesmo; eis o que dá uma boa fadiga, e é o ópio da alma.

Precisarás dez vezes reconciliar-te contigo mesmo, porque é amargo vencer-se, e dorme mal o que não se reconciliou.

Precisarás encontrar dez verdades durante o dia; do contrário buscarás ainda verdades durante a noite, e faminta estará a tua alma.

Precisarás rir dez vezes ao dia, e estar alegre; do contrário, o estômago, este pai da aflição, incomodar-te-á durante a noite.

Poucos os que sabem, mas é preciso ter todas as virtudes para dormir bem. Levantei falsos testemunhos? Cometi adultério?

Cobicei a criada do próximo? Tudo isso se aviria mal com um bom sono.

E mesmo que se tivessem todas as virtudes, uma, pelo menos, dever-se-ia de ter: mandar dormir a tempo as próprias virtudes.

Cuida-te que não disputem, entre si, as lindas mulherzinhas! E menos sobre ti, infeliz!

Paz com Deus e com o próximo: assim o quer o bom sono. E paz também com o diabo do teu próximo, do contrário te atormentará de noite.

Honra e obediência à autoridade, até à autoridade que claudique! Assim o quer o bom sono. Tenho eu culpa se o poder gosta de andar com pernas de coxo?

O que leva suas ovelhas ao prado mais verde será sempre para mim o melhor pastor: eis o que nos favorece um bom sono.

Muitas honras, não as quero, nem grandes tesouros: eles esquentam a bílis. Mas se dorme mal sem uma boa reputação e um pequeno tesouro.

É mais bem-vinda uma pequena companhia do que uma ruim; mas é mister que saiba vir e que se vá no momento oportuno, o que é favorável a um bom sono.

Agradam-me também os pobres de espírito: eles ajudam o sono. Bem-aventurados são eles, sobretudo quando sempre se lhes dá razão.

Assim decorre o dia do virtuoso. Quando sobrevém a noite, dispenso-me de chamar o sono. Não quer ser invocado o sono, que é o senhor da virtude.

Somente penso no que fiz e pensei durante o dia. Ruminando, com a paciência de uma vaca, eu me pergunto: Então, quais foram as minhas dez vitórias sobre mim mesmo?

E quais foram as dez reconciliações, e as dez verdades, e as dez gargalhadas que me alegraram o coração?

Meditando assim, e debruçado sobre esses quarenta pensamentos, sinto-me invadido pelo sono que não chamei, o senhor da virtude.

O sono pousa-me nos olhos, e os sinto pesados. O sono toca a minha boca, e a boca permanece aberta.

Na verdade, com seus pés de veludo vem até mim, o mais amado dos ladrões, e rouba-me os pensamentos. Entorpecido eu fico como esta cátedra.

Não lhe resistirei por muito tempo, pois logo me estendo.

Ao ouvir o sábio falar assim, Zaratustra riu-se em seu coração, porque nele havia surgido uma luz. E assim falou ao coração:

– Louco me parece este sábio com os seus quarenta pensamentos; mas, creio que entende muito bem do sono.

Bem-aventurado o que habite perto deste sábio! Tal sono é contagioso, ainda através de uma espessa parede.

Um encanto emana de sua cátedra. E não é em vão que jovens vêm sentar-se aos pés desse pregador da virtude.

A sua sabedoria diz: "Velar para bem dormir". E verdadeiramente, se a vida carecesse de sentido, e eu tivesse de escolher um contrassenso, este contrassenso me pareceria o mais digno de escolha.

Agora compreendo claramente o que outrora se buscava antes de tudo, quando buscavam mestres de virtude. Bom-senso era o que se buscava, e virtudes soporíficas.

Para todos esses ilustres sábios de cátedra, a sabedoria era um sono sem sonhos: não conheciam melhor sentido da vida.

Ainda hoje há alguns que se assemelham a este pregador da virtude, mas nem todos são sempre tão honrados como ele; mas já passou o seu tempo. E não permanecerão de pé por muito tempo; ei-los já deitados.

Bem-aventurados são esses sonolentos, porque cedo deverão dormir.

Assim falava Zaratustra.

Dos crentes em Além-Mundos

Um dia Zaratustra projetou sua ilusão além dos homens, como o fazem todos os alucinados do além. – Obra de um deus sofredor e atormentado me pareceu então o mundo.

– Sonho me parecia o mundo, e poema de um deus: nuvem irisada ante os olhos de um divino descontente.

Bem e mal, alegria e sofrimento, eu e tu – nuvem irrisada, me parecia tudo ante os olhos criadores. Afastar de si mesmo o olhar queria o criador – e criou o mundo.

Embriagadora alegria para o que sofre é afastar os olhos do próprio sofrimento, e esquecer-se. Embriagadora alegria e esquecimento de si me pareceu um dia o mundo.

Este mundo, eternamente imperfeito, imagem de uma eterna contradição e imperfeita imagem, aprecia-me como uma embriagadora alegria para seu imperfeito criador. Assim eu imaginava o mundo.

Também, igual a todos os alucinados do além-mundo, projetei a minha ilusão além dos homens. Além dos homens, na verdade?

Ah! Meus irmãos! Este deus que eu criei era obra humana e humano delírio, como todos os deuses.

Homem era ele, pobre fragmento de homem e de mim; fantasma nascido de minhas próprias cinzas e de minha própria chama, e, na verdade, nunca veio do mais além.

Que sucedeu, meus irmãos? Eu, que sofria, soube me dominar: levei minhas próprias cinzas à montanha; e uma chama mais clara inventei para mim. E vede! O fantasma de mim se *afastou*.

Agora que estou curado, ser-me-ia um sofrimento e uma tortura acreditar em semelhantes fantasmas. É deste modo que falo aos que acreditam em além-mundos.

Sofrimentos e impotência criaram todos os além-mundos, e esse breve delírio de felicidade que só conhece quem mais sofre.

A fadiga que quer de *um* salto, de um salto mortal, alcançar seu extremo, essa pobre fadiga ignorante, que não quer outra vez querer mais: ela criou todos os deuses e todos os além-mundos.

Crede-me, meus irmãos! Foi o corpo que desesperou do corpo: que apalpou com os dedos do espírito extraviado as últimas muralhas. Crede, meus irmãos! Foi o corpo que desesperou da terra, que ouviu falar o ventre do ser.

Quis então traspassar com a cabeça as últimas muralhas, e não só a cabeça: quis passar inteiramente ao "outro mundo".

Mas esse "outro mundo", oculto aos homens, esse desumanizado e inumano mundo, é um nada celeste; e as entranhas do ser não falam ao homem, a não ser que elas falem a própria voz do homem.

Realmente, tarefa difícil é demonstrar o Ser, e difícil é fazê-lo falar! Dizei-me, irmãos: não é a mais insólita de todas as coisas a que é melhor demonstrada?

Sim; este Eu, cheio de contradição e erros, é ainda o que fala mais lealmente de seu ser, esse Eu que cria, que quer e que julga, esse Eu, medida e valor das coisas.

E este ser lealíssimo, o Eu, fala do corpo, e quer o corpo, mesmo quando sonha e divaga e revoluteia com as asas partidas.

Esse Eu me ensinou a expressar com uma lealdade crescente; e quanto mais aprende, mais encontra palavras para expressar louvores ao corpo e à terra.

Um novo orgulho me ensinou meu Eu, e eu ensino aos homens; não mais afundar a cabeça na areia das coisas celestes, mas erguê-la desassombradamente, essa cabeça terrestre, que dá sentido à terra.

Uma nova vontade ensino aos homens; querer conscientemente o caminho que o homem cegamente percorreu, dá-lo por bom, e dele não se afastar furtivamente, como o fazem os enfermos e os moribundos.

Enfermos e moribundos foram os que desprezaram o corpo e a terra, os que inventaram as coisas celestes e as gotas de sangue redentor; e, até esses doces e lúgubres venenos eles os tiraram do corpo e da terra!

Queriam fugir de sua miséria, e as estrelas pareciam-lhes demasiadamente longínquas. Então suspiraram: "Ó, que haja caminhos celestes para alcançar outra vida e outra felicidade!" Então inventaram artifícios e sangrentas bebidas.

E acreditaram-se libertos do corpo e desta terra, esses ingratos. Mas, a quem deviam o espasmo e o deleite de seu arrebatamento? Ao corpo e a esta terra.

Zaratustra é indulgente para com os enfermos. Não lhe aborrecem as maneiras de se consolarem ou de se mostrarem ingratos! Que se curem, e se dominem, e criem um corpo superior!

Zaratustra não se encoleriza tampouco contra o convalescente que olha com ternura as suas ilusões e vem assombrar, à meia-noite, o túmulo de seu Deus; mas suas lágrimas são ainda enfermidade, e enfermidade do corpo.

Houve sempre muitos enfermos entre os poetas e burladores de Deus; odeiam furiosamente o que busca o conhecimento, e a esta mais jovem das virtudes, que se chama retidão.

Olham sempre para trás, para tempos obscuros; então, certamente, a ilusão e a fé eram outra coisa. O delírio da razão era coisa divina; e a dúvida, pecado.

Conheço-os demasiadamente bem esses que se creem semelhantes a Deus: querem que neles se acredite, e que a dúvida seja imputada como pecado. Sei também de sobra em que é que eles mais acreditam.

Não é certamente no além-mundo nem em gotas de sangue redentor, é no corpo que eles sobretudo creem, e o seu próprio corpo é, para eles, a coisa em si.

Mas é para eles uma coisa enfermiça, e bem desejariam sair de sua pele. Eis por que escutam os pregadores da morte, e pregam eles mesmos os além-mundos.

Ouvi, melhor, meus irmãos, a voz do corpo são. É uma voz mais reta e mais pura.

Mais reta linguagem, e mais pura, é a do corpo são, pleno, e feito sob esquadro; e ele fala do sentido da terra.

Assim falava Zaratustra.

Dos que desprezam o corpo

Aos que desprezam o corpo quero dizer-lhes a minha opinião. Não devem mudar de preceito, nem de doutrina, mas, simplesmente, desfazerem-se do corpo, o que lhes tornará mudos.

"Eu sou corpo e alma" – assim fala a criança. – Por que não se há de falar como as crianças?

Mas o homem desperto, o sábio, diz: "Todo eu sou corpo, e nada mais; a alma não é mais que um nome para chamar algo do corpo".

O corpo é uma grande razão, uma multiplicidade com um só sentido, uma guerra e uma paz, um rebanho e um pastor.

Instrumento de teu corpo é também a tua pequena razão, irmão, a que chamas "espírito": um pequeno instrumento, e brinquedo de tua grande razão.

"Eu" dizes tu, e te orgulhas desta palavra. Mas o maior – e é o que tu não queres crer – é o teu corpo e a sua grande razão. Ele não diz "Eu", mas procede como Eu.

O que sentem os sentidos, o que o espírito conhece, nunca tem em si o seu fim. Mas os sentidos e o espírito quereriam convencer-te de que eles são o fim de tudo: tão fátuos são eles.

Os sentidos e o espírito são instrumentos e brinquedos; detrás deles está nosso próprio ser. Ele se informa também com os olhos dos sentidos, ele escuta com os ouvidos do espírito.

Sempre está à escuta e assim se informa o próprio ser: compara, submete, conquista e destrói. Ele reina, e é também o soberano do Eu.

Detrás de teus pensamentos e sentimentos, meu irmão, há um amo mais poderoso, um guia desconhecido, que se chama "o próprio Ser". Habita em teu corpo; é teu corpo.

Há mais razão em teu corpo que em tua melhor sabedoria. E quem sabe para que necessita teu corpo precisamente de tua melhor sabedoria?

O próprio Ser ri de teu Eu e de seus saltos pretensiosos. "Que são para mim esses saltos e esses voos do pensamento?" – diz ele. – Um desvio do meu fim. Eu tenho sob rédeas o meu Eu, e inspiro-lhe os pensamentos".

Nosso próprio ser diz ao Eu: "Agora sofre tuas dores!" E o Eu sofre, e medita como não mais sofrer; – é para esse fim que lhe *deve* servir o pensamento.

Nosso próprio Ser diz ao Eu: "Experimenta agora alegrias". Então o Eu se regozija, e medita como proceder para seguir regozijando-se frequentemente; é para esse fim que *deve* servir o pensamento.

Quero dizer uma coisa aos desprezadores do corpo: seu desprezo é a força do seu respeito. Quem criou a estima e o menosprezo, e o valor da vontade?

O próprio ser criador criou para si a estima e o menosprezo, criou para si a alegria e o sofrimento. O corpo criador formou para si o espírito para manejá-lo à sua vontade.

Desprezadores do corpo, ainda em vossa loucura e em vosso desdém, servis ao vosso próprio ser. Eu vos digo: é vosso próprio ser que quer morrer e se afasta da vida.

Já não pode fazer o que quer acima de tudo: criar o que supera a si mesmo, objeto de seu desejo supremo, de toda a sua paixão.

Mas é demasiado tarde: por isso vosso próprio ser quer desaparecer, desprezadores do corpo.

Vosso próprio ser quer perecer: por esta razão vos tornastes desprezadores do corpo. Pois sois inaptos a criar o que vos supera.

E eis por que vos irritais contra a vida e contra a terra. No olhar oblíquo de vosso menosprezo, transluz uma inveja inconsciente.

Eu não seguirei os vossos caminhos, desprezadores do corpo!

Vós não sois as pontes que levam ao Além-Homem!

Assim falava Zaratustra.

Das alegrias e das paixões

Irmão, quando tens uma virtude, e essa virtude é tua, não a tens em comum com ninguém.

Na verdade, tu queres chamá-la por seu nome, e acariciá-la; queres puxá-la pela orelha, e divertir-te com ela.

Vês! Tu agora dás-lhe um nome que é comum a ti e ao povo, e te fizeste povo e rebanho em tuas relações com a tua virtude.

Farias melhor em dizer: "Inexpressável e sem nome é o que constitui o tormento e a doçura de minha alma, e o que é também a fome de minhas entranhas".

Que tua virtude seja demasiado alta para a familiaridade das denominações; e se necessitas falar dela, não te envergonhes de balbuciar.

Fala e balbucia assim: "Este é o meu bem, o que eu amo: assim é como me agrada plenamente; é só assim como *eu* quero o bem.

Não o quero como mandamento de um deus, nem como uma lei e uma necessidade humana; não há de ser para mim um guia para as regiões transcendentes nem para paraísos.

O que eu amo é uma virtude terrena, que pouco tem que ver com a sabedoria e menos ainda com o senso comum.

Mas este pássaro construiu seu ninho em mim; por isso o quero e o estreito contra o meu coração. Agora incuba em mim seus dourados ovos.

Assim é como deves balbuciar e elogiar a tua virtude.

Antes tinhas paixões e a chamavas más. Mas agora tens apenas virtudes: elas nasceram de tuas paixões.

Nessas paixões puseste o teu mais alto objetivo; elas se tornaram tuas virtudes e alegrias.

E mesmo que fosses da raça dos coléricos, ou dos voluptuosos, ou dos fanáticos, ou dos vingativos, todas as tuas paixões acabaram por tornar-se em virtudes, todos os teus demônios em anjos.

Antes tinhas em tua adega cães selvagens, mas acabaram por se converter em pássaros e aves canoras.

De teus venenos extraíste um bálsamo; ordenhaste tua vaca Aflição, e agora bebes o doce leite de seus úberes.

E nenhum mal nasce mais de ti, a não ser o mal que brota da luta entre tuas virtudes.

Irmão, és feliz quando gozas apenas uma virtude, e nada mais; pois passarás a ponte mais depressa.

É uma distinção ter muitas virtudes, mas é sorte bem dura; e mais de um foi morrer no deserto, por estar farto de ser apenas batalha e campo de batalha de suas próprias virtudes.

Irmãos, a guerra e as batalhas serão males? São males necessários; pois é necessário que tuas virtudes se invejem, suspeitem umas das outras e mutuamente se caluniem.

Olha como cada uma das virtudes deseja o mais alto que há: cada uma quer todo o teu espírito para que seja seu arauto; quer toda a tua força na cólera, no ódio e no amor.

Invejosa das outras é cada uma das tuas virtudes, e uma coisa terrível é a inveja. Também as virtudes perecem de inveja.

O que gira em torno da chama da inveja, assim como o escorpião, acaba por volver contra si mesmo o aguilhão envenenado.

Ah! Meu irmão! Não viste nunca uma virtude caluniar-se e aniquilar-se a si mesma?

O homem é algo que deve ser superado. Deves, por isso, amar tuas virtudes, porque por elas perecerás".

Assim falava Zaratustra.

Do pálido criminoso

"Vós não quereis matar juízes e sacrificadores, enquanto a besta não inclinar a cabeça? Vede: o pálido criminoso inclinou a cabeça; em seus olhos se expressa o grande desprezo.

'Meu Eu é o que deve ser superado; meu Eu me inspira o profundo desprezo do homem' – eis o que diz esse olhar.

Seu mais alto momento foi aquele em que julgou a si mesmo. Não o deixeis descer dessa cima para cair em sua baixeza!

Para quem tanto sofre por si, não há mais salvação que a morte rápida.

Vosso homicídio, ó juízes, deve ser compaixão e não vingança. E ao matar, cuidai de justificar a própria vida!

Não vos basta reconciliar-vos com o que matais. Que vossa tristeza seja amor ao Além-Homem; assim justificais vossa supervivência!

Dizei 'inimigo' e não 'malvado'; dizei 'enfermo' e não 'infame'; dizei 'insensato' e não 'pecador'.

E tu, juiz vermelho, se dissesses em voz alta o que fizeste em pensamento, todo o mundo gritaria: 'Fora com essa imundície, com esse verme venenoso!'

Mas uma coisa é o pensamento e outra é a ação, e outra a imagem da ação. A roda da causalidade não gira entre elas.

Uma imagem fez empalidecer esse homem pálido. Ele estava à altura de seu ato quando o realizou, mas depois de tê-lo consumado não suportou sua imagem.

Sempre se viu sozinho, como o autor *de um ato*. Eu chamo a isso loucura; a excepção converteu-se em regra para ele.

Um traço de giz hipnotiza a galinha; o ato cometido hipnotizou sua pobre razão; é o que eu chamo de loucura *após* o ato.

Ouvi, juízes! Ainda há outra loucura: a loucura *antes* do ato. Não penetrastes profundamente nessa alma.

Assim fala o juiz vermelho: 'Por que matou esse criminoso? Queria roubar'. Mas eu vos digo: Sua alma queria sangue e não o roubo; tinha sede do prazer da faca!

Mas seu pobre coração não compreendia essa loucura e não a persuadiu a fazer outra coisa. Que importa o sangue? – disse ela. – Não desejas aproveitar o momento ao menos para roubar? Não desejas vingar-te?

E escutou a sua pobre razão, cujas palavras pesavam como chumbo sobre a sua alma; então roubou, depois de ter assassinado. Não queria envergonhar-se de sua loucura.

E outra vez pesa sobre ele o chumbo de sua falta. Outra vez se acha sua pobre razão tão torpe, tão embotada, tão pesada.

Se ao menos pudesse sacudir a cabeça, sua carga cairia; mas quem sacudiria essa cabeça?

Que é esse homem? Um conjunto de enfermidades, que sonham abrir caminho pelo mundo para procurar a sua presa.

Que é este homem? Um nó de ferozes serpentes raramente em paz umas com as outras. Assim cada uma vai para o seu lado buscar a presa pelo mundo.

Vede esse pobre corpo! Seus sofrimentos, seus desejos, sua pobre alma ele tentou interpretá-los como uma sede de assassínio, como aspiração à felicidade da faca.

O que adoece hoje, vê-se dominado pelo mal, que é mal de hoje; quer fazer sofrer com o que fez sofrer. Mas houve outros tempos e outros males e bens.

Outrora o mal era a dúvida e a vontade de ser a si mesmo. O enfermo tornava-se herege ou bruxo; e era como herege ou bruxo que padecia e queria padecer.

Mas tais coisas não quereis ouvir; direis que prejudica as pessoas de bem. Mas que me importam a mim as vossas pessoas de bem?

Há em vossas pessoas de bem muitas coisas que me repugnam, e não é certamente o mal que nelas existe. Quisera que tivessem uma loucura que as levasse a sucumbir, como a esse pálido criminoso.

Na verdade, quisera que sua loucura se chamasse verdade, ou lealdade, ou justiça; mas sua virtude lhes serve para viver por muito tempo numa mísera conformidade.

Eu sou um parapeito ao longo da torrente: aquele que puder segurar-me, que o faça. Mas, vossa muleta eu não o sou."

Assim falava Zaratustra.

Ler e escrever

"De tudo quanto se escreve, agrada-me apenas o que alguém escreve com o próprio sangue. Escreve com sangue; e aprenderás que sangue é espírito.

Não é quase possível compreender o sangue estranho; eu detesto todos os leitores ociosos.

Quem conhece o leitor, já nada faz para o leitor. Mais um século de leitores, e o próprio espírito terá mau odor.

Que todo o mundo tenha o direito de aprender a ler, eis o que com o tempo vos desgosta; não só de escrever, mas de pensar.

Outrora o espírito era Deus; mas depois se fez homem; agora se fez plebe.

Quem com sangue e em máximas escreve não quer ser lido, mas guardado de memória.

Nas montanhas, o mais curto caminho vai de cimo a cimo; mas é mister pernas largas. É mister que os aforismos sejam cimos, e aqueles a quem falas, homens altos e robustos.

Um ar leve e puro, o perigo próximo e o espírito cheio de uma alegre malignidade, eis o que se harmoniza bem.

Gosto de me cercar de duendes, porque sou valente. A coragem afugenta os fantasmas e cria os próprios duendes: a coragem quer rir.

Eu não sinto como vos sentis; essa nuvem, que vejo abaixo de mim, esse negrume e pesadume de que me rio, é precisamente vossa nuvem tempestuosa.

Vós ergueis os olhos quando aspirais a elevar-vos. Eu, como estou no alto, desço o meu olhar.

Quem de vós pode estar alto e rir ao mesmo tempo? Quem escala altos montes, ri-se de todas as tragédias da cena e da gravidade trágica da vida.

Valorosos, despreocupados, zombeteiros, imperiosos; assim nos quer a sabedoria. Ela é mulher, e não poderia amar senão a um guerreiro.

Vós me dizeis 'A vida é uma carga pesada'. Mas para que vosso orgulho pela manhã e vossa submissão pela tarde?

A vida é uma carga pesada; mas não vos ponhais tão compungidos. Todos somos asnos carregados.

Que temos de comum com o botão de rosa que treme ao peso de uma gota de rocio?

É verdade: amamos a vida, não porque estejamos habituados à vida, mas ao amor.

Há sempre um quê de loucura no amor. Mas há sempre também um quê de razão na loucura.

E eu, eu que estou de bem com a vida, creio que os que melhor entendem de felicidade são as mariposas e as bolhas de sabão, e tudo quanto a elas se assemelha entre os homens."

Ao ver revolutear essas alminhas aladas e loucas, encantadoras e buliçosas, Zaratustra tem ímpetos de chorar e de cantar.

"Eu não poderia crer num Deus, se ele não soubesse dançar.

E quando vi o meu demônio, pareceu-me sério, grave, profundo e solene: era o espírito do Pesadume. É ele que faz cair todas as coisas.

Não é a cólera, mas o riso que mata. Adiante! Fora com o espírito do Pesadume!

Aprendi a andar; desde então corro. Aprendi a voar; desde então não quero que me empurrem para mudar de lugar.

Agora sou leve, agora voo; agora me vejo no alto, acima de mim, agora um Deus dança em mim."

Assim falava Zaratustra.

Uma árvore na montanha

Os olhos de Zaratustra tinham visto que um jovem fugia sempre de sua presença. E uma tarde, atravessando sozinho as montanhas que rodeiam a cidade chamada a "Vaca de Variadas Cores", encontrou o jovem sentado junto a uma árvore, e dirigindo ao vale um olhar fatigado. Zaratustra abraçou a árvore em que o jovem se apoiava, e disse:

– Se eu quisesse sacudir essa árvore com minhas mãos não o poderia. Mas o vento, que não vemos, atormenta-a e dobra-a como quer. A nós nos dobram e atormentam duramente mãos invisíveis.

Nisto o jovem levantou-se assustado e disse:

– É Zaratustra quem ouço, e estava agora precisamente pensando nele.

Zaratustra perguntou:

– Por que te assustas? Sucede ao homem o que sucede à árvore.

Quanto mais quer subir às alturas e à luz, mais vigorosamente estende as raízes para a terra, para baixo, para o obscuro e profundo: para o mal.

– Sim, para o mal! – exclamou o jovem. – Como é possível que tenhas descoberto a minha alma?

Zaratustra sorriu e disse:

– Há almas que não serão descobertas, enquanto não se começa a inventá-las.

– Sim, para o mal! – exclamou de novo o jovem. Tu dizias verdade, Zaratustra. Não tenho mais confiança em mim desde que quero subir às alturas, e ninguém tem mais confiança em mim. Por que se dá isto?

Eu mudo demasiadamente depressa – meu hoje contradiz meu ontem. Com frequência salto degraus quando subo, coisa que não me perdoam os degraus.

E quando lá em cima, sempre me encontro sozinho. Ninguém me fala; o frio da solidão me faz tremer. Que é o que desejo, pois, nas alturas?

Meu desprezo e meu desejo crescem juntamente; quanto mais me elevo, mais desprezo ao que se eleva. Que quer ele, pois, nas alturas?

Como me envergonho de minha ascensão e das minhas quedas! Como me rio de tanto desejar! Como odeio ao que voa! Que cansado me sinto nas alturas!

O jovem calou. Zaratustra olhou atentamente a árvore, junto à qual se encontrava, e falou assim:

– Esta árvore está sozinha na montanha. Cresce muito acima dos homens e dos animais. E se quisesse falar, não haveria ninguém que pudesse compreendê-la: tanto cresceu.

Agora espera, e espera sempre. Que espera? Habita demasiado próximo da moradia das nuvens: espera talvez o próximo raio?

Quando Zaratustra disse essas palavras, o jovem, preso de agitação, exclamou:

– Sim, Zaratustra; dizes bem. Eu desejei minha queda ao querer chegar às alturas, e tu eras o raio que eu esperava. Olha: que sou eu desde que tu me apareceste? A inveja que tenho de ti me aniquilou! – Assim falou o jovem e chorou amargamente. Zaratustra cingiu-lhe da cintura com o braço, e levou-o consigo.

E quando haviam caminhado juntos, durante algum tempo, Zaratustra começou a falar assim:

– Tenho o coração despedaçado. Melhor que tuas palavras, teus olhos me dizem todo o perigo que corres.

Tu não és livre ainda, tu buscas ainda a liberdade. Essa busca te traz tresnoitado e desperta a tua consciência.

Queres escalar a altura livre; tua alma tem sede de estrelas. Mas também teus maus instintos têm sede de liberdade.

Teus cães selvagens querem ser livres; ladram de alegria em sua cova quando teu espírito tende a abrir todas as prisões.

Para mim, tu és ainda um prisioneiro que sonha com a liberdade. Aí, a alma de tais presos torna-se prudente, mas também astuta e má.

Quem libertou seu espírito necessita ainda purificar-se. Traz consigo sombras do cárcere e odor de mofo; ainda é mister que seu olhar se purifique.

Sim; conheço teu perigo. Mas, por meu amor e minha esperança, exorto-te não atires longe de ti teu amor e tua esperança!

Tu te sentes ainda nobre, e também te reconhecem nobres os outros, os que estão de mal contigo, e te espreitam de soslaio. O homem nobre, bem o sabes, é uma pedra no caminho dos outros.

Também os bons tropeçam com algum nobre em seu caminho, e se o chamam de bom, é apenas um modo de afastá-lo.

O nobre quer criar alguma coisa nova e uma nova virtude. O bom deseja as velhas coisas, e conservar tudo quanto é velho.

Mas o perigo do nobre não é tornar-se bom, mas insolente, gracejador e destruidor.

Conheci esses nobres corações que perderam a sua mais alta esperança! E depois caluniaram todas as altas esperanças.

Desde então viveram uma vida minguada de breves alegrias, sem ver mais longe do que de um dia para outro.

"O espírito é também voluptuosidade" – diziam. – E quebram as asas do seu espírito; agora se arrastam aqui, manchando tudo o que roem.

Outrora pensavam fazer-se heróis; agora são gozadores. O herói é para eles aflição e espanto.

Mas em nome de meu amor e de minha esperança te digo: não repudia o herói que há em tua alma. Verá piedosamente a tua mais alta esperança!"

Assim falava Zaratustra.

Dos predicadores da morte

"Há predicadores da morte, e cheia está a terra de indivíduos aos quais se deve pregar que renunciem a vida.

A terra está cheia de supérfluos, e a vida é prejudicada pelos que são demais. Que sejam persuadidos a deixar esta vida em nome da 'eterna'!

'Amarelos'! Assim são chamados os predicadores da morte, ou 'negros'. Mas eu quero apontá-los também sob outras cores.

Terríveis são os que levam dentro de si a fera, e que só podem escolher entre o próprio gozo e a mortificação. E até nos próprios gozos há mortificações.

Nem sequer chegam a ser homens, esses seres terríveis. Que preguem a renúncia à vida, e que também desapareçam!

Eis aqui os tísicos da alma. Mal nascem, já começam a morrer, e têm sede de doutrinas de cansaço e de renúncia.

Quereriam estar mortos, e nós devemos aprovar a sua vontade. Guardemo-nos de despertar esses mortos e de lhes violar as sepulturas.

Basta-lhes encontrar um enfermo, um velho ou um cadáver para imediatamente clamarem: 'Refutada está a vida!'

Mas são eles somente os refutados, assim como os seus olhos só veem *um* aspecto da existência.

Sumidos nessa melancolia e ávidos dos leves acidentes que podem matar, estão à espera, com dentes cerrados.

Ou então estendem as mãos para os doces, zombando de sua própria infantilidade; estão ligados à palhinha de sua vida, e zombam da força que os liga a essa palhinha.

Sua sabedoria diz: 'Loucos os que se atêm à vida, mas nós somos esses loucos! É o que há de mais louco na vida!'

'A vida é apenas sofrimento', dizem outros, e não mentem. Providenciais, pois, para desaparecerdes! Fazei cessar uma vida, que é apenas sofrimento!

E eis o que deve ensinar a vossa virtude: 'Destrói a ti mesmo! Livra-te a ti mesmo!'

'A luxúria é um pecado – dizem alguns dos que pregam a morte. – Afastemo-nos, e não engendremos filhos!'

'É doloroso dar à luz – dizem outros. – Por que seguir dando à luz? Não se dão mais à luz que desgraçados!' E eles também são pregadores da morte.

É preciso ser compassivo – dizem outros. – Tomai o que tenho! Tomai o que sou! Assim menos me prenderei à vida!'

Se fossem verdadeiramente compassivos, tornariam a vida intolerável ao próximo. Ser maus: essa seria a verdadeira maneira de ser bom.

Mas eles querem libertar-se da vida. Que lhes importa atar os outros a ela estreitamente, com suas cadeias e seus presentes?

E vós também, os que levais uma vida de inquietações e de trabalho árduo, não estais cansados da vida? Não estais bem maduros para a pregação da morte?

Vós todos, os que amais o trabalho árduo e tudo o que é rápido, novo, estranho, com que dificuldades suportais a vós mesmos; vosso ardor ao trabalho é a maneira de fugirdes de vós mesmos, de vos esquecerdes.

Se tivésseis mais fé na vida, menos vos abandonaríeis ao momento que passa. Mas não tendes bastante profundidade em vós para saber esperar, nem para permitir de serdes preguiçosos.

Por todas as partes, ressoa a voz dos que pregam a morte, e a terra está cheia daqueles aos quais é preciso pregar a morte.

Ou a 'vida eterna' – que é para mim o mesmo, – o importante é que passem depressa."

Assim falava Zaratustra.

Da guerra e dos guerreiros

"Não queremos que nossos melhores inimigos nos tratem com indulgência nem tampouco *aqueles* a quem amamos de coração. Deixai-me, pois, dizer-vos a verdade.

Irmãos na guerra! Amo-vos de todo coração; eu sou e era vosso semelhante. Sou também vosso melhor inimigo. Deixai-me, pois, dizer-vos a verdade!

Conheço o ódio e a inveja de vossos corações. Não sois bastante grandes para não conhecer o ódio e a inveja. Sede, pois, bastante grandes para não vos envergonhardes de ser assim!

E se não podeis ser os santos do conhecimento, sede ao menos seus guerreiros. Eles são os companheiros e os precursores dessa santidade.

Eu vejo muitos soldados; oxalá possa ver muitos guerreiros! Chama-se 'uniforme' o que levam; que não seja uniforme o que sob ele ocultam!

Desejo que sejais daqueles, cujos olhos buscam sempre um inimigo, o *vosso* inimigo. E em alguns de vós se revela ódio à primeira vista.

Deveis buscar o vosso inimigo e fazer a vossa guerra, uma guerra por vossos pensamentos! E se vosso pensamento sucumbe, vossa lealdade, contudo, deve cantar vitória.

Deveis amar a paz como meio de guerras novas, e a paz curta mais que a longa.

Eu não vos aconselho o trabalho, mas a luta. Eu não vos aconselho a paz, mas a vitória. Que vosso trabalho seja luta! Que vossa paz seja vitória!

Não é possível calar-se e permanecer tranquilo, senão quando se tem flechas e um arco; do contrário, o tempo passa em zombarias e disputas. Que vossa paz seja uma vitória!

Vós dizeis que a boa causa é que santifica a guerra? Eu vos digo: a boa guerra é a que santifica qualquer causa.

A guerra e o valor fizeram mais coisas estranhas que o amor ao próximo. Não a vossa piedade, mas a vossa bravura é que até o presente salvou os náufragos.

Que é bom? – perguntais. – Ser valente. Deixei às mocinhas dizer: 'Bom é o bonito e o terno'.

Chamam-vos de gente sem coração; mas vosso coração é sincero, e a mim me apraz o pudor de vossa cordialidade. Vós vos envergonhais de vosso fluxo, e outros se envergonham de seu refluxo.

Sois feios? Pois o sejais, meus irmãos. Envolvei-vos de sublime; é o manto da fealdade!

E quando vossa alma cresce, torna-se ela arrogante, e há maldade em vossa elevação. Eu vos conheço.

É na maldade que o arrogante e o débil se encontram. Mas não se compreendem. Eu vos conheço.

Não deveis ter inimigos senão para odiá-los e não para desprezá-los. Deveis estar orgulhosos de vosso inimigo; então os triunfos dele serão também vossos triunfos.

Rebelião, eis a nobreza do escravo. Vossa nobreza seja obediência. Seja obediência até quando derdes ordens!

Para o verdadeiro homem de guerra soa mais agradavelmente o *'tu deves'* do que *'eu quero'*. E o que mais gostais, faze-o como se vos ordenassem.

Que vosso amor à vida seja amor às vossas mais altas esperanças, e que vossa mais alta esperança seja o mais alto pensamento da vida.

E vosso mais alto pensamento deveis ouvi-lo de mim; ei-lo: o homem é algo que deve ser superado.

Vivei, pois, vossa vida de obediência e de guerra. Que importa que a vida seja longa! Que guerreiro quer ser poupado?

Eu não vos poupo, eu vos amo de todo coração, irmãos na guerra."

Assim falava Zaratustra.

Do novo ídolo

"Ainda há em algumas partes povos e rebanhos; mas não entre nós, meus irmãos; entre nós há Estados.

Estado? Que é isso? Vamos! Abri os ouvidos, porque eu vos vou falar da morte dos povos.

Estado chama-se o mais frio dos monstros frios. É frio também quando mente com aquela mentira rasteira que sai de sua boca: 'Eu, o Estado, sou o Povo'.

Mentira! Criadores foram os construtores de povos, os que suspenderam sobre eles uma fé e um amor; serviram assim à vida.

Destruidores foram os que puseram armadilhas para o grande número, e a isso chamam o Estado; suspendem sobre suas cabeças uma espada e cem apetites.

Onde ainda há povo, não se compreende o Estado, e é detestado com o mau olhar, como uma transgressão dos costumes e das leis.

Eu vos dou este sinal; cada povo fala uma língua particular sobre o bem e o mal, que o vizinho não compreende. Inventa para si uma língua sobre os costumes e as leis.

Mas o Estado sabe mentir em todas as línguas do bem e do mal, e em tudo o que diz, mente; e tudo quanto tem, foi roubado.

Nele tudo é falso; morde com falsos dentes, esse mordedor. Até suas entranhas são falsas.

A confusão das línguas do bem e do mal, eis o sinal que vos dou; tal é o sinal do Estado.

Na verdade, é um sintoma da vontade de morrer. Na verdade, é um convite aos pregadores da morte.

Vêm ao mundo homens em demasia; para os supérfluos inventou-se o Estado!

Vede como ele atrai os supérfluos! Como os engole, como os masca, e remasca!

'Na terra, nada há maior do que eu; eu sou o dedo soberano de Deus', assim ruge o monstro. E não são somente os que têm orelhas longas e vista curta os que caem de joelhos!

Também em vós, grandes almas, ele murmura suas sombrias mentiras! Ah! Ele adivinha os corações ricos que gostam de ser pródigos.

Sim; adivinha a vós também, vencedores do antigo Deus. Vós vos rendestes no combate, e agora a vossa lassidão pôs-se a serviço do novo ídolo!

Ele quisera cercar-se de heróis e de homens de respeito, esse novo ídolo. Esse frio monstro gosta de esquentar-se ao sol da pura consciência.

Ele vos dará tudo *se* o adorardes, o novo ídolo; assim compra o brilho de vossa virtude e o altivo olhar de vossos olhos! Quer servir-se de vós como de um manjar para os supérfluos.

Sim; inventou com isso uma artimanha infernal, um corcel da morte, ajaezado com o adorno deslumbrante das honras divinas.

Sim; inventou para o grande número uma forma de morte que se glorifica de ser vida; na verdade, foi o melhor serviço prestado aos pregadores da morte.

Estado, sei, é onde todos bebem veneno, bons e maus; Estado, onde todos se perdem a si mesmos, bons e maus; Estado, onde o lento suicídio de todos chama-se 'a vida'.

Vede, pois, esses supérfluos! Roubam as obras dos inventores e os tesouros dos sábios; civilização chamam ao seu latrocínio, e tudo se lhes torna enfermidade e revés.

Vede-me, pois, esses supérfluos! Estão sempre enfermos; vomitam a sua bílis, e chamam a isso periódicos. Entredevoram-se, e não conseguem digerir.

Vede-me, pois, esses supérfluos! Adquirem riquezas, e se tornam mais pobres. Querem o poder, esses impotentes, sobretudo o palanquim do dever: muito dinheiro!

Vede como trepam esses símios ágeis! Trepam uns sobre os outros, e arrastam-se assim uns aos outros ao lodo e ao abismo.

Todos querem aproximar-se do trono: é a sua loucura – como se a felicidade estivesse no trono! – Frequentemente é o lodo o que está no trono e frequentemente também o trono está no lodo.

Loucos são para mim todos eles, e símios trepadores e excitados. Seu ídolo, esse frio monstro, fede; todos eles fedem também, esses idólatras.

Quereis afogar-vos na exalação de suas goelas e de seus apetites, meus irmãos? Quebrai as vidraças antes, e saltai para o ar livre!

Fugi desse mau cheiro! Evitai cair na idolatria desses supérfluos.

Fugi desse mau cheiro! Evitai o fumo desses sacrifícios humanos!

Ainda agora é livre o mundo para as almas grandes. Para os que vivem solitários, ou entre dois, ainda há muitos lugares vagos, onde se aspira o odor dos mares silenciosos.

Ainda têm aberta uma vida livre as almas grandes. Na verdade, quem pouco possui, tanto menos é possuído. Bendita seja a modesta pobreza!

Ali, onde acaba o Estado, começa o homem que não é supérfluo; ali começa o canto dos que são necessários, a melodia única e insubstituível.

Ali, onde *acaba* o Estado... olhai, meus irmãos! Não vedes o arco-íris e a ponte do Além-Homem?"

Assim falava Zaratustra.

Das moscas da praça pública

"Refugia-te, meu amigo, em tua solidão! Vejo-te aturdido pelo ruído dos grandes homens, e crivado pelos aguilhões dos pequenos.

Dignamente, contigo, sabem calar os bosques e as penhas. Assemelha-te de novo à tua árvore querida, à árvore de ampla ramagem, que escuta silenciosa, suspensa acima do mar.

Onde cessa essa solidão, começa a praça pública, e onde começa a praça pública, começa também o ruído dos grandes cômicos e o zumbido das moscas venenosas.

No mundo, as melhores coisas não valem nada sem alguém que as represente; grandes homens chama o povo a esses atores.

O povo mal compreende o que é grande, quer dizer, o que é criador. Mas tem um sentido para todos os atores e cômicos das grandes causas.

Ao redor dos inventores de valores novos gira o mundo; gira invisivelmente. Mas ao redor dos atores giram o povo e a glória; assim 'o mundo marcha'.

Espírito tem o cômico, mas pouca consciência do espírito. Crê sempre naquilo pelo qual faz crer mais energicamente – crer em *si mesmo*.

Amanhã terá uma nova fé e depois de amanhã outra mais nova. Possui percepções rápidas como o povo, e intuições variáveis.

Derrubar: a isso chama demonstrar. Tornar-se louco: a isso chama convencer. E o sangue é aos seus olhos o melhor dos argumentos.

Chama mentira e nada a uma verdade que só penetra nos ouvidos delicados. Na verdade, só acredita nos deuses que fazem muito ruído no mundo.

Cheia de truões ensurdecedores está a praça pública e o povo se vangloria de seus grandes homens. São para ele os 'homens da hora'.

Mas o momento os oprime, e eles oprimem a ti, e te exigem um sim ou um não. Desgraçado! Queres colocar-te entre um pró e um contra?

Não invejes esses espíritos opressivos e absolutos, ó amante da verdade! Jamais a verdade se entregou nos braços dos intransigentes.

Volve ao teu asilo, longe dessa gente tumultuosa; é só na praça pública que vos assediam para arrancar-vos 'um sim ou um não?'

Lenta é a vida das fontes profundas; têm de esperar por muito tempo antes de saber o que caiu em sua profundidade.

Tudo quanto é grande passa longe da praça pública e do renome. Longe da praça pública e do renome viveram sempre os descobridores de valores novos.

Refugia-te, amigo, em tua solidão; vejo-te crivado por moscas venenosas. Foge para onde sopra o vento rijo.

Refugia-te em tua solidão! Viverás demasiadamente próximo dos pequenos e dos míseros. Afasta-te de sua vingança invisível! Tem para ti apenas um sentimento, o rancor.

Não levantes mais o braço contra eles! São inumeráveis, e não é teu destino ser enxota-moscas.

Inumeráveis são esses pequenos e míseros; e altivos edifícios se viram destruídos por gotas de chuva e ervas daninhas.

Tu não és pedra, mas já te fenderam muitas gotas.

E muitas gotas acabarão por fender-te, e por arrebentar-te em pedaços.

Vejo-te fatigado pelas moscas venenosas, vejo-te arranhado e ensanguentado em cem pontos, e teu orgulho desdenha até de encolerizar-se.

Sangue desejariam elas de ti em sua maior inocência; suas almas anêmicas reclamam sangue, e picam com a maior inocência.

Mas tu que *és* profundo, sentes profundamente até as pequenas feridas, e antes de curar-te, corria já pela tua mão a mesma vermina venenosa.

Pareces-me demasiado altivo para matar a esses gulosos. Mas cuida que não seja o teu destino suportar toda a sua venenosa injustiça!

Também zumbem à tua volta: mesmo quando te louvam seus louvores são pura importunação. O que eles querem é estar próximos de tua carne e de teu sangue.

Adulam-te como se adula a um deus ou a um diabo; choramingam ante ti como diante de um deus ou de um diabo. Que importa! São aduladores e choramingas, e nada mais.

Também costumam fazer-se amáveis contigo. Mas essa foi sempre a astúcia dos covardes. Sim; os covardes são astutos!

Pensam muito em ti com alma mesquinha. Tu és sempre suspeitoso! Tudo o que dá muito que pensar se torna suspeitoso.

Castigam-te por tuas virtudes. Não te perdoam, na verdade, senão as tuas faltas.

Como tu és benévolo e justo, dizes: 'São inocentes da pequenez de sua existência'. Mas as suas almas estreitas pensam: 'Toda a grande existência é culpada'.

Embora sejas benévolo para com eles, consideram-se ainda desprezados por ti, e te pagam os benefícios com ações dissimuladas.

Teu orgulho sem frases sempre os desgosta, e se alvorotam toda vez que és bastante modesto para ser vaidoso.

O que reconhecemos no homem é o que nele também atiçamos. Guarda-te, pois, dos pequenos!

Em tua presença, sentem-se pequenos, e sua baixeza arde em invisível vingança contra ti.

Não notaste como costumam bruscamente emudecer quando deles te aproximas, e parece que as forças os abandonam como o fumo abandona um fogo que se apaga?

Sim, meu amigo; tu és a consciência roedora de teus próximos, porque não são dignos de ti. Por isso te odeiam, e bem quereriam chupar o teu sangue.

Teus próximos serão sempre moscas venenosas. O que é grande para ti deve precisamente fazê-los mais venenosos e mais semelhantes a moscas.

Refugia-te, amigo, na tua solidão, lá em cima, onde sopra um vento rude e forte. Não é teu destino ser enxota-moscas."

Assim falava Zaratustra.

Da castidade

"Amo o bosque. Vive-se mal nas cidades: nelas superabundam os cheios de cio.

Não vale mais cair nas mãos de um assassino que nos sonhos de uma mulher ardente?

Olhai esses homens; seus olhos o dizem: não conhecem nada melhor na terra do que deitar-se com uma mulher.

Têm lodo no fundo da alma; e pobres deles se esse lodo tem espírito!

Se ao menos fôsseis pura e simplesmente animais! Mas para serdes animais falta-vos a inocência.

Aconselho-vos a matar os vossos sentidos? Eu vos aconselho a inocência dos sentidos.

Aconselho-vos à castidade? Em alguns a castidade é uma virtude; mas em muitos é quase um vício.

Estes serão continentes; mas a cadela sensualidade permanece à espreita e trai o desejo em tudo que fazem. Até nos cimos de sua virtude e nas zonas frígidas do espírito, a besta monstruosa os persegue e os inquieta.

E com que gentilezas sabe mendigar a cadela sensualidade um pedaço de espírito quando se lhe nega um pedaço de carne!

Agradam-vos as tragédias e tudo o que lacera o coração? Mas eu olho com desconfiança a vossa cadela.

Tendes olhos demasiadamente cruéis, e olhais, cheios de desejos, os que sofrem. Não será simplesmente a vossa sensualidade que se disfarçou e tomou o nome de compaixão?

Eu vos dou também esta parábola: Não são poucos os que desejaram expulsar os seus demônios, e se tornaram a si mesmos em porcos.

Se a castidade pesa a alguém, é preciso afastar-se dela, para que a castidade não chegue a ser o caminho do inferno, quer dizer: do lodo e da fogueira da alma.

Falei de coisas sujas? Não é isso o pior aos meus olhos.

Não quando a verdade é suja, e sim quando é ela superficial, que o investigador do conhecimento mergulha contrafeito em suas águas.

Verdadeiramente, há os que são fundamentalmente castos: são de coração mais terno, gostam mais de rir, e riem mais do que vós.

Riem-se também da castidade, e perguntam: 'Que é a castidade?'

Não é a castidade uma loucura? Mas essa loucura veio a nós, não fomos nós a ela.

Oferecemos a este hóspede albergue e simpatia: agora habita em nós. Que permaneça enquanto quiser!"

Assim falava Zaratustra.

Do amigo

"'Um é sempre muito perto de mim', assim pensa o solitário. Sempre, mais uma vez, um acaba, afinal, por tornar-se dois!

Eu e Mim estão sempre em conversação demasiado veemente. Como poderia suportar isso, se não houvesse um amigo?

Para o solitário, o amigo é sempre o terceiro; o terceiro é a válvula que impede a conversação dos outros de se abismarem nas profundidades.

Ah! Existem demasiadas profundidades para todos os solitários! Por isso aspiram a um amigo, e de seu porte.

Nossa fé nos outros revela aquilo em que desejaríamos crer em nós. Nosso desejo de um amigo é nosso delator.

E frequentemente não se quer com a amizade senão saltar por cima da inveja. E frequentemente atacamos e criamos nossos inimigos para ocultar que nós mesmos somos atacáveis.

'Sê ao menos meu inimigo!' – Assim fala o verdadeiro respeito, o que não se atreve a solicitar a amizade.

Se se quer ter um amigo, é preciso também fazer a guerra por ele; e para fazer a guerra, é preciso *poder* ser inimigo.

É preciso honrar no amigo o inimigo. Podes aproximar-te de teu amigo sem passar para o seu lado?

No amigo deve ver-se o melhor inimigo. Deves estar mais próximo de seu coração, quando lhes opões resistência.

Não queres levar nenhum véu diante de teu amigo? Deve ser glória de teu amigo que te mostres a ele como és? Mas, para te agradecer, manda-te ao diabo!

O que não oculta nada de si, escandaliza-nos: eis por que ele nos faz temer tanto a nudez! Sim; se fosses deuses, então poderíeis envergonhar-vos de vossos vestidos!

Nunca te adornarás bastante bem para teu amigo, porque deves ser para ele a flecha do desejo para o Além-Homem.

Já viste dormir o teu amigo para que saibas como ele é? Qual é, pois, a sua expressão? É tua própria cara vista num espelho tosco e imperfeito.

Viste dormir o teu amigo? Não te espantou o aspecto que tinha? Ó, meu amigo, o homem é algo que deve ser superado!

O amigo deve ser mestre na adivinhação e no silêncio; não deves querer vê-lo todo. Teu sonho deve revelar-te o que faz teu amigo durante a vigília.

Seja tua compaixão adivinhatória; é mister que saibas antes de tudo se teu amigo deseja compaixão. Talvez goste em ti dos olhos ativos e do olhar de eternidade.

Que a tua compaixão para com o amigo se oculte sob uma rude casca; morde forte com os dentes essa compaixão; ela mostrará delicadeza e doçura.

És tu para teu amigo ar puro e solidão e pão e conforto? Há os que não podem quebrar as suas próprias cadeias, e contudo, para seus amigos, são salvadores.

És um escravo? Então não podes ser amigo. És um tirano? Então não podes ter amigos.

Há muito que se esconde, na mulher, um escravo e um tirano. Por isso a mulher não é ainda capaz de amizade; conhece apenas o amor.

No amor da mulher há injustiça e cegueira a tudo quanto ela não ama. E ainda no amor sábio da mulher permanece sempre, ao lado da luz, a surpresa, o raio e a noite.

A mulher não é ainda capaz de amizade: gatas, eis o que são as mulheres, ou pássaros, ou, melhor ainda, vacas.

A mulher não é ainda capaz de amizade. Mas dizei-me vós, ó homens: quem de vós é, porventura, capaz de amizade?

Ah, homens! Que pobreza e avareza a de vossa alma! Quanto dais aos vossos amigos, quero dá-lo, eu também, a meus inimigos, e não me sentirei mais pobre por isso.

A camaradagem existe; possa também surgir a amizade!"

Assim falava Zaratustra.

Dos mil e um fins

"Muitos países e muitos povos viu Zaratustra; assim descobriu o bem e o mal de muitos povos. Zaratustra não encontrou poder maior na terra que o bem e o mal.

Nenhum povo poderia viver sem primeiro fixar seus valores; mas, se quer conservar-se, não deve adotar valorações, como as valorações de seu vizinho.

Muitas coisas que um povo chama boas, eram para outro vergonhosas e desprezíveis; eis aqui que eu achei. Vi muitas vezes chamar de más coisas que, em outros lugares, adornavam com o manto de púrpura das honras.

Nunca dois vizinhos se compreendem: cada um se espanta da loucura e da maldade do vizinho.

Sobre cada povo está suspensa uma tábua de valores. E vede: é a tábua do triunfo de seus esforços; é a voz de sua vontade de potência.

É honroso o que lhe parece difícil: o que é indispensável e difícil chama de bem, e o que o livra das maiores misérias, o mais raro e difícil, santifica.

Tudo o que lhe permite reinar, vencer e brilhar com temor e inveja de seu vizinho, é, para ele, o mais alto, o primordial, a norma e o sentido de todas as coisas.

Verdadeiramente, se tu conheces a necessidade de um país, o céu e o vizinho de um povo, advinhas também a lei de seus triunfos e porque sobem as suas esperanças por tais degraus.

'Tu deves ser sempre o primeiro a avantajar-te dos outros, tua alma coisa não deve amar a ninguém mais que ao teu amigo'. Eis o que outrora fez estremecer a alma de um grego, e o levou a seguir o caminho da grandeza.

'Dizer a verdade, e saber manejar bem o arco e as flechas'. – Eis o que parecia ao mesmo tempo precioso e difícil ao povo de onde vem o meu nome, o nome que é para mim caro e ao mesmo tempo pesado de levar.

'Honrar pai e mãe, e a eles ser submisso até as raízes da alma'. – Essa tábua de suas vitórias sobre si mesmo foi eleita por outro povo, e com ela foi eterno e poderoso.

'Render culto à lealdade e votar sua honra e seu sangue a uma causa embora má e perigosa'. – Com esse ensinamento um povo venceu a si mesmo, e ao vencer-se deste modo, chegou a encher-se de grandes esperanças.

Na verdade, os homens deram a si mesmos sua regra do bem e do mal. A verdade, não a tomaram emprestado nem a encontraram; ela não lhes veio como uma voz do céu.

Valores pôs o homem nas coisas a fim de conservar-se; ele foi o que pôs valores nas coisas e um sentido, um sentido humano. Por isso chama-se 'homem', o que avalia.

Avaliar é criar. Ouvi, criadores! Avaliar é o tesouro e a joia de todas as coisas avaliadas.

Pela avaliação se dá o valor, sem a avaliação a noz da existência seria oca. Ouvi, criadores!

A transmutação dos valores é transmutação do que cria. Sempre o que cria precisa destruir.

Os criadores de valores foram a princípio os povos, e só mais tarde os indivíduos. Na verdade, o indivíduo é a mais recente das criações.

Povos suspenderam sobre si uma tábua do bem. O amor que quer dominar, e o amor que quer obedecer criaram juntos tais tábuas.

O prazer do rebanho é mais antigo que o prazer do Eu. E enquanto a boa consciência se chama rebanho, só a má diz: Eu.

Na verdade, o Eu astuto, o insensível, que busca seu bem no bem de muitos, não é a origem do rebanho, mas a sua destruição.

Sempre foram ardentes os que criaram o bem e o mal. O fogo do amor e o fogo da cólera ardem sob o nome de todas as virtudes.

Muitos países e muitos povos viu Zaratustra. Não encontrou poder maior na terra que a obra dos ardentes: 'bem' e 'mal' é o seu nome.

Na verdade, o poder desses louvores e dessas censuras é semelhante a um monstro. Dizei-me, meus irmãos: quem o derrubará? Dizei: quem lançará uma cadeia sobre as mil cervizes dessa besta?

Até o presente houve mil fins diferentes, porque houve mil povos. Não falta mais que a cadeia das mil cervizes: falta *um* fim único. A humanidade não tem ainda um fim.

Mas dizei, meus irmãos: se falta um fim à humanidade, não é porque não há ainda humanidade?"

Assim falava Zaratustra.

Do amor ao próximo

"Vós andais muito solícitos ao redor do próximo, e o manifestais com belas palavras. Mas eu vos digo: vosso amor ao próximo é o vosso mal amor a vós mesmos.

Fugis de vós em busca do próximo, e quereis converter essa fuga numa virtude; mas eu penetro em vosso 'desinteresse'.

O Tu é mais velho do que o Eu; o Tu acha-se santificado, mas ainda não o Eu. Por isso o homem anda diligente à procura do próximo.

Aconselho-vos eu o amor ao próximo? Antes vos aconselho a fuga ao próximo e o amor ao remoto!

Mais alto que o amor ao próximo é o amor ao longínquo e ao que está por vir. Mais alto ainda que o amor ao homem, coloco o amor às coisas e aos fantasmas.

Este fantasma que corre adiante de ti, meu irmão, é mais belo do que tu. Por que não lhes dás tua carne e teus ossos? Mas tens medo dele, e te escapas em busca do teu próximo.

Não vos suportais a vós mesmos, e não quereis bastante a vós mesmos; desejais seduzir o próximo por vosso amor, e dourar-vos com o seu engano.

Eu quisera que todos esses próximos e seus vizinhos se vos tornassem insuportáveis; assim teríeis de tirar de vós próprios o vosso amigo e seu coração fervoroso.

Chamais a uma testemunha quando quereis falar bem de vós, e logo que a haveis induzido a pensar bem de vós, então vós mesmos pensais bem de vossa pessoa.

Mente não só aquele que fala contra o seu saber, mas sobretudo o que fala contra o seu não saber. E assim falais de vós no convívio social, enganando o vizinho.

Fala o louco: 'O convívio com os homens prejudica o caráter, sobretudo quando não se tem caráter'.

Uns vão à procura do próximo, porque se buscam; outros, porque se querem perder. Vosso malquerer a vós mesmos converte vossa solidão em um cativeiro.

Os mais distantes são os que pegam vosso amor ao próximo, e quando vos juntais, cinco, é preciso sempre um sexto que deve morrer.

Não gosto tampouco de vossas festas; encontrei nelas demasiados atores, e os próprios espectadores se conduziam frequentemente como atores.

Eu não ensino o próximo, mas o amigo. Que o amigo seja para vós a festa da terra e um pressentimento do Além-Homem.

Eu vos ensino o amigo e o seu coração exuberante. Mas é preciso saber ser uma esponja, quando se quer ser amado por corações exuberantes.

Eu vos ensino o amigo que leva em si um mundo acabado, como um cálice desbordante de bendições – do amigo criador, que tem sempre um mundo acabado para dar.

E como se desenvolveu o mundo ante seus olhos, ele o vê envolver-se de novo em espirais, nas quais o bem torna-se o mal, e os fins nascem do acaso.

Que o porvir e o mais remoto sejam para ti a causa de teu hoje; em teu amigo deves amar o Além-Homem, como razão de ser.

Meus amigos, eu não vos aconselho o amor ao próximo; eu vos aconselho o amor ao mais remoto."

Assim falava Zaratustra.

Do caminho do criador

"Queres, meu irmão, ir-te para a solidão? Queres buscar o caminho que leva a ti mesmo? Espera ainda um pouco, e escuta-me.

'Quem busca, perde facilmente a si mesmo. Toda solidão é uma falta.' Assim fala o rebanho. E tu pertenceste por muito tempo ao rebanho.

Em ti também ressoará ainda a voz do rebanho. E quando digas: 'Já não tenho mais *uma* consciência em comum convosco', será isso para ti uma queixa ou uma dor.

Olha: esta dor é filha da consciência *comum*, e a última centelha dessa consciência brilha ainda na sua tristeza.

Mas, queres seguir o caminho de tua tristeza, que é o caminho para ti mesmo? Então, mostra-me o teu direito e a tua força para tanto!

És tu uma força nova e um direito novo? Um primeiro movimento? Uma roda que gira sobre si mesma? Podes obrigar as estrelas a girar à tua volta?

Ah! Existe tanta ansiedade pelas alturas! Há tantas convulsões de ambição! Demonstra-me que não és nem um cobiçoso, nem um ambicioso!

Ah! Existem tantos grandes pensamentos que procedem como um fole! Inflam-se e esvaziam-se.

Livre, chamas a ti? Teu pensamento soberano eu quero ouvir e não que escapaste de um jugo.

És tu alguém que tem o direito de *livrar-se* de um jogo? Há os que lançam fora seu último valor ao lançar fora a sua sujeição.

Livre *de quê?* Pouco importa a Zaratustra! Mas teu olhar deve anunciar-me claramente: livre, *para quê?*

Podes dar a ti mesmo teu bem e teu mal, e suspender tua vontade por cima de ti, erigida em lei? Poderás ser teu próprio vingador de tua lei?

Terrível é estar sozinho com o juiz e o vingador da própria lei, como estrela lançada no espaço vazio em meio do sopro gelado de 'estar só'.

Hoje ainda te atormenta a multidão, ó só; hoje ainda conservas todo o teu brio e todas as tuas esperanças.

Contudo, um dia te fatigará a solidão, um dia abater-se-á o teu orgulho, e teu brio rangerá os dentes. Um dia exclamarás: 'eu estou só!'

Um dia já não verás a tua grandeza, a tua baixeza se aproximará demasiado de ti. Tua sublimidade te amedrontará como um fantasma.

E exclamarás um dia: 'Tudo é falso!'

Há sentimentos que querem manter o solitário. Se eles não o conseguem, pois que o solitário os mate! Mas és tu capaz de ser assassino?

Meu irmão, conheces já a palavra 'desprezo'? E o tormento da tua justiça: ser justo para com os que te menosprezam?

Tu obrigaste a muitos a mudar de opinião sobre ti; o que levam muito em conta. Deles te aproximaste, e passaste além; isso não te perdoarão nunca.

Tu te elevas acima deles; mas quanto mais alto sobes, menor te veem os olhos da inveja. E ninguém é tão odiado como o que tem asas.

'Como poderíeis ser justos comigo! – Assim deves falar. – Eu elejo por mim vossa injustiça, como a parte que me está destinada'.

Injustiça e baixeza é o que eles arrojam ao solitário. Mas, meu irmão, se queres ser uma estrela, não hás de iluminá-los menos por isso.

E afasta-te dos bons e dos justos! Eles gostam de crucificar os que inventam a sua própria virtude: odeiam o solitário.

E afasta-te também da santa simplicidade! Não é santo aos seus olhos o que não é simples; eles gostam de brincar com o fogo... das fogueiras.

E afasta-te também das ternuras do teu amor! O solitário estende a mão demasiadamente depressa ao primeiro que encontra.

Há homens a quem não deves estender a mão, mas somente a pata, e quero que tua pata tenha também garras.

Mas o pior inimigo que podes encontrar será sempre tu mesmo: a ti próprio te aproximas nas cavernas e nos bosques.

Solitário, tu segues o caminho que leva a ti próprio! E teu caminho passa diante de ti e de teus sete demônios!

Serás herege para ti mesmo, serás feiticeiro, adivinho, louco, incrédulo, ímpio e malvado.

É mister que queiras consumir-te em tua própria chama. Como renascerias, se ainda não te reduziste em cinzas?

Solitário, segues o caminho do criador: um deus queres criar de teus sete demônios!

Solitário, segues o caminho do amante: é a ti mesmo que amas, e eis por que te desprezas, como só sabem desprezar os que amam.

O amante quer criar, porque despreza! Que saberia do amor o que não fosse constrangido a menosprezar precisamente o que amava!

Vai para a tua solidão, com o teu amor e com a tua criação, e só mais tarde se aproximará de ti a justiça, a capenga.

Vai para a tua solidão com as minhas lágrimas, irmão. Eu amo aquele que quer criar algo superior a si próprio, e que dessa forma perece."

Assim falava Zaratustra.

Das velhas e jovens mulherzinhas

"Por que te deslizas furtivamente durante o crepúsculo, Zaratustra? E que ocultas com tanta precaução sob o teu manto?

É algum tesouro que te deram? É uma criança, que nasceu de ti? Seguirás tu também agora o caminho dos ladrões, amigo do mal?"

– Claro, meu irmão! – respondeu Zaratustra. – Levo aqui um tesouro que me deram; uma pequena verdade, é o que levo.

Mas é rebelde como criança, e se não lhe tapasse a boca, gritaria desaforadamente.

Seguindo hoje solitário o meu caminho, à hora em que se punha o sol, encontrei-me com uma velhinha que falou assim à minha alma:

– Zaratustra tem falado muito, até mesmo conosco, as mulheres, mas nunca nos falou da mulher.

Eu respondi: – Não se deve falar da mulher senão aos homens.

– Fala-me também da mulher – disse ela. – Sou bastante velha para esquecer logo o que disseres.

Cedi aos desejos da velhinha, e falei-lhe assim:

– Na mulher, tudo é um enigma, e tudo na mulher tem *uma solução*: ela chama-se gestação.

O homem é para a mulher um meio; o fim é sempre a criança. Mas, que é a mulher para o homem?

O verdadeiro homem quer duas coisas: o perigo e o brinquedo. Por isso quer a mulher, o joguete mais perigoso.

O homem deve ser educado para a guerra, e a mulher para o prazer do guerreiro. Tudo o mais é loucura.

Não agradam ao guerreiro os frutos demasiado doces. Por isso ele gosta da mulher: é sempre amarga a mais doce mulher.

A mulher compreende melhor que o homem as crianças; mas o homem é mais criança que a mulher.

Em todo verdadeiro homem esconde-se uma criança: uma criança que quer brincar. Vamos, mulheres, descobri a criança no homem!

Que a mulher seja um brinquedo puro e delicado como o diamante, cintilante de virtudes de um mundo que ainda não existe.

Cintile no vosso amor o fulgor de uma longínqua estrela! Que diga a vossa esperança? Que eu dê à luz o Além-Homem!

Que haja valentia em vosso amor! Com vosso amor, deveis afrontar *ao* que vos inspire medo.

Que em vosso amor esteja a vossa honra! Geralmente a mulher entende pouco de honra. Amar mais do que sois amadas, e nunca serdes a segunda, essa a vossa honra.

Que o homem tema a mulher, quando ela ama. Então é quando ela não recuará diante de nenhum sacrifício, e tudo o mais lhe parecerá desprovido de valor.

Que o homem tema a mulher, quando a mulher odeia: porque, no fundo, o homem é simplesmente mau, mas a mulher é perversa.

A quem odeia mais a mulher? O ferro falava assim ao ímã: "Odeio-te mais do que a ninguém, porque me atrais, sem seres bastante forte para sujeitar-me".

A felicidade do homem é "eu quero". A felicidade da mulher é: "ele quer".

– Vede! O mundo alcançou sua perfeição! – Assim pensa cada mulher, quando ela se submete por amor.

A mulher tem necessidade de obedecer e dar profundidade à sua superfície. O ânimo da mulher é superficial: móvel e borrascoso nas águas superficiais.

Mas o ânimo do homem é profundo, sua corrente ronca em grutas subterrâneas: a mulher pressente sua força, mas não a compreende.

Então me respondeu a velhinha:

– Zaratustra disse coisas muito bonitas, sobretudo para as que são ainda bastante jovens.

Coisa singular, Zaratustra conhece pouco as mulheres, e, contudo, tem razão no que diz delas! Será por que, tratando-se da mulher nada é impossível?

E agora aceita como recompensa uma pequena verdade. Sou bastante velha para dizer-te.

– Tapa-a, e fecha bem a tua boca, porque do contrário gritará muito alto, esta pequena verdade.

– Venha a tua pequena verdade, mulher! – disse eu. E a velha falou assim:

– Vai com as mulheres? Não esqueças o látego!

Assim falava Zaratustra.

A picada da víbora

Um dia dormitava Zaratustra sob uma figueira, pois fazia muito calor, e com o braço cobria o rosto. Veio uma víbora, mordeu-o no pescoço, e ele lançou um grito de dor. Quando tirou o braço do rosto, olhou a serpente. Então a serpente reconheceu os olhos de Zaratustra, retorceu-se torpemente e quis fugir.

– Não – exclamou Zaratustra; – não te agradeci ainda! A tempo me despertaste. Grande ainda é o meu caminho.

– Teu caminho agora é curto – disse tristemente a víbora: – meu veneno mata.

Zaratustra pôs-se a rir:

– Quando matou a um dragão o veneno de uma serpente? – disse. – Retoma o teu veneno! Não és bastante rica para dá-lo a mim. Então a víbora tornou a enroscar-se no seu pescoço e lambeu a ferida.

Quando Zaratustra contou esta história aos discípulos, estes lhe perguntaram:

– E qual é, Zaratustra, a moral do conto?

Zaratustra respondeu deste modo:

– Os bons e os justos me chamam o destruidor da moral: meu conto é imoral. Mas, se tendes um inimigo não lhe devolvais bem por mal, porque se veria humilhado: demonstrai-lhe, ao contrário, que lhe fizeste um bem. E em vez de humilhar, encolerizai-vos. E quando vos maldigam, não me agrada que queirais bendizer. Maldizei vós também!

E se vos fazem uma grande injustiça, fazei vós imediatamente outras cinco pequenas. Horroriza ver aquele que traz, sozinho, injustiça sofrida.

Já o sabeis que a injustiça repartida é sem eu. E *o que é* capaz de fazer uma injustiça deve ter força para suportar uma injustiça.

Uma pequena vingança é mais humana que nenhuma. E se o castigo não é também um direito e uma honra para o transgressor, eu não quero vosso castigo.

É mais nobre condenar-se à injustiça que reivindicar seu direito, sobretudo quando se tem razão. Mas é preciso ser bastante rico para tal.

Não tolero a vossa fria injustiça; nos olhos de vossos juízes vejo transluzir sempre o olhar do verdugo e o frio aço da espada.

Dizei-me: onde se encontra a justiça, que é amor, com olhos perspicazes? Inventai-me, pois, o amor que suporta, não só todos os castigos, mas também todas as faltas!

Inventai a justiça que absolve a todos, menos ao que julga!

Quereis ouvir mais? Para quem quer ser verdadeiramente justo, a própria mentira é sinal de filantropia.

Mas, como poderia eu ser verdadeiramente justo? Como poderia dar a cada um o *seu*? Basta-me isso: eu dou a cada um o *meu*...

Enfim, irmãos, guardai-vos de ser injustos com os solitários. Como poderia esquecer um solitário? Como poderia devolver?

Um solitário é como um poço profundo. É fácil atirar nele uma pedra; mas se a pedra cai no fundo, quem se atreverá a tirá-la?

Guardai-vos de ofender o solitário. Mas se lhe haveis ofendido, então matai-o também.

Assim falava Zaratustra.

Do filho e do casamento

"Tenho uma pergunta para ti somente, irmão. Atiro-a como uma sonda na tua alma, a fim de conhecer a sua profundidade.

És jovem, e desejas filho e casamento. Mas eu te pergunto: És tu um homem que *tenha direito* de desejar um filho?

És tu o vitorioso, o vencedor de ti, o soberano dos sentidos, senhor de tuas virtudes? É o que eu te pergunto.

Ou é que falam em teu desejo a besta e a necessidade física? Ou por estares só ou por descontentamento de ti mesmo?

Eu quero que tua vitória e tua liberdade suspirem por um filho. Tu deves erigir monumentos vivos à tua vitória e à tua libertação.

Deves construir algo acima de ti. Mas primeiramente deves construir a ti mesmo, retangular de corpo e alma.

Não deves só reproduzir-te, mas superar-te! Sirva-te, para isso, o jardim do casamento!

Deves criar um corpo superior, um primeiro movimento, uma roda que gire sobre si; deves criar um criador.

Casamento: assim chamo a vontade de dois em criar um que seja mais que os que o criaram. Respeito recíproco, eis o que chamo casamento, respeito do que anima uma tal vontade.

Seja este o sentido e a verdade de teu casamento. Mas o que chamam casamento, a multidão, a massa dos supérfluos, a isso que nome lhe darei?

Ai, que pobreza de alma entre dois! Que imundície de alma entre dois! Que mísera conformidade entre dois!

Eis ao que chamam casamento. E dizem que contraem estas uniões no céu.

Pois bem! Eu não quero esse céu dos supérfluos! Não; eu não gosto dessas bestas enlaçadas com redes divinas!

Não vos riais de semelhantes casamentos! Que filho não teria razão para chorar por causa de seus pais?

Tal homem me pareceu digno e maduro para o sentido da terra, mas quando via a sua mulher, a terra me pareceu uma moradia para loucos. Sim; eu queria que a terra entrasse em convulsão quando se unem um santo e uma pata.

Como aquele que partiu como um herói em busca de verdades, e não trouxe como despojo senão uma mentira *enganalada*. É a isso que chama o seu casamento.

Este era frio em suas relações, e escolheu com escolha. Mas de um só golpe transtornou sua vida social para sempre. É a isso que chama o seu casamento.

Aquele outro buscava uma servente com as virtudes de um anjo. Mas logo se fez servente de uma mulher, e agora necessitaria tornar-se anjo.

Tenho visto agora a todos os compradores muito cheios de si e com olhos astutos. Mas ainda o mais astuto compra sua mulher às cegas.

A muitas loucuras breves chamais amor. E o vosso casamento põe fim a muitas loucuras curtas para fazer delas *uma* longa loucura.

Vosso amor à mulher, e o amor da mulher pelo homem, ó, seja compaixão para deuses doentes e velados! Mas dois animais se farejam quase sempre.

Contudo, vosso melhor amor não é ainda mais que uma imagem extasiada e um ardor doloroso. É uma flama que deve iluminar-vos para caminhos superiores.

Um dia amareis além de vós mesmos! *Aprendei*, desde já, a amar assim! E para tanto precisais beber o amargo cálice de vosso amor.

Amargura existe ainda no cálice do melhor amor; assim se faz desejar o Além-Homem; assim dá sede a ti, ó criador.

Sede do criador, flecha do desejo lançada para o Além-Homem; diz-me, meu irmão, é essa a tua vontade do casamento?

Sagrada é para mim tal vontade, sagrado tal casamento."

Assim falava Zaratustra.

Da morte livre

"Muitos morreram demasiado tarde e alguns demasiado cedo. A doutrina que diz: 'Morre a tempo!' parece estranha ainda."

Morre a tempo: eis o que ensina Zaratustra.

"Certamente, aquele que nunca viveu a tempo, como havia de morrer a tempo? Que nunca tivesse nascido! Eis o que aconselho aos supérfluos.

Mas os próprios supérfluos fazem-se de importantes com a sua morte, e até a noz mais oca pretende ser descascada.

Todos concedem importância à morte; mas a morte não é ainda uma festa. Os homens não sabem ainda como se consagram as mais belas festas.

Eu vos mostrarei a morte que é o sinal da plena realização, a morte que, para os vivos, é aguilhão e promessa.

O homem, que realiza o seu destino, morre como vencedor da morte que é dele, cercado dos que esperam e prometem.

É assim que se deve aprender a morrer; e não se deveria celebrar a festa, sem que um tal moribundo santificasse os juramentos dos vivos.

Morrer assim, nada é maior, e em segundo lugar, morrer em pleno combate, prodigalizando uma grande alma.

Odioso ao combatente como ao vitorioso é a vossa morte de dentes arreganhados, que vem arrastando-se como um ladrão, e que, no entanto, aproxima-se como soberana.

Eu vos faço o elogio de minha morte, da morte livre, que vem porque eu quero.

Mas quando hei de querê-la? O que tem um fim e um herdeiro, quer a morte a tempo para o fim e para o herdeiro.

E por respeito ao fim e ao herdeiro, que renuncie um dia ornar de coroas murchas o santuário da vida.

Na verdade, eu não quero parecer-me aos cordoeiros: eles estiram seus fios, seguindo sempre atrás.

Há também os que se fazem demasiado velhos para as suas verdades e as suas vitórias: uma boca desdentada não tem já direito a todas as verdades.

E o que queira desfrutar de glória deve despedir-se a tempo dos homens, e exercer a difícil arte de retirar-se oportunamente.

É preciso deixar-se comer no momento em que vos começam a tomar gosto. Bem o sabem os que querem ser amados muito tempo.

Há também maçãs amargas, cujo destino é esperar até o último dia do outono. E se põem amarelas e enrugadas no preciso momento em que amadurecem.

Em uns envelhece primeiramente o coração, noutros a inteligência. E alguns são velhos em sua juventude; mas quando se é jovem muito tarde, é ela que se conserva jovem por muito tempo.

Há os que falham na vida: um verme venenoso lhe rói o coração. Que tratam ao menos de ter bom êxito em sua morte.

Há os que jamais se tornam doces e apodrecem no verão. A covardia é o que os retém nos ramos.

Há muitos que vivem e permanecem fixos em seu ramo por tempo excessivo. Que venha uma tempestade que sacuda da árvore toda a podridão envermecida! Venham predicadores da morte *rápida*! Seriam as tempestades e as sacudidas oportunas da árvore da vida. Mas eu não ouço pregar mais que a morte lenta e a paciência para com tudo o que é 'terrestre'.

Ah! Pregais a paciência com o que é terrestre? O terrestre é o que tem demasiada paciência convosco, blásfemos!

Na verdade, morreu demasiado cedo aquele hebreu a quem honram os pregadores da morte lenta, e para muitos foi uma fatalidade que morresse tão cedo.

Esse Jesus hebreu não conhecia nada mais que as lágrimas e a tristeza do hebreu, e o ódio dos bons e dos justos; e assim lhe acometeu o desejo da morte.

Por que não permaneceu no deserto, longe dos bons e dos justos! Talvez tivesse aprendido viver e a amar a terra, e também o riso!

Crede-me, meus irmãos! Morreu muito cedo; se tivesse se retratado de sua doutrina teria vivido até minha idade! Mas era bastante nobre para retratar-se!

Não estava ainda maduro. O amor do jovem carece de maturidade, e é também essa carência que leva a odiar aos homens e à terra. Tem ainda atadas e torpes a alma e as asas do pensamento.

Mas, no homem, há mais a criança do que no jovem, e menos triste: compreende melhor a morte e a vida.

Livre para a morte e livre na morte, divino negador quando não é já tempo de afirmar: assim compreende a vida e a morte.

Que vossa morte não seja uma blasfêmia contra os homens e contra a terra, meus amigos; é o que eu reclamo do mel de vossa alma.

Vosso espírito e vossa virtude devem inflamar ainda vossa agonia, como o rubor do poente inflama a terra; senão vossa morte será malograda.

Assim quero morrer eu para que, por mim, ameis mais a terra, meus amigos, e quero tornar-me terra para encontrar meu repouso na que me engendrou.

Na verdade, Zaratustra tinha um objetivo; lançou a pela. Agora, amigos, vós sois os herdeiros do meu objetivo, e também vos envio a pela dourada.

Prefiro a tudo, meus amigos, ver-nos lançar a pela dourada. E por isso permaneço ainda um pouco sobre a terra. Perdoai-me!"

Assim falava Zaratustra.

Da virtude dadivosa

1

Quando Zaratustra se despediu da cidade que amava seu coração, e que tem por nome a "Vaca de Variadas Cores", muitos dos que se chamavam seus discípulos saíram para acompanhá-lo. Chegaram, assim, a uma encruzilhada. Então Zaratustra lhes disse que queria ficar sozinho, porque era amigo das caminhadas solitárias. Os discípulos, ao despedirem-se dele, ofereceram-lhe como presente um bastão, em cujo punho de ouro figurava uma serpente, enroscada ao redor do sol. Zaratustra recebeu-o com alegria, e apoiou-se nele. E assim falou aos discípulos:

"Dizei-me como alcançou o ouro o mais alto valor? Porque é raro e inútil, de brilho cintilante e suave: oferece-se sempre a todos.

Ó como símbolo da mais alta virtude alcançou o ouro o mais alto valor. Reluzente como o ouro é a face do que dá. Um raio dourado é bastante para reconciliar a lua com o sol.

A mais alta virtude é rara e inútil: é resplandecente e de um brilho doce: a virtude dadivosa é a mais alta virtude.

Na verdade que vos adivinho, meus discípulos: vós aspirais como eu à virtude dadivosa. Que teríeis de comum com os gatos e os lobos?

Vossa sede é querer converter a vós mesmos em oferendas e presentes. Por isso tendes sede de acumular todas as riquezas em vossas almas.

Vossa alma anela insaciavelmente tesouros e joias, porque é insaciável a vontade de dar vossa virtude.

Obrigais a todas as coisas a acercar-se de vós e a penetrar em vós, para que tornem a manar de vossa fonte como os dons de vosso amor.

Na verdade, é preciso que tal amor dadivoso vos faça saqueador de todos os valores; mas eu chamo são e sagrado a esse egoísmo.

Há outro egoísmo, um egoísmo paupérrimo e faminto, que quer roubar sempre; o egoísmo dos enfermos, o egoísmo enfermo.

Com olhos de ladrão, olha tudo o que reluz; com a avidez da fome, mede ao que tem abundância que comer, e sempre se arrasta em torno da mesa do que dá.

Enfermidade e invisível degenerescência é o que expressa tal apetite; a avidez de roubar desse egoísmo apregoa um corpo valetudinário.

Dizei-me, meus irmãos: que coisa nos parece má, a pior de todas? Não é *a degenerescência*? E apresentamos sempre degenerescência quando falta a alma que dá.

Nosso caminho segue para cima da espécie à espécie superior. Mas o que nos espanta é o sentido degenerado, o sentido que diz: 'tudo para mim'.

Nosso espírito voa para cima; assim é um símbolo de nosso corpo, o símbolo de uma elevação. Os símbolos dessas elevações são os nomes das virtudes.

Assim atravessa o corpo a história, lutando e elevando-se. E o espírito, que é para o corpo? É o arauto de suas lutas e vitórias, seu companheiro e eco.

Todos os nomes do bem e do mal são símbolos; não falam, limitam-se a fazer sinais. Louco o que quer pedir-lhes o conhecimento!

Meus irmãos, estai atentos às horas, sejam quais forem em que vosso espírito quer falar em símbolos: então é esta a hora em que nasce a vossa virtude.

Então é quando vosso corpo se eleva acima de si mesmo, e ressuscita. Sua alegria arrebata o espírito que se torna criador; ele aprecia e ama, e prodiga seus bens a todas as coisas.

Quando vosso coração bate, amplo e cheio, como as grandes torrentes, bendição e perigo dos ribeirinhos, é nessa hora em que nasce a vossa virtude.

Quando vos elevais acima do louvor e da censura, e quando vossa vontade, como a vontade de um homem que ama, quer mandar em todas as coisas, então é, nessa hora, que nasce a vossa virtude.

Quando desdenhais o que é agradável, a cama branda, e quando podeis repousar bem afastados da moleza, então é esta a hora em que nasce a vossa virtude.

Quando não tendes senão um único querer, em que esse impulso de toda necessidade torna-se para vós a própria necessidade, então esta é a hora que nasce a vossa virtude.

Verdadeiramente, é um novo bem e mal! Verdadeiramente é novo murmúrio profundo, e a voz de uma nova fonte!

Força é nessa nova virtude; é um pensamento dominador, que envolve uma alma sagaz: um sol dourado, e, em torno dele, a serpente do conhecimento".

II

Aqui Zaratustra calou-se por um instante e olhou os discípulos com amor. Depois prosseguiu falando deste modo, enquanto sua voz se havia transformado:

"Meus irmãos, permanecei fiéis à terra com toda a força de vossa virtude! Sirvam ao sentido da terra o vosso amor dadivoso e o vosso conhecimento. A tanto vos rogo e a tanto vos conjuro.

Não deixeis fugir a vossa virtude para longe das coisas terrestres e adejar contra as paredes da eternidade! Ai! Houve sempre tanta virtude extraviada!

Restitui, como eu, à terra, a virtude extraviada. Sim; restitui-a ao corpo e à vida, para que dê à terra seu sentido, um sentido humano.

A inteligência e a virtude extraviaram-se e enganaram-se de mil maneiras diferentes. Ainda agora habitam em vosso corpo essa loucura e esse engano: fizeram-se corpo e vontade!

A inteligência e a virtude experimentaram e se extraviaram de mil maneiras diferentes. Sim; o homem era um ensaio. Ai, quantas ignorâncias e erros se encarnaram??? Em nós!

Não só a razão dos milenários, mas também a sua loucura brilham em nós. Como é perigoso ser herdeiro.

Lutamos ainda passo a passo com o gigante Acaso, e sobre toda a humanidade reinava até aqui a insanidade, a falta de sentido.

Que vossa inteligência e a vossa virtude sirvam ao sentimento da terra, meus irmãos, e o valor de todas as coisas será renovado por vós. Para tanto, deveis ser combatentes! Para tanto, deveis ser criadores!

O corpo purifica-se pelo saber, eleva-se por esforços conscientes; todos os instintos do que pensa e conhece se santificam; a alma do que se eleva se alvoroça de alegria.

Médico, cura a ti mesmo; assim curarás também ao teu enfermo. Que a melhor assistência do enfermo seja ver, com seus próprios olhos, um homem que curou a si mesmo.

Há mil caminhos que nunca foram palmilhados, mil fontes de saúde e mil terras ocultas da vida. Ainda não se descobriram nem se esgotaram o homem nem a terra dos homens.

Vigiai e escutai, solitários! Sopros de adejos misteriosos vêm do fundo do porvir, e para ouvidos agudos chega uma boa mensagem.

Solitários de hoje, vós que viveis afastados, sereis um povo algum dia. Vós, que haveis escolhido a vós mesmos, formareis um dia um povo eleito, e dele há de nascer o Além-Homem.

Na verdade, a terra se fará algum dia um lugar salutar. E já a envolve um perfume novo, um eflúvio de saúde, e uma nova esperança".

III

Depois que disse essas palavras, Zaratustra calou-se como quem ainda não disse a última palavra. Segurou o bastão por muito tempo num ar perplexo. Afinal falou assim, e sua voz se havia transformado:

– Agora, meus discípulos, vou sozinho! Segui vós sozinhos também. Quero-o assim.

De todo coração vos dou este conselho: Afastai-vos de mim e precavei-vos de Zaratustra! E melhor ainda: Envergonhai-vos dele! Talvez vos tenha enganado.

O homem do conhecimento não só deve saber amar a seus inimigos, mas também a odiar os seus amigos.

Mal corresponde ao mestre o que não passa nunca de discípulo. E por que não quereis arrancar minha coroa?

Vós me venerais; mas, que ocorreria se um dia tombasse por terra a vossa veneração? Cuidai-vos de que não vos esmague uma estátua!

Dizeis que acreditais em Zaratustra? Mas, que importa Zaratustra? Vós sois meus crentes; mas, que importam todos os crentes!

Vós não vos havíeis buscado ainda; então me encontrastes. Assim fazem todos os crentes: por isso é a fé tão pouca coisa.

Agora vos mando que me percais e que encontreis a vós mesmos; e só quando todos me tenham renegado, voltarei para vós.

Na verdade, meus irmãos, eu buscarei então com outros olhos as minhas ovelhas desgarradas; eu vos amarei então com outro amor.

E um dia devereis ser meus amigos e filho de *uma só* esperança, então quero estar ao vosso lado pela terceira vez para festejar convosco o Grande Meio-dia.

E será o Grande Meio-dia, quando o homem esteja à metade de seu trajeto, entre a besta e o Além-Homem, e celebrará como sua esperança suprema o seu caminho para o crepúsculo: porque será o caminho para um novo amanhecer.

Então, no momento de perecer, ele se bendirá a si mesmo, a fim de passar para o outro lado, e o sol de seu conhecimento estará no Meio-dia.

Todos os deuses morreram; agora queremos que viva o Além-Homem! Tal será um dia, ao chegar o Grande Meio-dia, o nosso último querer!

Assim falava Zaratustra.

Segunda parte

...e só quando todos me tenham renegado, voltarei para vós.

Na verdade, meus irmãos, eu buscarei então com outros olhos as minhas ovelhas desgarradas; eu vos amarei então com outro amor.

Zaratustra

O menino do espelho

Logo após, Zaratustra voltou à montanha e à solidão de sua caverna, afastando-se dos homens; esperando como o semeador que atirou a semente. Mas sua alma se encheu de impaciência e de desejo pelo que amava, porque ainda tinha muitas coisas para dar-lhes. E eis o que é o mais difícil: por amor fechar a mão aberta e conservar o pudor ao dar.

Assim transcorreram para o solitário meses e anos; mas a sabedoria crescia e fazia padecer de sua plenitude.

Certa manhã, despertando antes do amanhecer, no leito meditou por muito tempo, e finalmente disse ao coração:

– Por que, quando sonhava, assustei-me tanto que despertei? Não se aproximou de mim uma criança que levava um espelho?

– Zaratustra! – disse-me a criança, olha-te no espelho!

"Mas quando olhei o espelho, lancei um grito, e deu-me um baque o coração: porque não era a mim a quem vi, mas a carantonha sarcástica de um demônio.

Na verdade, compreendo de sobra o significado e a advertência do sonho: *minha doutrina* está em perigo; o joio quer intitular-se trigo.

Meus inimigos tornaram-se poderosos, e desfiguraram a imagem de minha doutrina, e, de tal modo, que meus preferidos se envergonharam dos presentes que lhes dei.

Perdi os meus amigos! Chegou a hora de buscar os que perdi!"

Ao dizer estas palavras, Zaratustra sobressaltou-se, não como quem tem medo e perde o alento, mas como um visionário possuído do espírito. A águia e a serpente olharam-no assombrados: porque, à luz da aurora, uma próxima ventura repousava em seu semblante.

"Mas que me passou, meus animais? – disse Zaratustra. – Não estou transformado? Não veio até mim a felicidade como uma tempestade?

Minha ventura é louca e não dirá mais que loucuras: ainda é demasiado jovem. Tende, pois, paciência com ela!

Estou ferido pela minha ventura. Sejam os meus médicos os que sofrem!

Posso voltar a baixar ao lado de meus amigos e também de meus inimigos! Zaratustra pode voltar a falar e a dar, e a fazer o bem àqueles que ama!

Meu paciente amor se desborda em torrentes, precipitando-se desde o levante ao poente. Do alto dos montes silenciosos e das borrascas da dor, minha alma se atira gemente para os vales.

Por muito tempo, consumi-me de desejos, olhos perdidos na distância. Por muito tempo, a solidão me possuiu; agora esqueci de me calar.

Todo me tornei como boca e ronco de um rio que salta de elevados penhascos: quero precipitar minhas palavras aos vales.

E que o rio de meu amor corra pelo *inflanqueável*! Como um rio não encontraria afinal o caminho do mar?

Um lago há, sem dúvida, em mim, um lago solitário que se basta a si próprio; mas o meu rio de amor arrasta-o consigo para o mar.

Eu sigo novos caminhos e encontro uma nova linguagem; à semelhança de todos os criadores, cansei-me das línguas antigas. Meu espírito não quer já correr com sandálias gastas.

Que lenta torna-se para mim toda linguagem. É em tua carruagem que eu salto, tempestade! E a ti também quero fustigar-te ainda com a minha maldade!

Quero passar por vastos mares como uma exclamação ou um grito de alegria, até encontrar as ilhas bem-aventuradas, onde moram os meus amigos... E, entre eles, meus inimigos!

Como amo agora a quantos posso falar! Meus inimigos também formam parte de minha ventura.

E quando quero montar em meu mais fogoso cavalo, nada ajuda melhor aos meus pés que a minha lança.

Sempre está pronta a servir-me a lança que lanço contra meus inimigos. Como agradeço aos meus inimigos poder lançá-la de novo!

É muito grande a tensão de minha nuvem: entre os risos e os relâmpagos, quero lançar granizos às profundidades.

Formidavelmente erguerei meu peito; formidavelmente soprará sua tempestade nas montanhas: assim ela se aliviará.

Verdadeiramente minha felicidade e minha liberdade sobrevêm como tempestades! Mas é mister que meus inimigos acreditem que o *maligno* se desencadeia sobre suas cabeças. Também a vós, meus amigos, vos espantará minha selvagem sabedoria e talvez vos entregueis à fuga como os meus inimigos.

Ah! Saiba eu tornar a atrair-vos com flautas pastoris! Aprenda a rugir com ternura minha leonina sabedoria! Tantas coisas temos aprendido juntos!

Minha selvagem sabedoria foi fecundada nos montes solitários; sobre as duas pedras partiu o mais jovem de seus filhos.

Agora corre louca pelo deserto árido, e busca sem cessar as suaves alfombras, a minha cara e selvagem sabedoria.

Sobre a suave alfombra de vossos corações, meus amigos... sobre as duras pedras partiu o mais jovem de seus filhos."

Assim falava Zaratustra.

Nas Ilhas Bem-aventuradas

"Os figos caem das árvores: são bons e doces; e conforme caem, abre-se-lhes a pele vermelha. Eu sou um vento do Norte para os figos maduros.

Assim como figos, caem em vós estas lições, meus amigos: tomai-lhes o sumo e a doce polpa. À nossa volta, reina o outono, e o céu puro da tarde.

Vede que plenitude à nossa volta! E do seio da abundância, como é belo lançar um olhar para os mares longínquos!

Outrora, quando se olhavam os mares longínquos, dizia-se: 'Deus'; mas agora eu vos ensino dizer: 'Além-Homem'.

Deus é uma conjectura; mas eu quero que vossa conjectura não vá mais longe que a vossa vontade criadora.

Poderíeis *criar* um Deus? Pois então não me faleis de deuses! Contudo podereis criar o Além-Homem.

Não sereis vós, talvez, meus irmãos! Mas podeis transformar-vos em pais e ascendentes do Além-Homem; que esta seja vossa melhor criação!

Deus é uma conjectura; mas quero que vossa conjectura se circunscreva ao imaginável.

Poderíeis *imaginar um Deus?* Que querer a verdade signifique para vós que tudo se transforma no que o homem pode pensar, no que o homem pode ver e no que o homem pode sentir! Deveis pensar até a última gota os vossos próprios sentidos!

E o que chamais mundo deve ser criado imediatamente por vós: vossa razão, vossa imagem, vossa vontade, vosso amor devem tornar-se o vosso próprio mundo! E verdadeiramente será para a vossa ventura, ó discípulos do conhecimento.

Como suportaríeis a vida sem essa esperança, discípulos do conhecimento? Não deveríeis persistir no que é incompreensível, nem no que é irracional.

Mas há de abrir-se inteiramente o meu coração, meus amigos; *se* existissem deuses, como suportaria eu não ser um deus! *Logo* não há deuses.

Eis a conclusão que tirei, mas por sua vez ela tira a mim mesmo.

Deus nada mais é que uma conjectura; mas quem beberia sem morrer todos os tormentos dessa conjectura? Seria preciso tirar sua fé ao criador e à águia o seu voo pelas regiões longínquas?

Deus é um pensamento que torce tudo quanto é direito e faz tremer tudo quanto é fixo. Como? Não existiria já o tempo, e todas as coisas efêmeras seriam mentira?

Pensar, isso produz vertigem nos ossos humanos e náuseas no estômago; verdadeiramente, conjectura assim é para mim padecer modorra.

Eu chamo mau e inumano a isso: e toda essa lição do único, do cheio, do imóvel, do saciado, do imutável.

Todo o imutável não é mais que um símbolo! E os poetas mentem demais.

As melhores parábolas devem falar do tempo e do suceder; devem ser um louvor e uma justificação de tudo o que é efêmero.

Criar é a grande emancipação da dor e o alívio da vida. Mas, para que exista o criador, necessita-se de muitas dores e transformações.

Sim, criadores, é mister que haja em vossa vida muitas mortes amargas. Assim sereis os defensores e justificadores de tudo o que é efêmero.

Para que o criador seja o filho que renasce, é necessário que queira ser a mãe com as dores da mãe.

Na verdade, meu caminho atravessou cem almas, cem berços e cem dores de parto. Muitas vezes me despedi; conheço a amargura das últimas horas.

Mas assim o quer a minha vontade criadora, o meu destino. Ou para dizer-vos mais francamente: tal é o destino que a minha vontade quer.

Todo o ser sensível sofre em mim por sentir-se prisioneiro, mas meu querer chega sempre como libertador e mensageiro de alegria.

'Querer libertar': essa é a verdadeira doutrina da vontade e da liberdade: assim vos ensina Zaratustra.

Não-querer-mais, não-estimar-mais e não-criar-mais, ah! Que esses grandes desfalecimentos permaneçam sempre longe de mim!

Na investigação do conhecimento eu não sinto mais que a alegria de minha vontade, a alegria de engendrar; e se há inocência em meu conhecimento, é porque há nele vontade de ser fecundado.

Essa vontade me afastou de Deus e dos deuses. Que haveria para criar, pois, se houvesse deuses?

Mas minha ardente vontade de criar me impulsiona sempre de novo para os homens; assim como o martelo é impelido para a pedra.

Ah! Homens! Uma imagem dorme para mim na pedra, a imagem de minhas imagens! Ó, que tenha de dormir na pedra mais feia e mais dura!

Agora meu martelo se desencadeia cruelmente contra a sua prisão. A pedra se despedaça: mas que me importa?

Quero acabar esta estátua, porque uma sombra me visitou; algo muito silencioso e leve veio até mim!

A beleza do Além-Homem me visitou como uma sombra. Ah! Meus irmãos! Que me importam agora os deuses?"

Assim falava Zaratustra.

Dos compassivos

"Meus amigos, palavras satíricas chegam até o vosso amigo:

– Olhem para Zaratustra! Não anda ele por entre nós como por entre animais?

Mas seria preferível que dissessem:

– Aquele que busca o conhecimento anda realmente entre os homens *como* entre animais.

E o próprio homem, para aquele que busca o conhecimento, é apenas o animal de faces rosadas.

Mas por que tal sucede? Não será por ter sentido vergonha tantas vezes?

Ah! Meus amigos! Assim fala o que busca o conhecimento: vergonha, vergonha, vergonha – eis a história do homem!

E eis por que o homem de coração nobre impõe a si mesmo nunca humilhar a ninguém: impõe-se a uma justa vergonha na presença de tudo quanto sofre.

Na verdade, não gosto desses corações bondosos, que se comprazem em sua compaixão: falta-lhes o suficiente pudor.

Se não posso deixar de sentir compaixão, não gosto que me chamem de compassivo; e quando o sou, gosto de o ser a distância.

Prefiro ocultar o meu rosto e fugir antes de ser reconhecido: é assim que eu vos recomendo agir, amigos.

Possa o meu destino oferecer em meu caminho corações como os vossos e apenas como os vossos, estranhos à dor, com os quais *tenha o direito* de pôr em comum minha esperança, meu alimento e meu mel.

Na verdade, fiz muitas coisas em favor dos sofredores: mas sempre me pareceu melhor quando aprendia a aumentar a minha alegria.

Desde que o homem é homem, conheceu muito pouco a alegria; meus irmãos, este é o nosso único pecado original.

E se aprendemos a melhor gozar a alegria, mais cedo e melhor esquecermos de fazer mal aos outros e de inventar males.

Eis por que me lavo as mãos que trouxe apoio ao infeliz, eis por que me limpo ainda a alma.

Porque ao ver sofrer o que sofre, sinto até vergonha de sua vergonha, e por ter-lhe auxiliado, ofendi durante o seu orgulho.

Grandes obséquios produzem, não os gratos, mas os ressentidos; e o menor benefício, que não podem esquecer, transforma-se num verme roedor.

'Sede altivos ao aceitar! Aceitai como se fizésseis um favor!' É o conselho que dou àqueles que nada têm a dar.

Eu sou também daqueles que dão; gosto também de dar, como amigo a amigos. Os estranhos e os pobres, que colham eles mesmos os frutos de minha árvore; serão por isso menos humilhados.

Melhor seria abolir completamente os mendigos! Na verdade, indignam-nos quando lhes damos, e indignam-nos quando não lhes damos.

Da mesma forma os pecadores e as más consciências! Crede-me, amigos, os remorsos ensinam a morder.

Mas o pior são os pensamentos mesquinhos. Na verdade, antes fazer o mal do que pensar mesquinhamente.

Sem dúvida, dizeis: 'O prazer que nos causam essas pequenas maldades nos poupa muitos males maiores'. Mas nesse domínio não se deve poupar.

É como um abcesso à má ação; ela irrita, e esgravata, e afunda-se, ela fala com franqueza.

'Olha, eu sou doença' – assim fala a má ação; esta a sua franqueza.

Mas é como um fungo o pensamento mesquinho; ele se arrasta, acocora-se e se oculta, até que o corpo inteiro tenha sido roído e comido por uma multidão de pequenos fungos.

Contudo, eis uma palavra que eu pronuncio no ouvido de quem é possuído pelo demônio: 'É preferível, pois, que deixes crescer o teu demônio. Para ti também existe um caminho da grandeza!'

Ah! Meus irmãos! Há muito que dizer a todos.

E sucede que alguns são para nós transparentes; não é porém por muito tempo que os conhecemos, pois nem sequer os ultrapassamos.

É difícil viver com os homens, porque é difícil calar-se.

E não é para quem detestamos que somos os mais injustos, mas para aquele que nos é completamente indiferente.

Mas se teu amigo está doente, sê, ao seu sofrimento, um asilo; mas para ele uma cama dura, uma cama de campanha; assim lhe serás mais útil.

Se te fez mal o teu amigo, diz-lhe: 'Eu te perdoo o que me fizeste; mas o que a ti fizeste, como poderei perdoar-te?'

Assim fala todo grande amor; ele supera até o perdão, até a compaixão.

Deve-se ter o coração sob rédeas; porque se as deixardes à solta, ele logo fazer-vos-á perder a cabeça.

Ah, onde no mundo se cometem maiores loucuras do que entre os compassivos? E há no mundo maior causa de sofrimento que as loucuras dos compassivos?

Infelizes todos os que amam se não têm uma altivez que paire acima da sua compaixão.

Assim me falou um dia o diabo: 'Deus também tem o seu inferno: é o seu amor pelos homens'.

E recentemente eu lhe ouvi dizer esta frase: 'Deus morreu; matou-o a sua compaixão pelos homens'.

Guardai-vos contra a compaixão; é desse lado que uma nuvem negra ameaça ainda o homem. Na verdade, ouço já os sinais da tempestade.

Mas lembrai-vos também desta frase: todo grande amor suplanta a própria compaixão; pois quer criar o que ama.

'Eu me sacrifico ao meu amor, e ao *meu próximo como a mim mesmo*', assim falam todos os criadores.

Mas os criadores são duros."

Assim falava Zaratustra.

Dos sacerdotes

E um dia Zaratustra, chamando com um gesto os discípulos, disse-lhes estas palavras:

"Vede esses sacerdotes; embora sejam eles meus inimigos, passai perto deles em silêncio e espada na bainha.

Entre eles também há heróis; muitos dentre eles sofreram bastante; mas também quiseram fazer sofrer os outros.

São inimigos cheios de astúcia; nada mais vindicativo que a sua humildade. E se nos aproximarmos deles, arriscamos nos sujar.

Mas o meu sangue é aparentado ao deles; e desejo que meu sangue seja honrado até neles".

E depois que haviam passado, Zaratustra foi tomado pela dor, e depois de ter um instante lutado contra ela, pôs-se a falar assim:

"Tenho piedade desses sacerdotes. Eles me repugnam; também, é verdade, que é para mim a menor das coisas desde que vivo entre os homens.

Mas tenho compaixão e sempre tive compaixão deles; são aos meus olhos prisioneiros e réprobos. Aquele a quem chamam de Salvador acumulou-os de algemas.

Algemados aos falsos valores e às palavras mentirosas! Ah, quem virá salvá-los do seu Salvador?

Sacolejadas no mar, acreditaram um dia aterrissar numa ilha; mas eis que nada mais era que um monstro adormecido.

Valores falsos e palavras mentirosas são os piores monstros para os seres humanos; a fatalidade permanece ali, por muito tempo, adormecida ou à espreita.

Mas, um dia, ela salta subitamente, e desperta-se, e devora todos os que sobre ela haviam construído suas cabanas.

Ó, olhai as cabanas que esses sacerdotes construíram, essas cavernas embalsamadas que chamam igrejas.

Essa falsa luz, esse ar abafado! A alma está aí entravada no seu ímpeto para as alturas.

Ao contrário, o seu credo ordena: 'subi a escada de joelhos, pecadores!'

Na verdade, gosto mais da impudência que dos olhos repulsivos de seu pudor e de sua devoção.

Quem construiu essas cavernas e essas escadas de penitência?

Não foram homens que queriam esconder-se, e que tinham vergonha de si mesmos em face do céu puro?

Esperarei o dia em que o céu puro brilhará de novo, através das abóbadas cavadas, e sobre a erva, e as vermelhas papoulas dos muros em ruínas, para prestar minha afeição aos santuários desse Deus.

Eles chamaram Deus ao que os contraditava e os fazia sofrer; e, na verdade, havia heroísmo em sua devoção.

E não souberam amar o seu Deus senão crucificando o homem.

Quiseram viver como cadáveres, vestiram de negro o seu cadáver; até em seus discursos sinto o odioso odor das câmaras mortuárias.

E viver em sua vizinhança é viver na vizinhança de negros lagos, no fundo dos quais o sapo modula sua mansa e melancólica canção.

Precisariam cantar-me melhores canções para fazer-me crer em seu Salvador; seria mister que esses discípulos tivessem o ar demais salvos.

Desejaria vê-los nus; pois somente a beleza deveria pregar a penitência. Mas quem se deixará convencer por essa tristeza embuçada?

Na verdade, seus próprios salvadores não são filhos da liberdade, nem desceram do sétimo céu da liberdade. Na verdade, jamais pisaram com os pés o tapete do conhecimento.

O espírito desses salvadores estava cheio de lacunas, mas em cada uma dessas lacunas haviam colocado sua *ilusão*, o 'faz-tudo', que chamavam Deus.

Seu espírito havia mergulhado em sua compaixão, e quando se enchiam e se superenchiam de piedade, sempre alguma grande loucura flutuava na superfície.

Eles levavam seu rebanho pelos atalhos, à voz do corne e dos gritos, como se apenas houvesse uma única passagem que levasse ao futuro. Na verdade, esses pastores não passavam de carneiros.

Esses pastores tinham pequenos espíritos e vastas almas; mas, meus irmãos, como são exíguas as almas, até as mais espaçosas!

Eles marcaram seu caminho de traços sangrentos, e sua loucura proclamava que a verdade se demonstra pelo sangue vertido.

Mas o sangue é o pior testemunho da verdade; o sangue envenena a doutrina mais pura, e a torna uma loucura, um ódio no fundo dos corações.

E passar através do fogo por sua fé, que prova? Sem dúvida vale mais que nossa lei nasça do nosso próprio braseiro.

Coração pesado e cabeça fria; onde essas duas coisas se encontram, nasce o furacão, o 'Salvador'.

Na verdade, houve homens maiores e melhor nascidos que aqueles que o povo chama Salvadores, essas tempestades devastadoras.

Mas será preciso libertar-vos daqueles que são maiores ainda que todos os salvadores, se quereis encontrar o caminho da liberdade.

Nunca existiu o Além-Homem. Eu vi ambos nus, o maior dos homens e o menor.

Eles ainda se assemelham muito. Na verdade, até o maior me pareceu demasiado humano".

Assim falava Zaratustra.

Dos virtuosos

"É com grande reforço de trovões e de celestes pirotécnicas que é preciso falar aos sentidos sonolentos e adormecidos.

Mas a beleza fala em voz baixa; ela só penetra nas almas mais despertas.

Meu arco tremeu mansamente, e me sorriu: era o riso sarado, o estremecimento sagrado da beleza.

E de vós, homens virtuosos, que ria hoje a minha beleza. E ouço sua voz dizer-me: 'Eles querem ser bem pagos!'

Quereis ser bem pagos, homens virtuosos! Quereis uma recompensa para a vossa virtude, e o céu em troca da terra, a eternidade em troca do dia presente!

E contudo me exprobais por ensinar que não há um celeste distribuidor de recompensas e de retribuições? E, na verdade, ensino que nem a virtude é para si mesma a própria recompensa.

Ah! É a minha dor; desde o âmago das coisas penetrou a mentira da recompensa e do castigo, e até o fundo de vossas almas também, ó virtuosos.

Mas a minha palavra, igual ao focinho do javali, voltará ao solo de vossas almas; eu quero ser para vós como a charrua.

Será preciso esclarecer todos os mistérios de vossas almas; e só quando as tiverdes revolvido até o fundo e exibido à luz do sol, que vossa mentira poderá ser separada de vossa verdade.

Pois eis aqui a vossa verdade: vós sois demasiadamente limpos para o pântano destas palavras: vingança, castigo, recompensa, retribuição.

Vós amais a vossa virtude como a mãe ama o filho; mas ouvimos alguma vez dizer que a mãe queria ser paga de sua ternura?

Nada vos é mais caro que a vossa virtude; vós aspirais ao círculo das metamorfoses; todo ciclo rola e se enrola sobre si para voltar finalmente a si.

E tudo isso que realiza vossa virtude é semelhante a uma estrela já extinta, cuja luz ainda está a caminho, e em migração. Até quando viajará ela ainda?

Da mesma forma, a luz de vossa virtude se propaga ainda depois que o ato esteja realizado. Se a obra for esquecida e morta, seu raio luminoso continuará a viver e a percorrer o espaço.

Que seja o vosso próprio Eu a vossa virtude, e não um corpo estranho, uma epiderme, uma vestimenta! Que seja a verdade profunda de vossas almas, ó virtuosos!

Mas há outros, é verdade, para quem a virtude consiste em torcer-se sob os golpes, e não devereis dar ouvidos aos seus urros.

E ainda há outros que chamam virtude a preguiça de seus vícios; e logo que a sua inveja e seu ódio se preparam para o sono, sua 'justiça' se reanima e esfrega os olhos sonolentos.

E ainda há outros que são arrastados para o abismo: é o seu demônio que os levará até lá. Mas, por mais que nele penetrem, mais brilham os olhos, mais ardentemente aspiram a seu Deus.

Ah! O grito daqueles também chegou aos vossos ouvidos, ó virtuosos! 'Tudo o que eu não sou, eu chamo Deus e virtude'.

E ainda há outros que caminham pesadamente, ringindo como carretas que descem num terreno pedregoso; têm sempre na boca palavras de dignidade e de virtude; o que eles chamam virtude é a trave que lhes serve de freio.

E ainda há outros que são semelhantes a simples relógios bem construídos; eles fazem ouvir seu tique-taque, e pedem que chamem de virtude a esse tique-taque.

Na verdade, aqueles me agradam; onde encontro desses relógios, eu os instigo com minha zombaria, e espero que eles aumentem o ramerrão.

E outros são orgulhosos de sua parcela de justiça, e cometem, sob seu nome, todos os abusos, embora seja o mundo submergido sob sua injustiça.

Ah, como a palavra virtude soa mal em suas bocas! E quando dizem: 'Eu sou justo', crê-se ouvir dizer: 'Eu estou vingado'.

Eles quereriam que sua virtude furasse os olhos aos inimigos: eles não se elevam senão para abaixar os outros.

E ainda há outros que se chafurdam em seu charco, e que do meio dos caniços se fazem ouvir, dizendo: 'A virtude consiste em chafurdar aprazivelmente no charco'.

'Não mordemos ninguém, evitamos os que querem morder, e em tudo partilhamos o aviso que nos dão.'

E ainda há outros que gostam dos gestos e pensam: 'A virtude é apenas um gesto'.

Seus joelhos estão sempre dobrados, mãos juntas para o louvor da virtude, mas o coração não a conhece.

E há ainda outros que pensam que para ser virtuosos basta dizer: 'A virtude é necessária'. Mas, no fundo, só creem na necessidade da polícia.

E alguns, impotentes para discernir a grandeza do homem, declaram que a virtude se reduz a perceber de perto as baixezas; sua malevolência, eis o que chamam virtude.

E alguns desejam ser edificados e reeducados; é o que chamam sua virtude. E outros pedem para ser resolvidos; é o que chamam sua virtude.

Assim quase todos pensam participar da virtude, ou ao menos creem ser conhecedores em matéria de bem e de mal.

Mas Zaratustra não veio para dizer a todos esses mentirosos e a esses loucos: 'Que sabeis da virtude? Que podereis saber da virtude?'

Ele veio para que vós, meus amigos, vos desgosteis das velhas fórmulas que haveis aprendido dos mentirosos e dos loucos; para que vós vos canseis de palavras como 'recompensa', de 'retribuição' de 'castigo', e de 'justa vingança'; para que vós vos canseis de dizer: 'Uma ação é boa quando ela é desinteressada'.

Ah meus amigos, quando vos puserdes integralmente em vosso ato, como a mãe se põe totalmente em seu filho, eu direi que essa é a vossa melhor definição da virtude.

Na verdade, eu vos chamo por centenas de palavras e também os brinquedos favoritos de vossa virtude; e eis que vos zangais contra mim como crianças zangadas?

Elas brincam à beira-mar, e vem a vaga e leva os seus brinquedos: e agora elas choram.

Mas a mesma vaga lhes trará novos brinquedos e espalhará a seus pés novas conchas de variadas cores; elas se consolarão e, como elas, vós tereis também, meus amigos, consolações, e novas conchas de variadas cores."

Assim falava Zaratustra.

Da canalha

"A vida é uma fonte de alegria; mas onde bebe a canalha, todas as fontes estão envenenadas.

Amo tudo quanto é puro; mas não posso ver goelas arreganhadas nem a sede dos impuros.

Eles atiraram o seu olhar ao fundo do poço; agora o poço reflete o seu repugnante sorriso.

Sua lubricidade envenenou a água santa, e chamam de alegria os seus sonhos imundos; eles envenenaram até as palavras.

A chama recua quando expomos ao fogo os seus corações úmidos, e até o espírito grelha e fumega, quando a canalha se aproxima do fogo.

O fruto, quando em suas mãos, torna-se adocicado e passado, e bastam os seus olhos para ressecar a árvore frutífera.

E mais de um desgostado da vida, dela se desgostou por causa da canalha; não quis partilhar com a canalha a fonte, a chama e o fruto.

E mais de um preferiu ir para o deserto morrer de sede ao lado das feras, do que assentar-se ao lado dos grasnentos cameleiros, à volta da cisterna.

E mais de um que avançou como exterminador, igual à tempestade de granizo que devasta os campos, nada mais desejaria do que pôr o pé na goela da canalha e fechar-lhe o focinho.

O que me tem sido mais duro de roer é saber que a própria vida requer intimidade, morte e torturas.

Mas um dia coloquei a mim mesmo esta pergunta que deveria me sufocar: como? Tem a vida *necessidade* da canalha?

É necessário haver poços envenenados e fogos fátuos e sonhos sujos e vermes no pão da vida?

Não é meu ódio, é o meu desgosto que devora minha vida. Ah! Quantas vezes me desgostei do espírito ao ver a canalha ter espírito.

E voltei as costas aos dominadores, quando eu vi o que se chama hoje dominar, quer dizer, traficar e mercadejar com o poder – traficar com a canalha!

Vivi em povos de língua estrangeira, com ouvidos fechados para ignorar sempre a linguagem de seus negócios e de seu mercadejar em torno do poder. Atravessei com repugnância, tapando o nariz, tudo quanto é de ontem e de hoje; na verdade, tudo quanto é de ontem e de hoje é emprestado pela canalha que escreve.

Por muito tempo vivi como enfermo, cego, surdo e mudo, antes de viver com a canalha dos poderosos, dos escribas e dos debochados.

Penosamente com prudência, meu espírito subiu muitos degraus; a menor esmola de alegria o reconfortará; ele se guiava como um cego, apoiado em seu bastão.

Mas, o que me sucedeu? Como me curarei desse desgosto? Como meu olhar tornou-se jovem? Como atingi num rápido voo a altura em que nenhum canalha escurece mais as margens do poço?

É meu desgosto que me deu asas e o dom de descobrir fontes? Na verdade, tive de voar até os mais altos montes para encontrar a fonte da alegria.

Oh! Eu a encontrei, meus irmãos! Aqui, nos mais altos montes, jorra para mim a fonte da alegria. Há uma vida, na qual a canalha nunca temperou seus lábios.

Tu jorras quase sempre com bastante violência, fonte de alegria. E muitas vezes esvazias o copo ao querer enchê-lo.

Eu precisava aprender a aproximar-me com mais prudência; meu coração ainda se lança fogosamente demais ao teu encontro.

Em meu coração, onde flameja o verão, meu breve verão ardente, melancólico, ébrio de alegria; quantas vezes esse coração de verão aspirou à tua frescura!

Dissipada a tristeza hesitante de minha primavera! Levada pela malícia dos meus flocos de neve de junho! Não sou mais que verão e pleno meio-dia de verão!

Verão nos cimos, com fontes frescas e silêncio bem-aventurado; ó meus amigos, vinde, e o silêncio se encherá de uma felicidade ainda maior.

Pois é aqui o *nosso* cimo e nossa pátria; estamos aqui demasiadamente alto para os impuros e para a sua sede.

Lançai os vossos olhares puros no fundo de minha fonte de alegria, amigos. Como será ela perturbada? Ela vos sorrirá em toda a *sua* pureza.

Sobre a árvore do futuro, construiremos nosso ninho. As águias nos trarão o alimento, ó solitários!

Na verdade, os impuros não terão nenhuma participação nesse alimento. Eles acreditariam comer fogo e queimar as suas goelas.

Na verdade, não oferecemos aqui asilo aos impuros. Aos seus corpos como aos seus espíritos, a nossa felicidade produzirá a impressão de uma caverna de gelo.

Pois vivemos bem alto acima deles, como os grandes ventos, na vizinhança das águias, na vizinhança das neves e na vizinhança do sol; assim vivem os fortes ventos.

E igual ao vento, eu soprarei sobre eles, e meu espírito cortará o sopro do vento que vem deles; eis o meu futuro.

Na verdade, Zaratustra sopra como um grande vento acima de todos os vales. E eis o conselho que dá aos seus inimigos que tossem e cospem: 'Cuidai-vos de *cuspir contra* o vento!'"

Assim falava Zaratustra.

Das tarântulas

"Vede: este é o antro da tarântula. Queres vê-la tu mesmo? Eis sua teia: toca-a; ela tremerá.

Eis, ela vem de boa vontade: bem-vinda, tarântula! Trazes em teu dorso o triângulo negro e tua marca, e sei o que há em teu coração.

A vingança habita em teu coração; tua morbidez produz uma crosta negra; o veneno de tua vingança faz turbilhonar as almas.

Eu vos falarei em parábola, vós que dais a vertigem às almas, pregadores da *igualdade*. Vós não sois mais do que tarântulas, o rancor oculto habita em vós.

Mas acabarei por descobrir vossos esconderijos; também rio em vossos rostos o meu riso dos altos cumes.

Também despedaço vossa teia, para que o furor vos faça sair de vossas cavernas de mentira, e faça jorrar também as vossas palavras de 'justiça'.

Pois *libertar o homem de todo pensamento de vingança* é para mim a ponte que leva às mais altas esperanças, e o arco-íris que sucede às longas tempestades.

Mas totalmente diferente é a vontade das tarântulas. 'O que chamamos a justiça é encher o mundo das tempestades de nossa vingança' – eis o que dizem uns aos outros.

'Pensamos vingar-nos e injuriar todos aqueles que não são nossos semelhantes' – eis o que juram todas as tarântulas em seu coração.

'E a virtude consistirá desde então em querer a igualdade para todos; nós perseguiremos com nossos gritos os que detêm o poder.'

É assim, pregadores da igualdade, que a loucura tirânica da impotência reclama aos gritos 'igualdade'; vossos mais secretos desejos de tiranos se mascaram assim sob nomes virtuosos.

Vaidade acrimoniosa, inveja contida, talvez vaidade e inveja ancestrais, eis o que jorra de vós como uma chama e como uma loucura de vingança.

O que o pai recalcou em si, o filho o expressa em palavras, e muitas vezes o filho traiu o segredo do pai.

Eles parecem entusiastas, não é o coração porém que queima neles, é a vingança. E quando se mostram sutis e frios, não é o espírito, é a inveja que os torna sutis e frios.

A inveja também os conduz para os caminhos dos pensadores; a marca da inveja é irem eles sempre demasiadamente longe e sua lassidão acabar por dormir na neve.

Todas as queixas apresentam um som de vingança, cada um de seus elogios trai a intenção de prejudicar; e a felicidade, para eles, é erigirem-se em juízes.

Eu vos dou, portanto, este conselho, meus amigos: desconfiai de todos aqueles nos quais o instinto de punir é poderoso.

É povo de uma triste espécie e má raça; suas faces traem o verdugo e o cão policial.

Desconfiai daqueles que falam muito de sua própria justiça. Na verdade, não é somente de mel que se alimentam essas almas.

E a si mesmas se chamam boas e justas, não esqueçais que para serem filisteus, falta-lhes apenas o poder.

Meus amigos, não quero ser misturado nem confundido com outros.

Há os que pregam a minha doutrina de vida, e que são ao mesmo tempo pregadores da igualdade, e tarântulas.

Aranhas venenosas que dizem louvores da vida, embora permaneçam ocultas nos esconderijos, afastadas da vida; é a sua maneira de fazer o mal.

Eles procuram prejudicar assim os que detêm atualmente o poder, pois é entre aqueles que a pregação da morte encontra seu melhor lugar.

Se fosse de outra maneira, as tarântulas mudariam de doutrina; são elas que outrora atingiam a excelência na arte de caluniar a vida e de queimar os heréticos.

Não desejo que me misturem, que me confundam com os pregadores da igualdade. Pois a justiça me diz, a mim, que os homens não são iguais.

E não convém que tal se tornem! Qual seria pois o meu amor ao Além-Homem se tivesse outra linguagem?

É por milhares de pontes e passagens que os homens subirão à conquista do futuro; é preciso que haja entre eles cada vez mais guerra e desigualdade; eis o que me inspira o meu grande amor.

É por necessidade de luta que inventam imagens e fantasmas, e essas imagens e esses fantasmas lhe servirão para empenharem-se uns e outros nas batalhas supremas.

Bom e mau, rico e pobre, nobre e baixo, todos os outros nomes de valor, são outras armas e emblemas guerreiros que devem ajudar a vida a superar-se sem cessar!

A própria vida para elevar-se mais alto constrói arcas e degraus, de onde poderá apanhar os horizontes longínquos e as belezas que encantam o coração; é por isso que precisam de altitude.

E porque precisam da altitude, é mister degraus, e também a resistência que opõem os degraus àqueles que os sobem. A vida quer elevar-se e ao elevar-se ela suplanta a si mesma.

E vede pois, meus amigos; ao lado do antro da tarântula erguem- se as ruínas de um antigo santuário. Olhai-as com olhos radiosos.

Na verdade, aquele que outrora juntou essas pedras para aí expressar o ímpeto de sua alma conhecia tão bem como o maior dos sábios o segredo da vida.

O que nos ensina aqui pela mais expressiva das parábolas é que toda a beleza comporta luta e desigualdade, guerra, poder e tirania.

Eis a divina beleza dessas abóbadas e desses arcos que lutam e se quebram uns contra os outros; vede-os em seu divino esforço para assaltar com luzes e trevas.

Na mesma certeza infalível, na mesma beleza, sejamos inimigos também, meus amigos. Atiremo-nos divinamente uns contra os outros. Que desgraça! Eis que a tarântula também me mordeu, essa velha inimiga. Com uma admirável e divina certeza ela me mordeu o dedo.

'É preciso um castigo, é preciso uma justiça, pensa ela, não convém cantemos aqui impunemente louvores ao ódio.'

Sim, ela quer ser vingada. Que desgraça! Por vingança ela vai me inocular a sua vertigem.

Mas de medo que sua vertigem *não* me segure, a mim também, amigos, prendei-me nesta coluna. Prefiro mudar-me em estilita do que em turbilhão de rancor.

Na verdade, Zaratustra não é nem um turbilhão nem um ciclone, e se é verdade que é dançarino, ao menos não dança a tarantela."

Assim falava Zaratustra.

Dos sábios célebres

"Vós todos, sábios célebres, não tendes sido mais do que servidores do povo e da superstição popular, e *não* os servidores da verdade. E eis por que tendes recebido honrarias.

Eis por que se tolerou vossa incredulidade, porque ela parecia um gracejo, um rodeio que vos leva ao povo. Deixou assim o senhor de cuidar de seus escravos e agradou-se até de sua petulância.

Mas aquele que o povo odeia, com o ódio do cão ao lobo, é o espírito livre, o inimigo das algemas, o descrente que apavora as florestas.

Escorraçá-lo do seu esconderijo é o que o povo sempre chamou o 'senso da justiça'; e lança além disso sobre o solitário suas dentuças mais ferozes.

'Porque a verdade existe; porque existe o povo. Ai dos que buscam!' – é um clamor que sempre se ouviu.

Vós procurais fundar com razões a piedade tradicional de vosso povo à qual chamais: 'a vontade de encontrar o verdadeiro', ó sábios célebres!

E o vosso coração não cessa de dizer: 'Eu vim do povo; é do povo também que me veio a voz divina'.

Teimosos e prudentes como os asnos, sempre tomastes a defesa do povo. E mais de um poderoso, que desejava estar de bem com o povo, ligou aos seus cavalos um pequeno asno, um sábio célebre.

E agora, ó sábios célebres, eu quereria ver-vos finalmente afastar de bom grado vossa pele de leão!

Vossa pele de carniceiro, manchada, e vossa crina de buscador, de explorador, de conquistador!

Para fazer crer em vossa 'veracidade' seria de antemão necessário que tivésseis quebrado vossos respeitos tradicionais.

Verídico: assim chamo aquele que segue seu Deus pelos desertos, depois de ter despedaçado o coração cheio de venerações.

Na areia bravia, queimado do sol, morrente de sede, olha obliquamente algumas vezes para as ilhas de numerosas fontes, onde os vivos repousam sob a alfombra das árvores.

Mas a sua sede não o convence de se tornar semelhante a esses satisfeitos; ele sabe que há ídolos em todos os oásis.

Esfaimado, violento, solitário, ímpio, assim deve ser o querer leonino.

Libertado de uma felicidade servil, libertado dos deuses e dos cultos, sem medo e terrível, grande e solitário, assim deve ser o querer do verídico.

É no deserto que sempre viveram os verídicos, os espíritos livres, senhores do deserto; mas nas cidades, habitam os sábios bem nutridos e célebres – os animais de trato.

Pois são eles que puxam sempre, como os asnos, as carretas do *povo*.

Não que eu o queira; mas eles permanecem ante meus olhos como animais domésticos e bestas de trato, mesmo sob anéis cobertos de galões.

E muitas vezes são bons servidores, dignos de louvor. Pois assim fala a virtude: 'Se deves servir, procura a quem teus serviços sejam mais úteis.

O espírito e a virtude de teu senhor crescerão por seres seu servidor; e tu engrandecerás a ti mesmo, ao mesmo tempo que o seu espírito e a sua virtude'.

Na verdade, sábios célebres, servidores do povo, vós vos tendes engrandecido à medida que aumentam o espírito e a virtude do povo, e o povo cresceu graças a vós. Eu o digo em vossa honra.

Mas vós permanecestes povo até em vossas virtudes, povo de olhos meigos, povo estranho ao *espírito*.

O espírito é a vida que corta em sua própria carne; seu tormento aumenta-lhe o saber – sabíeis disso?

E a felicidade do espírito é ter recebido a unção santa e a efusão de lágrimas que fazem dele a vítima designada para o sacrifício – sabíeis disso?

E a cegueira do cego, suas hesitações e tratamentos testemunham ainda o poder do sol que ele olhou face a face – sabíeis disso?

É acumulando montanhas que o discípulo do conhecimento deve aprender a *construir*. É pouca coisa para o espírito transportar montanhas – sabíeis disso?

Vós conheceis as cintilações que lança o espírito, mas vós não vedes que é uma bigorna; ignorais a crueldade do seu martelo.

Na verdade, não conheceis o orgulho do espírito, e menos ainda suportaríeis a modéstia do espírito, se ela quisesse falar.

E nunca conseguistes com bom êxito mergulhar vosso espírito numa fossa cheia de neve; não sois bastante cálidos para tal. Ignorais também ainda a alegria extasiada que dá ao espírito o frio da neve.

Tratais sempre o espírito de maneira bastante familiar, e fizestes da sabedoria um hospital e um asilo para maus poetas.

Não sois águias; nunca saboreastes os terrores do espírito. E se não se é pássaro não se deve construir o ninho sobre os abismos.

Eu vos sinto tíbios; ora, todo conhecimento profundo é gelado. Frios como gelo são as fontes mais secretas do espírito; nelas se refrescam e descansam as mãos quentes, os quentes filhos da ação.

Eu vos vejo ali, respeitáveis e rígidos, de espinha em pé, ó sábios célebres! Não vos remove nem o forte vento nem uma forte vontade. Nunca vistes correr sobre o mar uma vela redonda e enfumada, fremente sob a impetuosidade do vento?

Igual à vela, fremente sob a impetuosidade do espírito, vede-a correr sobre o mar, minha sabedoria, minha selvagem sabedoria.

Mas vós, servidores do povo, sábios célebres, como poderíeis acaso me seguir?"

Assim falava Zaratustra.

Noturno

"É noite; eis que se eleva mais alto a voz das fontes fervilhantes. E minha alma é também uma fonte fervilhante.

É noite; eis que se despertam todas as canções dos amorosos, e minha alma também é o canto de um amante.

Uma sede está em mim, insaciada e insaciável, que busca erguer a voz. Um desejo de amor vive em mim, um desejo que fala a linguagem do amor.

Eu sou luz: ai, porque não sou trevas! Mas minha solidão consiste em estar envolta de luz.

Ai, por que não sou sombras e trevas? Como aplacaria a minha sede nos seios da luz.

E como eu vos bendiria, até vós, pequenas estrelas cintilantes, vermes luzentes do céu! E a luz que me dais me encheria de felicidade!

Mas vivo encerrado em minha própria luz, reabsorvendo as chamas que jorram de mim.

Minha pobreza é que minha mão nunca descansa de dar; o que invejo são meus olhares ávidos e as noites iluminadas de desejo.

Ignoro a felicidade de receber; e muitas vezes sonhei que há mais felicidade em tirar do que em receber.

Ó desgraçada sorte de todos os que dão! Ó penumbras do meu sol! Ó desejo de desejar! Ó fome devoradora no coração da saciedade!

Eles tomam o que lhes dou, mal pude tocar sua alma? Há um abismo entre dar e receber; e o abismo mais estreito é o último a ser superado.

Uma fome nasce de minha beleza; eu quereria fazer sofrer aqueles que eu esclareço, despojar aqueles que acumulo de presentes; tal a fome de mal-fazer.

Retirando minha mão quando me estendem a deles, igual à cascata que hesita antes da queda, e hesita ainda na queda, estou esfomeado de mal-fazer.

Tal é a vingança que imagina minha riqueza excessiva, tal é a perfídia que jorra da minha solidão.

A felicidade de dar morre no momento em que eu dou, mas a minha virtude se cansa de sua própria abundância.

Ao dar sem cessar, corre-se o risco de perder todo pudor; à força de dar, o coração e as mãos tornam-se calosos.

Meus olhos não se molham mais ao ver a vergonha do que pede; minha mão endurecida não sente mais tremer as mãos que de mim recebem.

Que se tornaram as lágrimas de meus olhos e o aveludado de meu coração? Ó solidão dos que dão! Ó silêncio de tudo o que luz.

Sóis inumeráveis gravitam no espaço deserto; sua luz fala a todos os corpos tenebrosos; para mim ela é silenciosa.

Ó, tal é a inimizade da luz para com tudo o que brilha; inexoravelmente prossegue em seu caminho.

Injustos no fundo do coração para tudo quanto brilha, indiferentes aos outros sóis; assim gravitam os sóis.

Igual à tempestade, os sóis percorrem suas órbitas; é o seu caminho. Não obedecem senão ao seu querer inexorável; é a sua frieza.

Só vós, criaturas sombrias e tenebrosas, tirais da luz dos astros o vosso calor. Só vós bebeis o leite e o reconforto nos mamilos da luz.

Ah! Tudo é gelo à minha volta, minha mão se queima ao contato do gelo. Ah! Tenho sede de experimentar vossa sede!

É noite. Porque sou luz! E sede de trevas! E de solidão!

É noite. Eis que de mim jorra como uma fonte meu desejo de erguer a voz.

É noite. Eis que se eleva mais alto a voz de todas as fontes fervilhantes. E minha alma é também uma fonte fervilhante.

É noite. Eis que se despertam todas as canções dos amorosos. E minha alma é também o canto de um amante."

Assim falava Zaratustra.

Canção para dançar

Uma tarde, atravessava Zaratustra a floresta com seus discípulos e, como procurava uma fonte, eis que chegou a um verde prado, rodeado de árvores e de arbustos. Algumas jovens dançavam entre eles. Quando reconheceram Zaratustra, cessaram de dançar; mas Zaratustra aproximou-se delas, e com um ar amigo lhes disse estas palavras:

"Não deixeis de dançar, encantadoras jovens. Não é um desmancha-prazeres, de olhar mau, que vem até vós, não é o inimigo das jovens.

Eu sou o advogado de Deus junto ao diabo. O diabo é o espírito do Pesadume. Como poderia eu, jovens criaturas, ser inimigo de vossas danças divinas ou de vossos pés de jovens, de graciosos tornozelos?

Certamente estou numa floresta de árvores sombrias e de trevas; mas os que não têm medo de minha sombra descobrirão roseiras entre os meus ciprestes.

E lá encontrarão também o pequeno deus que as jovens preferem; ele repousa ao lado da fonte, imóvel e de olhos fechados.

Na verdade, adormeceu em pleno dia, o folgazão; certamente se cansou de perseguir borboletas e mariposas.

Não vos agasteis, encantadoras dançarinas, se eu castigo um pouco esse pequeno deus. Ele vai certamente gritar e chorar; mas mesmo quando ele chora, ele faz rir.

E será com lágrimas nos olhos que ele vos irá pedir que danceis; e eu acompanharei esta dança com uma canção.

Com uma ária de dança, com um canto que afaste o espírito do Pesadume, meu altíssimo e onipotente diabo, de quem os homens dizem que é o 'senhor do mundo'".

E eis a canção que cantou Zaratustra, enquanto Cupido dançava com as jovens:

"Outrora, quando jovem, mergulhei meu olhar em teus olhos, ó Vida, e acreditei cair num abismo sem fundo.

Mas tu me tomastes preso ao teu anzol de ouro; e te puseste a rir, ar mofino, quando eu te declarei insondável".

"É o que dizem todos os peixes, dissestes; o que *eles* não podem sondar declaram insondável. Não sou, quanto a mim, senão mutável e cruel, mulher em tudo, e não virtuosa.

E no entanto, vós, homens, vós me chamais 'profunda', ou 'fiel', ou 'eterna', ou 'misteriosa'

Mas vós, homens, fizeste-me sempre presente em vossas próprias virtudes, ó virtuosos!

E ela ria, a incrédula: mas, nela não creio mais, nem nela nem em seu riso, quando ela fala mal de si mesma.

E um dia em que eu me entretinha num colóquio com a minha sabedoria selvagem, ela me disse: 'Tu queres, tu desejas, tu amas, por isso cantas *louvores* à vida'.

Estive a ponto de dar-lhes uma resposta irritada e dizer umas verdades à minha sabedoria em cólera; pois não há resposta mais dura que dizer à sabedoria as 'suas verdades'.

Tais são as nossas relações, entre todos os três. Não amo no fundo do coração senão a vida, e, na verdade, amo-a tanto quanto a odeio.

Mas se eu tiver condescendência para com a minha sabedoria (e algumas vezes a tenho em demasia), é porque ela me lembra muito a vida.

Ela tem os seus olhos, o seu riso, o seu anzol dourado; é minha culpa se elas tanto se assemelham?

E o dia em que a vida me perguntou: 'Que é a sabedoria?' eu respondi vivamente: Ah! Sim, a sabedoria!

Tem-se sede dela, e não nos saciamos nunca; busca-se vê-la através do véu e perscrutá-la.

É bela? Como sabê-lo? Mas as mais velhas carpas mordem ainda os anzóis.

É ela mutável e caprichosa; via-a muitas vezes morder os lábios e se pentear.

Talvez seja ela má e pérfida, e mulher em tudo; mas nunca ela é mais sedutora do que quando fala mal de si mesma.

Quando respondi assim à vida, ela fez um sorriso maligno e fechou os olhos: 'De que falas tu?' – perguntou ela. De mim, sem dúvida?

E admitindo até que tenhas razão, dizem-se tais coisas em pleno rosto? Mas agora fala-me de tua sabedoria.

Ah! Tu abres agora os olhos, Vida bem-amada. E de novo me parece que me abismo no fundo do insondável".

Assim cantava Zaratustra. Mas terminada a dança, e depois que as jovens partiram, ele sentiu-se triste.

"O sol há muito se ocultou no horizonte", disse enfim; "o prado úmido, a floresta exala a sua frescura.

Uma presença desconhecida me envolve e me olha com um ar pensativo. Como? Tu vives ainda, Zaratustra.

Por qual razão? Para que fim? Por que meio? Para ir aonde? De que maneira? Não é loucura viver ainda?

Ah! Meus amigos, é a noite que assim me interroga. Perdoai a minha tristeza.

A noite cai. Perdoai-me, se a noite cai".

Assim falava Zaratustra.

Canto sepulcral

"Lá está a ilha dos túmulos, a silenciosa; lá estão também os sepulcros da minha juventude. Para lá quero levar uma viva coroa de verde imortal.

Tendo assim resolvido em meu coração, dirigi-me para o mar.

Ó imagens e visões de minha juventude! Olhares de amor, instantes divinos! Como cedo vos desvanecestes! Penso hoje em vós como mortos bem-amados!

Vós exalais para mim um suave perfume, mortos bem-amados, um perfume que enternece o coração, e mareja-me os olhos de lágrimas. Na verdade, comove e enternece o coração do navegador solitário.

Sou ainda o mais rico e o mais digno de inveja, eu, de todos o mais solitário. Pois vos possuí, e vós ainda me possuís. Que outro foi mais que eu acumulado de maçãs vermelhas caídas da árvore?

Eu permaneci sendo o patrimônio e o território de vosso amor, florescido por vossa memória, de uma roupagem cheia das cores das virtudes selvagens, ó meus amados!

Ah! Fôramos feitos para viver juntos, estranhas e suaves maravilhas, e viestes até mim, ante o meu desejo, não como pássaros assustadiços, mas confiantes no amigo confiante.

Na verdade, vós éreis feitos como eu para a afeição fiel, para eternidades de ternura; seria preciso hoje que vos desse um nome que lembrasse as vossas infidelidades, luares divinos, instantes divinos? Não aprendi ainda a vos dar outros nomes.

Na verdade, morrestes muito cedo, ó fugitivos. Não que me fugísseis nem que vos fizesse fugir. Somos inocentes uns e outros de nossa mútua infidelidade.

Foi para vos abater de morte que vos degolaram, cantores de minhas esperanças. Sim, é contra vós, bem-amados, que a malignidade sempre atirou suas flechas para atingir-me o coração.

E elas me feriram! Não sois o meu bem mais caro? Vós me pertencíeis, e eu a vós. Eis por que precisaríeis morrer jovens e prematuramente.

Atiraram flechas sobre o que tinha de mais vulnerável, sobre vós, cuja epiderme era tenra como um sorriso que se desfaz ao primeiro olhar.

Mas eu declaro aos meus inimigos: que é um assassínio ao pé do que me fizestes?

O que me fizestes é pior que todos os assassínios, vós me arrebatásteis o que ninguém me poderia dar – eis o que vos tenho a dizer, meus inimigos.

Vós assassinastes as visões e os graciosos prodígios de minha juventude. Vos me haveis arrebatado os meus companheiros de brinquedo, meus espíritos benfazejos. Eu deponho aqui em sua memória uma coroa, e para vós dirijo uma maldição.

Malditos sejais vós, meus inimigos! Vós abreviastes minha parte de eternidade. Vós a quebrastes como um som que expira na noite gélida. Eu não o vi brilhar senão um momento, apenas como um olhar – o tempo de um simples pestanejar.

Outrora, em horas favoráveis, minha pureza dizia: 'Todos os seres para mim serão divinos'.

Então vós me assaltastes de fantasmas imundos.
Ah! Para onde foi essa hora favorável?

'Todos os dias me serão sagrados' – assim falava outrora minha jovem sabedoria, e certamente é bem essa a linguagem de uma alegre sabedoria.

Mas, então, meus inimigos, vós me roubastes as minhas noites, vós me vendestes ao tormento e à insônia; para onde fugiu essa alegre sabedoria?

Eu reclamei outrora que me dessem pássaros de felizes presságios; agora pusestes sobre o meu caminho monstruosos mochos, e aves de mau agouro. Oh! Para onde voou o meu terno desejo?

Havia outrora feito voto de renunciar a todo desgosto; então mudastes meus próximos em úlceras purulentas. Ah! Em que se tornou o meu mais nobre juramento?

Outrora, seguia como cego os caminhos radiosos; então atirastes imundícies no caminho do cego; e agora ei-lo desgostado de seu antigo caminho.

E o dia em que cumpri minha pobreza mais difícil e festejei minha mais alta vitória sobre mim mesmo, vós levastes aqueles que me amavam a gritar que nunca lhes fizera tanto mal.

Na verdade, foi sempre assim que agistes; vós sujastes o meu mel mais doce e o zelo de minhas melhores abelhas. Vós recomendastes à minha caridade os mendigos mais insolentes; vós endereçastes à minha compaixão os incuráveis mais impudentes. Assim haveis ferido minhas virtudes em sua fé.

E quando eu oferecia em sacrifício meu bem mais sagrado, vossa 'compaixão' se apressava em acrescentar ofertas das mais grosseiras, e o fumo de vossas graxas sufocava meu bem mais sagrado.

E o dia em que desejei dançar como jamais houvera dançado, e além de todos os céus, vós persuadistes o meu cantor preferido.

E ele cantou uma melodia terrível e lúgubre; ah! Ela me roncou aos ouvidos como um corne rouco.

Cantor assassino, instrumento da malignidade dos outros, inocente entre todos! Eu me preparava para a mais bela das danças, quando teus acentos vieram matar meus ímpetos.

Não posso expressar senão pela dança as parábolas das verdades supremas, e agora minha mais sublime parábola ficou inexpressada em meus membros.

Inexpressada, não liberada, minha suprema esperança permaneceu prisioneira. Eu vi desvanecerem-se todas as visões que haviam consolado a minha juventude.

Como pude suportá-lo? Como pude resignar-me ante tais feridas e triunfar delas? Como minha alma pode ressuscitar do fundo desses túmulos?

Certamente, trago em mim uma força invulnerável, incoercível, capaz de fazer estalar rochedos; é o *meu querer*. Ele avança em silêncio, imutável ao longo dos anos.

Para percorrer o seu caminho, preciso levar meu velho querer; sua resolução é dura até o fundo, invulnerável.

Eu não sou vulnerável senão no calcanhar. Tu sobreviveste, pois, sempre semelhante a ti mesmo, paciente querer, espírito paciente. Sempre pudeste emergir de novo dos túmulos.

Tudo o que na minha juventude pode desabrochar, sobrevive em ti; sob os traços da juventude e da vida, tu vens cheio de esperança assentar-te sobre os escombros amarelecidos desses túmulos.

Sim, eu saúdo em ti o destruidor de todos os túmulos. Saúdo-te, meu querer. Pois só onde há túmulos, há ressurreições."

Assim falava Zaratustra.

Do domínio de si

"A vontade de encontrar a verdade, tal é o nome que dais, ó sábios insignes, à força que vos move e vos impele.

A vontade de tornar concebível tudo o que é: é o nome que dais a essa vontade.

Quereis de antemão *tornar* concebível tudo o que é; pois duvidais, e com justo título, que seja concebível a priori.

Mas é preciso que tudo se submeta e se curve à vossa vontade. É o que exige o vosso querer; que tudo se subordine e se submeta ao espírito, que tudo se reduza a ser dele o espelho e o reflexo.

Eis tudo o que quereis, sábios insignes, e é um desejo de potência, mesmo quando tenhais à boca palavras como bem e mal, e juízos de valor. Vós quereis de antemão criar um mundo tal como podeis adorar de joelhos; é vossa última esperança, vossa suprema embriaguez.

Os simples, contudo, a multidão, são iguais ao rio sobre o qual a barca segue à deriva, e na barca trovejam, solenes e embuçados, os juízos de valor.

Vosso querer e vossos valores, vós os fundastes sobre as vagas do devir. Essas crenças da multidão ao tema do bem e do mal traem uma antiga vontade de potência.

Sois vós, sábios insignes, que haveis instalado esses viajantes na barca, depois de os ter vestido de roupas e de nomes pomposos – sois vós e vosso querer dominador.

Agora o rio leva vossa barca, ele *deve* levá-la. Que importa se ela faz espumar as ondas que ela fende, e que se rebelam contra a quilha?

Não é a corrente que vos ameaça, nem a morte de vossa noção do bem e do mal, sábios ilustres; é vosso próprio querer, vossa vontade de potência, o querer viver inesgotável e criador.

Mas para que compreendais o que vos tenho a dizer sobre o bem e o mal, quero acrescentar uma palavra sobre o tema da vida e da natureza dos vivos.

Os vivos, eu segui os seus passos, sobre os grandes e pequenos caminhos, a fim de conhecer-lhes a natureza.

Agora que a sua boca está fechada, captei-lhes o olhar em meus cem espelhos, para que esse olhar me falasse, e esse olhar me falou.

Em toda a parte onde encontrei a vida, ouvi falar de obediência. Tudo o que vive obedece.

E eis o segundo ponto: manda-se naquele que não sabe obedecer a si mesmo. Tal é frequente entre os vivos.

O que eu aprendi em terceiro lugar: foi que mandar é mais difícil que obedecer. Não somente porque aquele que manda assume a carga de todos os que lhe obedecem, e que essa carga arrisca esmagá-lo, mas porque reconheci que mandar comporta uma aventura e um risco, e cada vez que manda, arrisca a vida.

E até quando é ele mesmo a quem manda, não escapa à expiação. Torna-se fatalmente juiz, vingador e vítima de sua própria lei.

Como é possível? – perguntar-me-eis. Quem persuade o vivo de obedecer e de mandar, e de até obedecer ao mandar?

Escutai agora as minhas palavras, sábios insignes. Examinai se analisei bem a vida até a alma e até às últimas pregas do seu coração. Onde encontrei a vida, encontrei a vontade de potência, e até na vontade do servidor, encontrei a vontade de ser mestre.

Se o fraco serve ao forte, o faz inclinado por sua vontade, que quer, por sua vez, tornar-se senhora dos mais fracos que ela; é o único prazer ao qual não pode renunciar.

E da mesma forma que o inferior se submete ao superior, a fim de ter por sua vez o prazer de mandar no mais ínfimo, também o maior de todos, por sua vez, desvela-se, e arrisca no jogo a sua própria vida.

Quando o maior de todos entra na liça, toma sobre si o risco e o perigo; é uma partida de dados com a morte.

E sacrifícios, serviços prestados, e olhares amorosos são ainda manifestações do querer. Por caminhos desviados, o mais fraco se insinua na praça forte, e ganha até o coração do poderoso; e lá ele lhe furta o poder.

E eis o segredo que a vida me confiou: – '*Vê* – disse-me ela – *eu sou aquela que deve sempre superar-se a si mesma*'.

Que chameis a essa necessidade instinto genésico ou instinto de finalidade ou tendência ascensional para o mais alto, mais longínquo, mais complexo, tudo é o mesmo, é *um só* e *mesmo* segredo.

Prefiro perecer a renunciar a essa única aspiração; e, na verdade, quando se vê morrer os seres, e cair as folhas, é que a vida se sacrifica... pelo poder.

Por que é necessário que eu seja luta, e devir, e finalidade, e contradição. Ah! Quem adivinha a minha vontade, advinha também quão *tortuosos* são os caminhos que *é preciso* seguir.

Considerei belo criar e amar o que criei. Torna-se agora necessário para mim tornar-me inimigo de minha criatura e o adversário de meu amor; assim o quer o meu querer.

E tu também, buscador do verdadeiro, tu não és mais que um dos caminhos, uma das pistas do meu querer; na verdade, minha vontade de potência segue também as pegadas do teu querer de alcançar o verdadeiro.

Certamente, não atingiu a verdade aquele que pôs em circulação essa fórmula: o 'querer viver'; esse querer não existe.

Pois o que não existe não pode querer existir; e como o que existe poderia ainda querer existir?

Não há vontade senão na vida; mas essa vontade não é querer viver; na verdade ela é vontade de potência.

Há para o vivo muitas coisas que ele estima mais alto que a própria vida, mas, nessa mesma estima, o que fala é a vontade de potência.

Eis o que a vida me ensinou outrora; o que me permitiu, sábios insignes, de resolver também o enigma de vossos corações.

Na verdade, eu vos digo, bem e mal, noções imutáveis, não o são da existência. Tudo trabalha para se ultrapassar sem cessar.

Vossos juízos de valor e vossas teorias do bem e do mal são meios de exercer o poder. Valoradores, eis o amor secreto que brilha em vossos corações, que fremem e se desbordam.

Mas há uma força maior que nasce de vossos valores, e um novo ultrapassamento que rompe o ovo e a casca.

E quem tenha a vocação de inovar em matéria de bem e de mal, começará necessariamente por destruir e quebrar valores.

Assim a pior maldade é parte integrante da suprema bondade, quero dizer, daquela que cria.

O silêncio é pior. As verdades que calamos tornam-se venenosas.

Falemos dessas coisas, sábios insignes, apesar de vos desagradar.

E que importa se tudo o que é frágil venha a quebrar-se contra as nossas verdades? Há tantas mansões por construir ainda!"

Assim falava Zaratustra.

Dos sublimes

"Calmo é o fundo do meu mar; quem poderia suspeitar que ele contém monstros risonhos?

Imutável é a minha profundidade; mas ela cintila de enigmas e de risos flutuantes.

Vi hoje um homem sublime, solene, um penitente do espírito. Ó como minha alma riu de o ver tão feio!

Peito inflado, igual aos que enchem de ar o peito, assim se apresentava esse homem sublime, taciturno.

Ornado de feias verdades, seus despojos de caça, e coberto de roupas rotas, sobre ele havia muitos espinhos – mas não vi sequer uma rosa.

Não aprendeu ainda nem o riso nem a beleza. De ar sombrio, voltou ele das florestas do Conhecimento, esse caçador.

Ele acaba de lutar contra animais ferozes, mas a sua própria gravidade revela ainda um animal feroz e mal domado.

Parece ao tigre prestes a dar o salto; mas não gosto dessas almas tensas, todos esses recalcados me repugnam.

E vós me haveis dito, amigos, que de gostos e de cores não convém discutir? Mas toda a vida não é senão uma disputa sobre gostos e cores.

O gosto é por sua vez o peso, a balança e o pesador; e infeliz de todo o vivente que quisesse viver sem disputar sobre o tema dos pesos, da balança e da pesagem. Se abandonasse a sua sublimidade, esse homem sublime começaria então a embelezar-se, e eu poderia gostar dele e julgá-lo de bom sabor.

Não é senão quando se afasta de si mesmo, que ele poderá, de um salto, saltar fora de sua sombra – e, na verdade, lançar-se de um salto em *seu* sol.

Por muito tempo esteve sentado à sombra, esse penitente do espírito: suas faces empalideceram, e à sua espera teve de morrer de inanição.

Há ainda desprezo em seu olhar e um traço de desgosto no canto dos lábios. Repousa agora, mas ainda não se estirou ao sol.

Ele deveria fazer como o touro, e sua felicidade deveria sentir a terra, e não o desprezo da terra. Eu quereria vê-lo igual ao touro branco que resfolega e muge à frente da charrua, e seu mugido deveria ser o louvor das coisas terrestres.

Seu rosto é ainda sombrio; a sombra de sua mão junta-se ao rosto; o pensamento em seus olhos está ainda impregnado de sombras.

Sua própria ação lança uma sombra sobre ele; a mão lança uma sombra sobre aquele que age. Ele não domina ainda o seu ato.

Gosto de seu pescoço de touro, mas quereria ver também um olhar de anjo. É preciso ainda que se desfaça de seu querer heroico. Quero que ele se sinta à vontade sobre a altura, e não somente elevado ao alto: o próprio éter deveria levá-lo, aliviado de todo querer.

Dominou feras, decifrou enigmas; ele necessitaria ainda tornar-se o redentor de seus monstros e dos enigmas, que ele tornou filhos do céu.

Nele, o Conhecimento não aprendeu ainda a sorrir sem nada invejar; nele a paixão desbordante não se apaziguou ainda na beleza.

Na verdade, não é na saciedade que seu desejo deveria abismar-se em silêncio, é na beleza.

A graça faz parte da magnanimidade dos magnânimos.

Um braço negligentemente voltado para trás, à altura da cabeça, eis como deveria repousar o herói, dominando até o seu repouso.

Mas é precisamente ao herói que é mais difícil atingir o *Belo*; a beleza despe-se de todo querer violento.

Um matiz de mais ou de menos, aqui é muito, aqui é essencial.

Guardar os músculos distendidos e a vontade livre, nada vos é mais difícil a vós, homens sublimes!

Quando o poder se faz clemente e condescende no visível, chamo beleza a essa condescendência.

Não há de quem exija eu tanto a beleza como de ti, ó poderoso; e a bondade deverá ser teu último triunfo.

Eu te sei capaz de todo o mal possível; eis por que exijo de ti o bem.

Na verdade, muitas vezes eu ri dos débeis que se acreditavam bons porque tinham as mãos gordas.

Tu deverias rivalizar em virtude com a coluna; quanto mais ela se eleva, mais ela se embeleza e se afina, tornando-se dentro mais resistente e mais dura.

Certamente, homem sublime, um dia serás belo e terás um espelho para a tua beleza.

Então tua alma fremerá de desejos divinos, e em tua própria vaidade haverá adoração.

Pois está aqui o segredo da alma: quando o herói a deixou, então somente ela vê aproximar-se em sonho... o super-herói."

Assim falava Zaratustra.

Do país da cultura

"Meu impulso levou-me muito longe no futuro; um estremecimento de horror apoderou-se de mim.

E quando corri os olhos à minha volta, vi que o tempo era o meu único contemporâneo.

Voltei então para trás, para o meu país, voando sempre, apressando-me cada vez mais; foi assim que cheguei até vós, homens de hoje, ao país da cultura.

Pela primeira vez vos concedi um olhar e um julgamento favorável; na verdade, é o impulso do meu coração que me levou até vós.

Mas, que me sucedeu? Conviria ter medo, não pude impedir-me de rir. Nunca meus olhos viram semelhante bizarria.

Ria sem poder deter-me, enquanto as pernas me falhavam e também o coração. 'É aqui, na verdade, a pátria de todos os vasos coloridos', pensei.

O rosto e os membros iluminados de cinquenta cores diferentes, tais como me aparecestes, para meu espanto, homens do presente; vestidos de cinquenta espelhos que adulam vossos pruridos ao refleti-los.

Na verdade, não saberíeis levar melhores máscaras do que vossos próprios rostos, homens do presente. Quem, pois, vos poderia *reconhecer*?

Pintalgados com os hieróglifos do passado, esses sinais cobertos de sinais novos, vós conseguistes pôr-vos ao abrigo de todos os augúrios.

E fôssemos aqueles que sondam os corações e as vísceras, a quem faríeis crer que tendes vísceras? Pareceis petrificados de cores de pedaços de papel colados juntos.

Através dos vossos véus, vemos transparecer o colorido de todos os tempos e de todos os povos; todas as roupagens e todas as crenças se expressam caoticamente por vossos gestos.

Se vos despojássemos dos véus, das roupagens, das cores, da vossa mímica, não nos restaria senão o que espantar pássaros.

Na verdade, eu sou esse pássaro espantado que vos viu nus e sem cores, e fugi ao ver vossos esqueletos fazerem-me sinais de amizade.

É preferível ser escravo nos infernos, perto das sombras do passado! As sombras dos infernos são mais gordas e mais cheias do que vós.

O que é amargo às minhas entranhas é que eu não vos suporto, nem nus nem vestidos, homens do presente.

Todas as ameaças do futuro, e tudo o que pode espantar pássaros desgarrados é ainda mais seguro e mais familiar que o vosso 'realismo'.

Pois vossa pretensão é dizer: 'Estamos totalmente presos ao real, puros de toda crença e de toda superstição'. E de vos esganar – apesar de não terdes mais goela!

Como poderíeis crer, com efeito, sob vossas cores, vós que não sois senão iluminuras de tudo quanto foi criado?

Sois a refutação viva à fé, a deslocação de todos os pensamentos; *inaptos a crer*, tal é o epíteto que eu vos dou, ó realistas. Todos os sonhos e toda a parolagem dos séculos argumentam, tanto uns como a outra, contra vossos espíritos, e os sonhos e a parolagem dos séculos eram ainda mais próximas do real que toda a vossa lucidez.

Vós sois estéreis, eis por que vos falta a fé.

Mas todos aqueles que nasceram criadores sempre tiveram sonhos proféticos e souberam ler os presságios nas estrelas; eles tiveram fé na fé.

Vós sois portas entreabertas no solar das quais o coveiro está à espera. E vosso realismo consiste em dizer: 'Tudo merece perecer'.

Ah! Hei-vos perante mim, estéreis, com vossas costas descarnadas! E mais de um entre vós suspeitou até dessa verdade.

Ele disse a si: um deus deve, enquanto dormia, ter-me roubado alguma coisa. Na verdade, o suficiente para fabricar uma mulherzinha.

'É estranho como me sinto desprovido de costelas.' Assim se expressou tal ou qual desses homens do presente.

Certamente, vós me tendes feito rir, homens de hoje. E sobretudo quando estais aí a negar-vos sobre vós mesmos.

E infeliz de mim, se não pudesse rir de vosso engano, e se precisasse beber o licor nauseabundo de vossas taças!

Mas vós não me pesareis sem dúvida mais, a mim que tenho tantas coisas pesadas a levar. E que me importa que escaravelhos e moscardos venham ajuntar-se ao meu fardo!

Na verdade, não pesará ele mais por isso. E se não é de vós, homens do presente, de onde viria a grande lassidão?

Ah! Onde poderia eu ainda subir na minha nostalgia? Do alto de todos os cumes, procuro com o olhar o país de meus pais e de minhas mães.

Não encontrei pátria em nenhum lugar, sou apenas um transeunte em todas as cidades, e de partida em todas as soleiras de todas as portas.

Eles me são estrangeiros, irrisórios, esses homens do presente, para os quais, outrora, meu coração era atraído, e hoje sou banido de todas as pátrias, dos pais e das mães.

Só amarei o *país dos meus filhos*, a ilha desconhecida, no coração dos mares longínquos; e perto dela lançarei a minha âncora, sem desfalecimento.

Eu reparei, na pessoa dos meus filhos, o fato de ter sido filho de meus pais; e em todo o futuro, este presente!"

Assim falava Zaratustra.

Do imaculado conhecimento

"Ontem, quando a lua surgiu, acreditei que ela iria dar à luz um sol, tão grande se apresentou, e amadurecida no horizonte.

Mas essa gravidez era mentirosa, e eu acreditaria mais no homem da lua do que na mulher.

Sem dúvida, não é ainda homem, esse noctâmbulo preguiçoso. Na verdade, com má consciência, caminha sobre os tetos.

Pois é um monge que vive na luz, um monge libidinoso e ávido que cobiça a terra e todas as alegrias dos amantes.

Não, não gosto dele, esse gato preguiçoso sobre os tetos. Tenho horror de todos os que rodam à volta das janelas semicerradas.

Lerdo e silencioso passeia sobre tapetes de estrelas, mas não gosto desse passo aveludado ao qual não acompanha nenhum ruído de esporas.

O passo do homem honesto fala; mas o gato deita-se sem ruído sobre o solo. Ora, a luz se aproxima com passos aveludados, como um gato, e sem franqueza.

Eu vos dedico esta parábola, hipócritas sentimentais, adeptos do "conhecimento puro". Eu vos chamo: libidinosos.

Vós também amais a terra e as coisas terrestres; eu bem o percebi. Mas vosso amor é um misto de vergonha e de má consciência, vós vos assemelhais à lua.

Persuadiu-se ao vosso espírito que bastaria desprezar a terra, mas não converteram vossas entranhas, e é o que há de mais poderoso em vós.

E contudo vosso espírito tem vergonha de fazer o que mandam vossas entranhas, e, para fugir à vergonha, ele toma os caminhos mentirosos.

E eis como vosso espírito abusa de si mesmo: 'o ideal, a meu ver, seria olhar a vida sem nenhum desejo, e não estendendo a língua como um cão'.

Seria ser feliz na contemplação pura, estranho às garras e à avidez do egoísmo, ser frio e cinzento como a cinza, pés na cabeça, mas com os olhos embevecidos e lunares.

O que eu preferiria sugere a si mesmo o espírito corrompido? Seria amar a terra de um amor lunar e de não emergir a sua beleza senão pelo olhar.

E o que eu chamaria de *imaculado* Conhecimento de toda coisa, seria nada pedir às coisas, senão poder apresentar-lhes um espelho de cem facetas.

Ó sentimentais hipócritas! Ó libidinosos! Falta-vos a inocência do desejo, e eis por que vindes caluniar o desejo.

Na verdade, não é como criadores, como procriadores, como amigos do devir, que animais a terra.

Onde há a inocência? Lá onde há vontade de engendrar. E aquele que deseja criar o que ultrapassa é aos meus olhos aquele cujo querer é o mais puro.

Onde há beleza? Lá onde todo o meu querer *me obriga a querer*; onde quero amar e perecer para que uma certa imagem não permaneça unicamente imagem.

Amar e perecer; desde a eternidade as duas palavras seguem juntas. Querer amar é aceitar até a morte. Eis o que vos tenho a dizer, covardes!

E para cúmulo, eis que vossos ternos olhares de castrados pretendem ser a 'serenidade'!

E o que se entrega ao comovedor dos olhos tíbios, é o que deveria ser batizado de *belo*? Ó profanadores das palavras nobres!

Mas vosso castigo, espíritos imaculados, puros contempladores, é que nunca procriareis, por amplos e maduros que vos instaleis no horizonte.

Na verdade, tendes sempre grandes frases na boca; quereis fazer-nos crer que tendes o coração desbordante, ó mentirosos?

Eu me contento, quanto a mim, de palavras simples, desprezadas, tortuosas; apanho de boa vontade o que cai de vossa mesa durante o repasto.

Eu posso da mesma maneira vos dizer a verdade, hipócritas. Como minhas arestas, minha casca e minhas folhas agudas, eu posso, ó hipócritas, torcer-vos o nariz.

O ar está sempre empestado ao redor de vossos manjares, pois impuros são os vossos pensamentos, impuras as vossas mentiras, e as vossas dissimulações contaminam a atmosfera.

Ousai, pois, acreditar um pouco em vós mesmos e no que tendes no ventre! Quando não cremos em nós mesmos, mentimos.

Vós vos ocultais aos vossos olhos com a máscara de um deus, espíritos 'puros', e em vós, o mais terrível monstro se dissimula sob a máscara de um deus.

Na verdade, sois capazes de enganar, ó 'contemplativos'! Outrora até o próprio Zaratustra foi enganado pelas vossas carapaças divinas; ele nem presumia de que corrente de víboras elas eram habitadas.

Acreditei outrora ver uma alma divina brilhar em vossos brinquedos, adeptos do conhecimento 'puro'. Outrora eu não conhecia arte superior que os vossos artifícios.

A distância escondia-me o mau odor e podridão da serpente, e essa astúcia do lagarto que lá se espoja na busca do prazer.

Mas eu me aproximei de vós, e a luz foi feita, como ela se faz agora para vós; deu-lhe finalidade o amor lunar.

Vede esse ar pesado e pálido que tem a lua ante a aurora!

Pois eis que a aurora aparece abrasada; ela surge cheia de amor pela terra. O amor do sol é sempre inocência e desejo criador.

Olhai-a como acorre impaciente do além-mar. Não sentis a sede e o hálito tépido de seu amor?

Ele quer beber o mar e fazer subir até ele toda a profundidade, e o desejo do mar ergue até ele seus mil seios.

Ela *quer* ser beijada e aspirada pela sede do sol; ela *quer* tornar-se brisa, altura e sendeiro de luz, e a própria luz.

Na verdade, é com sol que eu amo a vida e todos os mares profundos.

E eis em que consiste para mim o Conhecimento: fazer subir toda a profundidade – até à minha própria altura."

Assim falava Zaratustra.

Dos sábios

"Enquanto eu dormia, uma ovelha veio pastar a coroa de hera sobre a minha cabeça; e, ao pastá-la, dizia: 'Zaratustra não é mais um sábio'.

E tendo falado assim, saiu com orgulho e orgulhosa. Uma criança foi quem me contou.

Gosto muito de vir estirar-me aqui, onde as crianças brincam ao longo do muro em ruínas, entre cardos e papoulas vermelhas.

Para as crianças, como também para os cardos e para as papoulas vermelhas, ainda sou um sábio. São todos eles inocentes até em suas maldades.

Mas para as ovelhas, não sou mais um sábio; assim o quer a minha sorte e eu as bendigo.

Pois, na verdade, afastei-me da moradia dos sábios, e batendo atrás de mim a porta. Minha alma jejuou bastante em suas mesas; não estou preparado como eles para o Conhecimento, como um quebra-nozes.

Amo a liberdade e o vento sobre a terra fresca; gosto ainda mais de dormir sobre peles de bois que sobre suas honrarias e dignidades.

Sou demasiadamente ardente, demasiado queimado pelos meus próprios pensamentos; muitas vezes perdi o alento. Necessito então o pleno ar, longe de todos os comportamentos poeirentos.

Mas eles estão sentados à fresca, sob a sombra fresca; eles não querem ser espectadores, e cuidam-se de sentar sobre os degraus queimados pelo sol.

Iguais aos que se detêm na rua, boca aberta, olhando os que passam, assim aguardam e olham, boca aberta, os pensamentos que os outros inventaram.

Quando tocados com a mão, deixam escapar, involuntariamente, nuvens de poeira, como o fazem os sacos de farinha; mas como reconhecer nessa poeira o grão e a glória dourada dos campos estivais?

Quando se julgam sábios, eu me arrepio de suas sentenças mesquinhas, de suas pequenas verdades, e sua sabedoria tem muitas vezes o odor do pântano; e, na verdade, nela discerni mais de uma vez o coaxar dos sapos.

Eles são hábeis, dedos destros; que pode a *minha* simplicidade contra a sua complexidade? Seus dedos entendem habilmente todas as maneiras de fiar, ajuntar e tecer os fios; assim eles fazem as meias do espírito.

São bons relógios: desde que se tenha o cuidado de lhes dar corda. Então indicam a hora, sem se enganar, fazendo ouvir um modesto ruído.

Trabalham à maneira dos moinhos e dos pilões; confiai-lhes o vosso grão, saberão muito bem moer miudinho e os reduzir à branca poeira.

Olham, com desconfiança, os dedos uns dos outros. Inventivos em pequenas astúcias, espreitam aqueles cuja ciência coxeia; são como aranhas à espreita.

Sempre os vi preparar com cuidado o veneno, e sempre cobrir os dedos com 'luvas de cristal'.

Sabem também jogar com dados falsos, e jogar com tal ardor que ficam cobertos de suor.

Somos estranhos uns aos outros, e suas virtudes me repugnam ainda mais que suas falsidades e seus dados falsos.

E quando eu convivia com eles, permanecia no andar superior; é por isso que eles me olham de soslaio.

Eles querem ignorar que há alguém que caminha acima de suas cabeças; por isso puseram entre mim e suas cabeças madeira, terra e imundícies.

Assim abafaram o ruído dos meus passos; e até agora ninguém tem menos ouvido que os sábios.

Colocaram entre mim e eles todas as faltas e todas as fraquezas humanas – é o que eles chamam, em suas casas, 'andar falsamente'.

Mas, apesar de tudo, meus pensamentos se movem *acima* de suas cabeças, e até se me faço levar por meus próprios defeitos, eu me encontraria ainda acima de suas cabeças.

Pois os homens *não* são iguais. E o que eu quero, eles não têm o direito de o querer!"

Assim falava Zaratustra.

Dos poetas

– Desde que conheço melhor o corpo – dizia Zaratustra a um dos seus discípulos – o espírito já não é totalmente para mim espírito senão até certo ponto; e todo o "eterno" não é também mais que símbolo.

– Já te ouvi falar assim – respondeu o discípulo – e então acrescentavas: "Mas os poetas mentem demais". Por que dizias que os poetas mentem demais?

– Por quê? – disse Zaratustra. – Perguntas por quê?

Eu não pertenço àqueles aos quais se pode interrogar qual o seu "porquê".

Será de ontem por acaso a minha experiência? Há muito tempo que experimento os fundamentos das minhas opiniões.

Precisaria ser um tonel de memória para poder guardar todas as minhas razões.

Bastante me custa guardar as minhas opiniões e mais de um pássaro me foge.

E às vezes me acontece encontrar em meu pombal um pássaro estranho para mim, que treme quando pousa na minha mão. Que então te dizia Zaratustra? Que os poetas mentem demais?

Contudo, Zaratustra, também é poeta.

Julgas então que ele falava verdade? Por que o julgas?

O discípulo respondeu:

– Eu creio em Zaratustra.

Zaratustra, porém, meneou a cabeça a sorrir.

– Não me salva a fé – respondeu – e sobretudo a fé em mim mesmo.

Mas supondo que alguém dissesse seriamente que os poetas mentem demais, ele teria razão: nós mentimos demasiadamente.

Sabemos muito pouco e somos incapazes de aprender; por isso somos forçados a mentir.

E quem dentre nós, poetas, não falsificou o seu vinho? Muitas misturas envenenadas se têm feito em nossas tabernas; tem-se realizado nelas o indescritível.

É por sabermos pouco, que nos tocam ao coração os pobres em espírito, especialmente quando são mulheres jovens.

E somos curiosos do que as velhas contam entre si à noite. É o que nós mesmos chamamos o eterno feminino.

E como se existisse um caminho secreto que conduzisse ao saber, um caminho que se *subtraísse* aos que aprendem alguma coisa, assim cremos no povo e na sua "sabedoria".

Ora, todos os poetas creem que basta deitar-se na erva ou numa encosta solitária, com o ouvido atento, para captar alguma coisa do que se passa entre o céu e a terra.

E quando lhes sobrevêm ternas emoções, os poetas supõem sempre que a própria natureza está apaixonada por eles; e que ela deles se aproxima para murmurar coisas secretas e palavras carinhosas. Disso se gabam e se gloriam, perante todos os mortais.

Ai! Há tantas coisas entre o céu e a terra, que só os poetas sonharam!

E ainda mais, acima do céu: porque os deuses são símbolos e artifícios do poeta.

A verdade é que sempre nos sentimos atraídos para o alto, para o reino das nuvens; e lá colocamos os nossos manequins de cores abigarradas, que chamamos de deuses e de super-homens.

Como são bastante leves todos esses deuses e super-homens para poderem ocupar esses lugares. Ah! Como estou cansado de toda essa deficiência, que se empenha em ser importante a qualquer preço! Ah! Como estou cansado dos poetas!

Quando Zaratustra falou assim, o discípulo indignou-se contra ele, e nada disse. Zaratustra permaneceu também calado, e seu olhar parecia volver-se para o íntimo, como se percebesse longínquas perspectivas. Afinal suspirou e tomou alento:

– Eu sou de hoje e de outrora – disse; – mas em mim há qualquer coisa que é de amanhã e de depois de amanhã, e de mais distante.

Estou cansado dos poetas, tanto antigos como modernos; para mim são todos superficiais, todos são mares sem profundidade.

Não pensaram profundamente; por isso também não sentiram até o fundo.

Um pouco de voluptuosidade e um pouco de tédio: eis ao que se reduziram as suas meditações.

Os seus arpejos não têm mais realidade que a passagem furtiva de fantasmas murmurantes. Que sabem eles da alacridade dos sons?

Também os acho pouco asseados; todos turvam suas águas para parecerem profundos.

Gostam de se fazer passar por conciliadores; mas, para mim, são sempre pessoas de meios-termos, de composições, e sórdidos realizadores de compromissos.

Ai! Lancei as minhas redes em seus mares para apanhar peixes, mas somente pesquei a cabeça de um deus antigo.

Assim o mar ofereceu-me uma pedra para a minha fome. E os próprios poetas talvez tenham surgido do mar. Certamente, neles, encontram-se pérolas: mas são eles mais semelhantes a duros cretáceos. E ao invés de alma, tenho visto, neles, frequentemente, espuma salgada.

Também do mar aprenderam a sua vaidade: não é o mar o mais vaidoso dos pavões?

Até diante do mais feio búfalo abre a sua cauda: nunca se há de cansar do seu leque de rendas, prata e seda.

O búfalo olha essas coisas com ar de enfado, pois sua alma se assemelha a areias, matas e pântanos.

Que lhe importam a beleza do mar e suas graças de pavão? Eis o símbolo que ofereço aos poetas.

Na verdade, o seu próprio espírito é pavão entre todos os pavões e um oceano de vaidade. O espírito do poeta quer espectadores: fossem até búfalos!

Eu, porém, enfastiei-me desse espírito, e prevejo um tempo em que eles se hão de enfastiar de si próprios.

Já vi poetas transformarem-se, e lançar contra si mesmos o próprio olhar.

Vi aproximarem-se os penitentes do espírito; saíram dos poetas.

Assim falava Zaratustra.

Dos grandes acontecimentos

Há uma ilha no mar – perto das Ilhas Bem-aventuradas de Zaratustra – onde fumega constantemente uma montanha incandescente. O povo, e sobretudo as velhas, entre o povo, dizem que essa ilha está colocada como rochedo diante da porta do inferno: mas o estreito caminho que leva a essa porta atravessa a montanha de fogo.

Ora, na época em que Zaratustra vivia nas Ilhas Bem-Aventuradas, um navio lançou sua âncora na ilha, onde se acha a montanha incandescente, e a tripulação saltou em terra para caçar coelhos. Ao meio-dia, porém, quando novamente estavam reunidos o capitão e a sua gente, viram de súbito um homem atravessar o ar perto deles, e uma voz pronunciou nitidamente estas palavras: "Já é tempo! Eis o grande tempo".

Quando a visão se aproximou mais – passou mais depressa, como uma sombra, em direção da montanha de fogo – reconheceram sobressaltados que era Zaratustra: porque já todos o conheciam, exceto o capitão, e lhe queriam como quer o povo, num misto de partes iguais de amor e de receio.

– Olhem! – disse o piloto – é Zaratustra que vai para o inferno!

Na mesma época em que estes marinheiros desembarcaram na ilha do fogo correu o rumor de que desaparecera Zaratustra, e, interrogados, os amigos responderam que embarcara à noite sem dizer para onde se dirigia.

Houve, por conseguinte, certa inquietação; mas, ao fim de três dias, agravou-se essa inquietação com a narrativa dos marinheiros, e todos julgaram que o demônio levara Zaratustra. A verdade é que os discípulos dele riam-se desses rumores, e até um deles chegou a dizer: "Prefiro acreditar que foi Zaratustra quem levou o demônio". No íntimo, porém, todos estavam inquietos e sobressaltados. Por isso, grande foi a alegria quando, ao fim de cinco dias, Zaratustra reapareceu entre eles.

Eis o que foi a conversa que Zaratustra teve com o "cão de fogo:"

– A terra – disse – tem uma pele, e essa pele sofre enfermidades: uma dessas enfermidades, por exemplo, chama-se "homem."

E outra chama-se o "cão de fogo." Sobre ele, os homens disseram e deixam dizer muitas mentiras.

Para perscrutar esse mistério, atravessei o mar e vi a verdade nua, palavra, nua dos pés à cabeça.

No que se refere ao "cão de fogo", estou agora meridianamente informado, e da mesma forma sobre todos esses outros demônios da revolta e da destruição, dos quais não são apenas as velhas e boas mulheres que lhes têm medo.

Sai da tua profundidade, "cão de fogo" – exclamei –, e confessa qual é a profundidade de teu abismo! Donde tiras o que vomitas?

Bebes copiosamente água do mar: é o que explica o sal da tua eloquência. Verdadeiramente, para um cão das profundidades, tu te alimentas de uma água bem superficial.

Olho-te, em suma, como o ventríloquo da terra, e sempre que ouvi falar demônios da revolta e da destruição, sempre me pareceram semelhantes a ti, salgados, mentirosos e triviais.

Vós sabeis mugir e atirar cinzas nos olhos. Sois os maiores fanfarrões que existem, e conheceis a fundo a arte de fazer ferver depressa.

Onde estiverdes, há sempre lodo, e coisas esponjosas, cavernosas e comprimidas: tudo isso quer liberdade.

"Liberdade!" É o vosso grito predileto, mas eu perdi a fé nos "grandes acontecimentos", desde que em torno deles há uivos e muita fumarada.

Crede-me a mim, ruído do inferno! Os maiores acontecimentos nos surpreenderam, não nas horas mais ruidosas, mas nas horas de maior silêncio.

O mundo gira, não à volta dos inventores de estrondos novos, mas à roda dos inventores de novos valores que gravita o mundo, e gravita *em silêncio*.

E bem podes confessar:

Quando o teu ruído e o teu fumo se dissiparem, perceberás sempre que não sucederam grandes coisas. Que importa que uma cidade se mumifique e que no lodo caia uma estátua?

E acrescentarei mais estas palavras aos destruidores de estátuas: é rematada loucura deitar sal no mar e estátuas no lodo.

A estátua jaz no lodo do vosso desprezo; mas a sua lei quer que ela renasça do vosso desprezo com mais vida e mais beleza.

Erguer-se-á mais divina, mais sedutora por ter sofrido; e na verdade, vos dará graças, destruidores de estátuas, por a terdes derribado.

Mas, eis o conselho que dou aos reis e às igrejas, e a tudo quanto fraqueja pela idade e pela pobreza de virtude: deixai-vos derribar para volverdes à vida e, com ela, à virtude!

Assim falei diante do "cão de fogo": mas ele interrompeu-me rosnando e perguntou:

– Igreja? Que é isso?

– Igreja? – respondi. – É uma espécie de Estado, e a espécie mais mentirosa de todas. Cala-te, porém, cão hipócrita: tu conheces a tua espécie melhor que ninguém!

O Estado é, como tu, um cão hipócrita; como tu é pródigo em rosnar e fumegar, para fazer crer, como tu, que sua voz sai das entranhas das coisas.

Ele quer ser o animal mais importante sobre a terra, o Estado, e consegue convencer.

Quando disse estas palavras, o "cão de fogo" pareceu louco de inveja.

– Que! – exclamou. – O animal mais importante da terra!?

E conseguiu fazer que o acreditassem? – E do seu gasnete saíram vozes tão terríveis e fumos, que eu supus o asfixiaria a cólera e o despeito.

Por fim, acalmou-se e cessou de ladrar, mas quando diminuíram seus uivos, disse-lhe eu rindo:

– Encolerizas-te "cão de fogo"! Eis por que tenho razão contra ti.

E para conservar a razão, deixa-me falar-te doutro "cão de fogo": este fala realmente do coração da terra.

O seu hálito é de ouro, e uma chuva de ouro: assim o quer o seu coração. As cinzas, o fumo e a espuma quente, para ele que são?

Do seu seio voeja um riso como uma nuvem colorida: desdenha os teus ladridos, as tuas erupções, e a raiva das tuas entranhas.

O seu ouro e o seu riso, porém, vêm do coração da terra, porque, não sei se sabes, *o coração da terra é de ouro!*

Ao ouvir estas palavras, o "cão de fogo" não pode escutar-me mais. Envergonhado, meteu o rabo entre as pernas, e arrastando-se para o seu antro dizia confuso: – Mau! Mau!

Assim contava Zaratustra; mas os discípulos quase o não ouviam, tanta era a sua impaciência de falar sobre os marinheiros, os coelhos, e o homem voador.

– Que hei de eu pensar desta história? – perguntou Zaratustra. – Acaso serei um fantasma?

Sem dúvida era a minha sombra. Já ouviste falar do viandante e da sua sombra?

O certo é que devo prendê-la mais, ou acabará por prejudicar-me a reputação.

E Zaratustra tornou a menear a cabeça com espanto. – Que devo pensar disso? – repetiu. – Por que gritaria o fantasma? É tempo! É chegado o grande tempo?

Mas, para que é "o grande tempo?"

Assim falava Zaratustra.

O profeta

"...e vi uma grande tristeza invadir os homens. Os melhores cansaram-se das suas obras.

Expandiu-se uma doutrina, que trazia consigo uma crença: 'Tudo é vão, tudo é igual, tudo passou!'

E os montes respondiam: 'Tudo é vão, tudo é igual, tudo passou!'

É verdade que temos colhido; mas por que apodreceram e minguaram os nossos frutos? Que caiu da má lua na última noite.

O nosso trabalho foi inútil: o nosso vinho tornou-se veneno: o mau-olhado queimou e amarelou nossos campos e nossos corações.

Todos secamos; e se caísse fogo em cima de nós, as nossas cinzas voariam em pó. Sim, cansamos o próprio fogo.

Todas as fontes secaram para nós, e o mar recuou. Todos os solos se querem abrir, mas os abismos não nos querem tragar!

'Oh! Onde haverá ainda um mar onde possamos nos afogar? Assim ressoa a nossa lamentação através dos pântanos.

Na verdade, estamos demasiado fatigados para morrer: despertos, continuamos a viver, em abóbadas sepulcrais."

Assim ouviu Zaratustra falar um profeta; e a sua lamentação tocou-lhe o coração diretamente e transformou-o. Vagueou triste e fatigado, e tornou-se semelhante àqueles de que falara o profeta.

– Na verdade – disse aos discípulos – pouco falta para chegarmos a esse grande crepúsculo. Como poderei salvar até ao amanhecer a minha luz?

Como farei para não se afogar a minha luz nessa tristeza? Ela se destina a iluminar mundos longínquos e noites mais longínquas ainda!

Profundamente preocupado, Zaratustra começou a vaguear de uma para outra parte, e durante três dias não comeu nem bebeu, nem descansou, e perdeu a palavra. Por fim, caiu num profundo sono.

Mas os discípulos velaram-no durante as longas noites e aguardaram, inquietos, que ele despertasse e se curasse da tristeza.

Eis, porém, o discurso que lhes dirigiu Zaratustra ao despertar, embora sua voz parecesse vir de muito longe:

– Ouvi o sonho que tive, amigos, e ajudai-me a descobrir a sua significação!

Para mim este sonho é ainda um enigma; o seu sentido permanece ainda oculto em vez de pairar sobre ele com asas livres.

Sonhei que renunciara à vida. Convertera-me em vigilante noturno, e vigilante de túmulos, na montanha solitária do Burgo da Morte.

Lá guardava eu os ataúdes: as abóbadas sombrias estavam cheias desses troféus, dessas vitórias. A vida vencida olhava-me através dos esquifes de cristal.

Eu respirava a atmosfera de eternidades reduzidas a pó: a minha alma jazia sufocada e em pó. E quem poderia num tal lugar arejar sua alma? Rodeava-me sempre a claridade da meia-noite, e a meu lado acocorava-se a solidão, e, terceiro companheiro, o agônico silêncio da morte, o pior dos meus amigos.

Eu levava chaves, as mais ferrugentas chaves, e com elas sabia abrir as portas mais rijantes. Quando se abriam os batentes da porta, guinchos roucos de cólera em lúgubres sons repercutiam nas longas galerias, e uma ave soltava gritos repugnantes, porque ela não gostava que a despertassem.

O mais espantoso, porém, e que mais me oprimia o coração, era o silêncio que se formava logo que esse grito calava, e eu tornava a ver-me só, no meio daquele silêncio tenebroso.

Assim, por mim passou o tempo, lentamente, se é que ainda existia o tempo; que poderia saber? Mas, eis que sucedeu o que me despertou: três vezes soaram pancadas à porta como trovões, e as abóbadas tremeram e ressoaram três vezes seguidas: aproximei-me da porta.

– Alpa – exclamei. – Quem leva a sua cinza para a montanha? Alpa! Alpa! Quem leva a sua cinza para a montanha?

E volvendo a chave, empurrei a porta, com grande esforço. Mas a porta não cedia um dedo sequer.

Então um vento uivante, sibilante, estridente, cortante, abriu subitamente os batentes e lançou sobre mim um negro ataúde.

E silvando e rugindo, em gritos agudos, o ataúde despedaçou-se a vomitar mil gargalhadas sinistras.

E vi mil rostos de crianças, de anjos, de corujas, de loucos e de borboletas do tamanho de crianças, que riam, zombavam e me injuriavam.

Apavorado, tombei sobre a terra, e lancei um grito de terror como jamais havia lançado. O meu próprio grito despertou-me, e tornei a mim.

Assim contou Zaratustra o seu sonho, depois calou-se, porque ainda não sabia como interpretá-lo; mas o seu discípulo mais dileto levantou-se imediatamente, pegou-lhe na mão, e disse:

– A tua própria vida nos explica esse sonho, Zaratustra!

Não és tu o vento áspero de silvos agudos, que arranca as portas do Burgo da Morte?

Não és tu o ataúde cheio de malignidades coloridas e de angélicas visagens da vida?

Na verdade, como mil gargalhadas infantis chega Zaratustra a todas as câmaras mortuárias, rindo-se de todos os vigias noturnos e de todos os guardiões de sepulcros que agitam as suas chaves com sinistro ranger.

Tu os espantarás e derribarás com o teu riso; o desmaio e o despertar provaram o teu poder sobre eles.

E mesmo quando cheguem o longo crepúsculo e a mortal lassidão, tu não desaparecerás do nosso céu, intercessor da vida!

Mostraste-nos novas estrelas e novos esplendores noturnos. Na verdade, estendeste sobre nós o próprio riso como um toldo ricamente matizado.

Agora brotarão sempre risos infantis dos túmulos; agora um vento enérgico virá, sempre vitorioso, de todos os desfalecimentos mortais, do qual és tu o fiador e o profeta.

Em verdade *sonhaste com eles, os teus inimigos;* – foi esse o teu pior sonho.

Mas assim como tu te despertaste, e voltaste para ti, assim eles devem despertar a si próprios... e voltar para ti.

Assim falou o discípulo, e todos os outros se reuniram à volta de Zaratustra, tomaram-lhe as mãos, e queriam persuadi-lo a deixar o leito e a tristeza, para tornar junto a eles. Zaratustra, porém, continuava no leito, com um olhar estranho. Como se regressasse de longa ausência, contemplou os discípulos e observou-lhes os semblantes; e ainda assim não os reconheceu; mas quando o ergueram e o puseram de pé, o olhar transformou-se-lhe de repente; compreendeu tudo quanto sucedera, e, alisando a barba, disse com voz firme:

– Ora, tudo isso virá a seu tempo; mas agora, discípulos meus, ide preparar bom alimento, e já! Quero penitenciar-me assim dos meus maus sonhos.

O profeta virá comer e beber a meu lado; e eu lhe indicarei um mar onde se possa afogar.

Assim falou Zaratustra. Olhou depois por longo tempo o discípulo que lhe explicara o sonho, e sacudiu a cabeça.

Da redenção

Um dia, passando Zaratustra pela Grande Ponte, viu-se rodeado de aleijados e de mendigos, e um corcunda disse-lhe assim:

– Olha, Zaratustra! Até o povo aprende de ti, e começa a crer na tua doutrina; mas, para te acreditarem totalmente, ainda falta *uma coisa*: tens que nos convencer também a nós, os aleijados. E eis uma boa seleção aos teus olhos e é uma oportunidade que se pode tomar por vários lados. Podes curar cegos, fazer andar paralíticos e aliviar um pouco o que leva às costas uma carga pesada. Será este, a meu ver, o melhor modo de fazer que os aleijados creiam em Zaratustra.

Zaratustra assim respondeu ao que falara: – Se ao corcunda se lhe tira a corcova, tira-se-lhe ao mesmo tempo o espírito – assim diz o povo. Se ao cego se restitui a vista, vê na terra demasiadas coisas más, e amaldiçoará aquele que o curou. Mas aquele que faz andar o paralítico, faz-lhe o maior dos males; porque mal começa a andar, nele se desenvolvem os vícios. Eis o que diz o povo quanto aos aleijados. E por que razão não aprenderia Zaratustra do povo o que o povo aprendeu de Zaratustra?

Desde que vivo entre os homens, porém, o que menos me importa é ver que a este falta um olho, àquele um ouvido, a um terceiro a perna, ou outros que perderam a língua, o nariz ou a cabeça.

Vejo, e já vi coisas piores: e tão espantosas, que delas preferiria não falar, e outras não posso guardá-las em silêncio: vi homens que carecem de tudo, conquanto tenham qualquer coisa em excesso; homens que são unicamente um grande olho, ou uma grande boca, ou um grande ventre ou qualquer outra coisa grande. – A esses chamo eu aleijados às avessas.

Quando, ao sair da minha solidão, atravessava pela primeira vez esta ponte, não acreditei nos meus olhos, olhei para todos os lados e acabei por dizer:

– Mas é uma orelha! Uma orelha do tamanho de um homem! – E ao olhar de mais perto, vi que por trás da orelha movia-se o que quer que fosse tão pequeno, mesquinho e débil que causava dó. E efetivamente: a monstruosa orelha estava pousada num tênue e curto caniço e esse caniço era um homem! – Com o auxílio de uma lente ainda se podia reconhecer um rostinho invejoso, e também uma alma vã que se agitava no remate do caniço. O povo, contudo, dizia-me que a orelha – grande era, não só um homem, mas um grande homem, um gênio. Eu, porém, nunca acreditei no que o povo diz quando fala de grandes homens, e persisti em acreditar que era um aleijado às avessas, com pouquíssimo de tudo e uma só coisa em demasia.

Assim que Zaratustra falou desse modo ao corcunda e àqueles dos quais era ele intérprete e representante, voltou-se para os discípulos com profundo descontentamento, e disse:

– Meus amigos, ando entre os homens como entre fragmentos e membros de homens.

O mais horrível para os meus olhos é vê-los destroçados e divididos como em campo de batalha e de morticínio.

E se os meus olhos fogem do presente para o passado, em toda a parte encontram sempre o mesmo: fragmentos, membros e casos espantosos... mas homens, não! O presente e o passado desta terra... ah, meus amigos! Eis, nada conheço demais insuportável: e eu não poderia viver, se não fosse um visionário do que deve vir.

Um vidente, um voluntário, um criador, um futuro e uma ponte para o futuro – e também, até certo ponto, um aleijado no meio dessa ponte: – tudo isto é Zaratustra.

E vós também vos interrogastes muitas vezes: "Para nós, quem é Zaratustra? Como o poderemos chamar?" E à minha semelhança, destes as vossas perguntas como respostas.

E o que promete ou o que cumpre? Um conquistador ou um herdeiro? O outono ou a orelha do arado? Um médico ou um convalescente?

É poeta ou diz a verdade? É libertador ou dominador? Bom ou mau?

Eu ando entre os homens como entre fragmentos do futuro; desse futuro que os meus olhares aprofundam.

E todos os meus pensamentos e esforços tendem a condenar e a unir, numa só coisa, o que é fragmento e enigma, e espantoso acaso.

E como havia eu de suportar ser homem, se o homem não fosse também poeta e decifrador de enigmas e redentor do acaso?

Redimir os homens passados e em vez de dizer "é o passado", dizer-se então "é o que eu quis" – só isto é redenção para mim.

Vontade! – assim se chama o libertador e o mensageiro da alegria: – eis o que vos ensino, meus amigos; mas aprendei também isto: a própria vontade é ainda uma escrava.

O querer liberta: mas, como se chama o que aprisiona o libertador?

"Assim foi": eis como se chama o ranger de dentes e a mais solitária aflição da vontade. Impotente contra o fato, a vontade é para todo o passado um malévolo espectador.

A vontade não pode querer para trás: não pode aniquilar o tempo e o desejo do tempo – esta é a sua mais solitária aflição.

O querer liberta: que há de imaginar o próprio querer para libertar-se da sua aflição e zombar do seu cárcere?

Ah! Todo o preso enlouquece. Também loucamente se liberta a vontade cativa.

Em não poder o tempo retroceder é que se concentra a sua raiva. "O que foi": assim se chama a pedra que a vontade não pode remover.

E por isso, por despeito e raiva, remove pedras e vinga-se do que não sente, como ela, raiva e despeito.

Assim a vontade, a libertadora, tornou-se maléfica; e vinga-se em tudo que é capaz de sofrer, de não poder voltar para trás.

Isto, e só isto é a *vingança* em si mesmo, a repulsão da vontade contra o tempo e o seu "foi".

Realmente vive uma grande loucura a vossa vontade: e a maldição de todo o humano é essa loucura haver aprendido a ter espírito.

O *espírito de vingança* – meus amigos, tal foi até hoje a melhor reflexão dos homens: e onde houver dor, deve sempre ter havido castigo.

"Castigo", assim se chama a si mesma a vingança: com uma palavra enganadora finge uma boa consciência.

E como naquele que quer, há sofrimento, posto que não é permitido reverter o querer, a própria vontade e toda a vida deviam ser castigo.

E assim se acumulou no espírito uma nuvem após outra, até que a loucura proclamou: "Tudo passa; por conseguinte, tudo merece passar!"

"E é a própria justiça, essa lei do tempo, que obriga devorar os próprios filhos." Assim pregou a loucura.

"A ordem moral das coisas repousa no direito e no castigo. Como livramo-nos da corrente das coisas e dos castigos da 'existência?'" Assim se pregou a loucura.

"Como pode haver redenção, se há um direito eterno? Não se pode remover a pedra do passado: é mister que todos os castigos sejam também eternos!" Assim pregou a loucura.

Nenhum fato pode ser destruído: como poderia ser desfeito pelo castigo? Eis o que há de eterno no castigo da "existência": a existência deve ser uma vez e outra, eternamente ação e dívida.

"A não ser que a vontade acabe por se libertar a si mesma, e que o querer se mude em não querer." Mas, irmãos, vós conheceis estas canções da loucura! Eu vos afastei delas quando vos disse: "o querer é criador".

Tudo o que "foi" é fragmento e enigma e espantoso acaso, até que o querer criador declare: "Mas eu o quis assim". Até que o querer criador declare: "Mas é assim que eu quero, e hei de querer assim".

Acaso, já falou deste modo o querer? E quando sucederá isso? Acaso a vontade já se livrou da sua própria loucura?

Porventura se tornou o querer redentor de si mesmo e mensageiro de sua alegria? Acaso esqueceu o espírito de vingança e todo o ranger de dentes?

Então quem lhe ensinou a reconciliação com o tempo e a fazer o que é mais alto que qualquer reconciliação?

O que deve querer o querer, que é querer de potência, é que ultrapasse qualquer reconciliação; mas, como chegará até lá.

Quem o ensinará a querer até o retorno de tudo quanto já foi?

Neste ponto do seu discurso, Zaratustra calou-se bruscamente como se fosse assaltado pelo terror.

Olhou os discípulos com os olhos espantados: o seu olhar penetrou como setas nos seus pensamentos, e em seus segundos pensamentos.

Passado um momento, porém, tornou a rir, e disse com serenidade:

– É difícil viver entre os homens porque é difícil calar! Sobretudo quando se é falador.

Assim falava Zaratustra. Mas o corcunda, entretanto, escutara a conversa, ocultando o rosto: quando ouviu rir Zaratustra, ergueu os olhos com curiosidade, e disse lentamente:

– Por que é que Zaratustra fala a nós de um modo, e aos discípulos de outro?

Zaratustra respondeu:

– Que há de estranho? Com os corcundas pode-se muito bem falar de modo corcunda!

– Sim – disse o corcunda. – E com discípulos é permitido revelar os segredos da escola.

Mas, por que é que Zaratustra fala de um modo aos discípulos e de outro a si próprio?

Da prudência humana

"Não é a altura: é o declive que aterroriza!

O declive, de onde o olhar se precipita para o *fundo*, enquanto a mão busca estender-se para *cima*. É aqui que se apodera do coração a vertigem de sua dupla vontade.

Aí, amigos, adivinhais a dupla vontade do meu coração?

Pois, o meu declive e o meu perigo está em precipitar-se o olhar para o cume, enquanto a minha mão quereria fincar-se e amparar-se... na profundidade!

Ao homem se me aferra a vontade, ao homem me prendo com cadeias, enquanto do alto me atrai o Além-Homem: porque para lá quer ir a minha outra vontade.

E, *por isso*, vivo cego entre os homens, como se não os conhecesse: para que a minha mão não perca inteiramente a fé nas coisas sólidas.

Não vos conheço, homens; é essa a obscuridade e esse consolo que tantas vezes me envolve.

Sinto-me perto de todos os pérfidos, e pergunto: 'Quem me quer enganar?'

A minha primeira prudência humana é deixar-me enganar para não desconfiar dos enganadores.

Se eu me pusesse em guarda contra o homem, como poderia ser o homem uma âncora para o meu barco? De boa vontade me veria arrastado para o alto, para bem longe.

Não me precaver: tal é a providência que preside ao meu destino.

E aquele que não quiser morrer de sede entre os homens deve aprender a beber em todas as taças, e quem quiser permanecer puro entre os homens deve aprender a lavar-se em água suja.

E eis a exortação que a mim mesmo dirigi: 'Vamos! Coragem, velho coração! Feriu-te um infortúnio: gloria-te disso como tua ventura!'

Eis aqui, porém, a minha outra prudência humana: trato com mais considerações os *vaidosos* que os orgulhosos.

Não é a vaidade ferida, mãe de todas as tragédias? Mas onde o orgulho é ferido, cresce qualquer coisa melhor do que ele.

Para que o espetáculo da vida seja melhor, é mister que representem bem o seu papel; mas para isso são necessários bons atores.

Encontrei bons atores entre todos os vaidosos; representam o seu papel e querem que gostemos de seu desempenho; todo o seu espírito está nesse desejo.

Põem-se em cena, e fingem-se de si mesmos; e, ante eles, gosto de assistir ao espetáculo da vida; é uma cura de melancolia.

Por isso sou diferente para os vaidosos; porque são os médicos da minha melancolia, e me prendem ao homem como a um espetáculo.

Ademais: quem medirá em toda a sua profundidade a modéstia do vaidoso? Eu gosto dele e lastimo-o pela sua modéstia.

De vós quer aprender a fé em si mesmo! De vossos olhares se alimenta, de vossas mãos come o elogio. Até acredita nas vossas mentiras, quando mentis com habilidade; porque, no fundo do coração, suspira: 'Quem sou eu?'

E se a verdadeira virtude é a que nada sabe de si mesma, o vaidoso nada sabe da sua modéstia.

Eis aqui, porém, a minha terceira prudência humana; não quero privar-me da vista dos *maus* por uma timidez igual à vossa.

Contemplo com avidez as maravilhas que faz brotar o sol ardente: e tigres e palmeiras e cascavéis.

Também entre os homens se veem belos produtos do ardente sol, e muitas coisas maravilhosas entre os maus.

Na verdade, assim como vossos sábios insignes não me parecem tão sábios, assim também a maldade dos homens me pareceu inferior à sua reputação.

E muitas vezes perguntei a mim mesmo, meneando a cabeça: Por que fazeis tilintar campainhas, ó cascavéis?

Até para o mal há perspectivas de um futuro. E, ainda para o homem se não descobriu a zona mais tórrida.

Quantas coisas se chamam hoje as piores das maldades, e que, não têm sequer doze pés de largura e três meses de duração! Mas, um dia surgirão no mundo dragões maiores.

Para que o Além-Homem tenha também o seu dragão, seu super-dragão digno dele, são necessários muitos sóis ardentes que queimem as úmidas selvas virgens!

Será mister que os vossos gatos selvagens se transformem em tigres, e os vossos sapos venenosos em crocodilos: porque ao bom caçador convém boa caça!

E na verdade, justos e bons, há em vós outras muitas coisas que se prestam ao riso, especialmente o vosso temor pelo que hoje se chama 'demônio!'

E a vossa alma é tão estranha a toda grandeza, que o Além-Homem vos espantaria com a sua bondade!

E vós, sábios e ilustrados, fugiríeis ante a ardência solar da sabedoria em que, voluptuosamente, banha o Além-Homem a nudez!

Vós, homens mais elevados, nos quais têm tropeçado o meu olhar, a minha dúvida sobre vós, e o meu secreto riso, eu bem já o adivinho, chamaríeis o meu Além-Homem um demônio!

Arre! Enfastiei-me desses homens superiores, desses melhores. Desejo subir e afastar-me cada vez mais da sua altura, para ir reunir-me com o Além-Homem.

Um calafrio estremeceu-me quando vi nus os melhores e então me nasceram asas para me transportarem a longínquos futuros.

A futuros mais longínquos, a meios-dias mais meridionais que os que jamais pôde sonhar a fantasia; além, onde os deuses se envergonham de todo o vestuário.

Mas a vós, irmãos e próximos meus, e meus congêneres, quero-vos ver disfarçados, e bem adornados, e vaidosos, e dignos, com os 'bons e os justos'.

E disfarçado, quero sentar-me entre vós, para que estejamos certos de nos desconhecermos, a vós e a mim; eis a minha última prudência humana."

Assim falava Zaratustra.

A hora mais silenciosa

"Que me sucedeu, amigos? Vedes-me, confuso, fustigado, obedecendo contrafeito, disposto a retirar-me... a retirar-me para longe *de vós!*

Sim; mais uma vez é preciso que Zaratustra volte para a sua solidão: mas é a contragosto que regressa agora o urso ao seu antro.

Que me sucedeu? Quem me dá esta ordem? A minha dama irritada assim o quer: ela falou-me. Já vos disse alguma vez o seu nome: ontem, perto da noite, falou-me a *Minha Hora mais Silenciosa*: eis o nome da minha temível dama.

E vede o que se passou, pois tenho que vos dizer tudo, para que o vosso coração se não endureça contra quem se ausenta precipitadamente.

Conheceis o temor daquele que adormece?

Treme dos pés à cabeça, porque sente faltar-lhe o solo, e principia a sonhar.

Digo-vos em parábola. Ontem, à hora mais silenciosa, faltou-me o solo aos pés e principiou o meu sonho.

Avançaram os ponteiros: o relógio da minha vida parecia respirar... Nunca ouvi tal silêncio à minha volta: o meu coração estremeceu assombrado.

Nisto disseram-me sem voz: *'Tu o sabes, Zaratustra!'*

E eu gritava de terror ao ouvir aqueles murmúrios, e o sangue fugiu-me da face: mas calei-me.

Então, tornaram a dizer-me sem voz:

'Tu o sabes, Zaratustra, mas tu não o dizes!'

E eu respondi afinal: 'Sei-o, sim, mas não o quero dizer!'

Então tornaram a dizer-me, sem voz: '*não queres,* Zaratustra'. 'Deveras? Não te entrincheireis por detrás da tua teimosia!' E eu chorei, tremi como uma criança, e disse: 'Ai! Bem quisera, mas isso é superior às minhas forças!'

E tornaram a dizer-me em segredo: 'Que importa a tua pessoa, Zaratustra? Dize a tua palavra, e morre!'

Eu respondi: 'Ah! A minha palavra! Quem sou *eu*? Espero um mais digno; eu nem sequer sou digno de sucumbir'.

Tornaram então a dizer-me sem voz: 'Que te importa? Ainda não és bastante humilde: a humildade tem a pele mais rija'.

E eu respondi: 'Que é que não endureceu já a pele da minha humildade? Habito aos pés da minha altura: até aonde se elevam os meus pincaros? Ainda não o disse ninguém. Eu, porém, conheço bem os meus vales'.

Tornaram, então, a dizer-me sem voz: 'Oh! Zaratustra! Quem tem que transportar montanhas, transporta também vales e profundidades'.

E eu respondi: 'A minha palavra ainda não transportou montanhas, e o que eu tenho dito não chegou até aos homens. É verdade que tenho andado por entre os homens, mas ainda os não alcancei'.

E tornaram a dizer-me sem voz: 'Que é que sabes *sobre isto?* O rocio cai sobre a erva no momento mais silencioso da noite'.

E eu retorqui: 'Zombaram de mim quando descobri e segui o meu próprio caminho, e, na verdade, tremeram-me então os pés'.

E assim me disseram: 'Esqueceste o caminho, é que te esqueceste agora de caminhar'.

E de novo falaram-me assim: 'Que te importam suas zombarias. Tu és aquele que se esqueceu de obedecer; agora é preciso que mandes.

Não sabes do que todos necessitam? Do que ordena as grandes coisas. Realizar grandes coisas é difícil, mas, o mais difícil ainda é comandar grandes coisas.

O mais indesculpável em ti é teres o poder e não quereres reinar'.

E eu respondi: 'Falta-me a voz do leão para mandar'.

Então me responderam como num murmúrio: 'São as palavras mais silenciosas que trazem a tempestade. Os pensamentos que vêm com pés de pombas são os que dirigem o mundo.

Zaratustra, precisas caminhar com a sombra do que há de vir: assim mandarás, e, mandando, irás para a frente'.

E eu respondi: 'Envergonho-me'.

E tornaram a dizer-me sem voz: 'É preciso tornares-te criança e desprezares a vergonha.

Ainda tens o orgulho da mocidade: fizeste-te moço muito tarde; mas o que se quer tornar criança, deve também vencer a sua mocidade'.

E eu refleti muito, tremendo. Por fim, repeti o que dissera primeiro: 'Não quero!'

Ouviu-se então uma gargalhada em torno de mim. Desgraçado! Com aquele riso me cortava o coração!

E pela última vez me disseram: 'Zaratustra, os teus frutos estão maduros, mas tu não estás maduro para os teus frutos!

Precisas voltar para a solidão'.

E ouviu-se outra risada que se afastava; depois tudo ficou em quietude, como um duplo silêncio. Eu, porém, estava caído no solo, banhado em suor.

Já ouvistes tudo, e sabeis por que devo tornar para a minha solidão. Nada vos ocultei, amigos.

Mas também aprendestes de mim quem é talvez o mais discreto dos homens, e o quer ser.

Ah! Meus amigos! Mais teria que vos dizer, mais teria que vos dar! Por que não vo-lo dou? Será por ser avarento?"

Ditas estas palavras, a Zaratustra embargou-se-lhe a voz pela força da dor e do pensamento de que ia deixar imediatamente seus amigos, e pôs-se a chorar, e ninguém pôde consolá-lo.

Entretanto, à noite, afastou-se sozinho, e deixou os amigos.

Terceira parte

Vós olhais para cima quando aspirais a elevar-vos. Eu, como estou no alto, olho para baixo.

Qual de vós seria capaz de rir quando está no alto?

O que escala elevados montes ri-se de todas as tragédias da cena e da vida.

Ler e escrever

O viandante

Era aproximadamente meia-noite quando Zaratustra tomou o caminho pelo cume da ilha para chegar de madrugada ao outro lado, onde queria embarcar. Nesse lugar, havia uma boa enseada, onde costumavam ancorar também barcos estrangeiros, os quais recebiam a bordo alguns que desejavam deixar as Ilhas Bem-Aventuradas e atravessar o mar.

Enquanto subia a montanha, pensava Zaratustra nas muitas viagens solitárias que fizera desde a sua mocidade, e nas muitas montanhas, cristas e cimos, que escalara.

– Eu sou um viajante e um escalador de montanhas – disse de si para si –, não me agradam as planícies, e parece que não posso estar muito tempo sossegado.

Ou seja porque o queira o meu destino ou a eventualidade que me espera, sempre uma viagem há de ser para mim uma ascensão às montanhas; em suma, cada qual repete apenas a sua própria experiência.

Passou o tempo em que me poderiam sobrevir acasos; e que me *poderia* suceder que já me não pertença?

O que está enfim em mim de regresso, o que busca em mim sua pátria, é o meu próprio Eu, e a parte desse Eu que andou durante muito tempo por estranhas terras, e disperso entre todas as coisas e todas as contingências! E sei mais alguma coisa: estou agora diante do meu último pínacro e do que foi evitado durante mau tempo. Ah. Tenho que seguir o meu mais duro caminho. Começou a minha viagem mais solitária.

Quem é, porém, da minha espécie, não se livra de semelhante hora, aquela que nos diz: "Só agora segues o caminho para a grandeza. Cume e abismo confundem-se hoje *num* só!

Estás em marcha para o caminho de tua grandeza: veio agora a ser o teu supremo refúgio e foi até aqui o teu supremo perigo.

Segues o caminho de tua grandeza: a tua melhor coragem será que não existem mais caminhos atrás de ti.

Segues o caminho de tua grandeza: aqui ninguém seguirá teus passos. Os teus próprios pés apagaram o caminho que deixas atrás de ti, e nele está escrito: 'Impossibilidade'.

E se, mais adiante, te faltarem todas as escadas, será preciso saberes trepar sobre a tua própria cabeça; senão, como quererias subir mais alto?

Sobre a tua própria cabeça e por cima do teu próprio coração. É preciso agora que tudo o que há de ternura em ti torne-se cada vez mais duro.

Aquele que sempre cuidou de si, acaba por tornar-se enfermo por excesso de cuidados. Bendito seja o que endurece! Não gabo o país onde fluem manteiga e mel!

Para ver *muitas* coisas é necessário aprender a olhar para longe de nós: esta dureza é necessária para todos os que escalam os montes.

Quem busca o conhecimento com olhos demasiadamente ávidos, como poderia ver as coisas além dos primeiros planos?

Mas tu, Zaratustra, que querias ver todas as razões e o fundo das coisas, precisas elevar-te acima de ti mesmo, e ascender, mais alto, até ver tuas próprias estrelas *abaixo de ti!*

Sim! Ver-me a mim próprio, e até as minhas estrelas, olhando para baixo! Só a isso chamo o meu cume: é esse o último cume que me falta escalar!"

Assim falava consigo Zaratustra enquanto subia, consolando o coração com duras máximas: porque, como nunca, doera-lhe tanto o coração.

E quando chegou ao alto da crista, viu estender-se aos seus olhos o outro mar: permaneceu imóvel e calado por muito tempo. Naquela altura, estava a noite fria, clara e estrelada.

"Reconheço a minha sorte" – disse afinal com tristeza.

"Seja! Estou pronto! Entrei na minha última solidão.

Ah! Mar triste e negro abaixo de mim! Ah! Negra e sombria dor! Ah! Destino e mar! É para vós que preciso *descer*!

Estou diante da minha mais alta montanha e da minha mais longa peregrinação; eis por que é preciso descer mais abaixo, descer como nunca desci! Na mais baixa dor que nunca desci.

Até em sua água mais negra! Assim o quer o meu destino. Seja, estou pronto!

De onde vêm as mais elevadas montanhas? – perguntava-me outrora.

Soube então que elas surgiram do mar. Este testemunho está escrito nas rochas e nas paredes das suas cristas. É das profundidades supremas que as alturas supremas lançam-se às alturas."

Assim falava Zaratustra no píncaro da montanha onde reinava o frio. Mas quando chegou perto do mar, viu-se só entre os recifes, e sentiu-se cansado do caminho, e ainda mais cheio que dantes de ardentes desejos.

"Ainda dorme tudo – disse. Também o mar está adormecido. Volve para mim olhos embriagados de sono e de olhar ausente.

Mas sua respiração, porém, é quente, eu a sinto. E ao mesmo tempo vejo que sonha. Agita-se sonhando sobre duros almofadões.

Escuta! Escuta! Quantos gemidos lhe arrancaram as más recordações! Ou serão maus preságios!

Ah! Tu me afliges, monstro sombrio, e aborreço-me comigo mesmo por tua causa.

Ai! Por que não terá a minha mão bastante força? Quereria livrar-te dos sonhos maus!"

Falando desta forma, Zaratustra ria de si mesmo, com melancolia e amargura. "Como, Zaratustra! – disse – queres consolar o mar com a tua canção?

Zaratustra! Louco de coração terno, sempre ébrio de confiança! Mas assim foste sempre, sempre te aproximaste familiarmente das coisas terríveis.

Quiseste acariciar todos os monstros. Um sopro de hálito quente, um pouco de brando veludo nas garras, e imediatamente estarás disposto a amar o monstro e atraí-lo por meio de carícias.

O *amor* é o perigo do solitário, o amor para todas as coisas, *basta que vivam*. Na verdade, há um ridículo ao ver a qual ponto sou louco e modesto no amor!"

Assim falava Zaratustra, e pôs-se a rir outra vez: mas então pensou nos amigos que deixara, e, como se os houvesse ofendido em pensamento, aborreceu-se com os seus pensamentos.

E logo sucedeu que seu riso transformou-se em lágrimas de cólera e de nostalgia, e Zaratustra chorou amargamente.

Da visão e do enigma

I

Quando se soube entre os marinheiros que Zaratustra se encontrava no barco – porque, ao mesmo tempo que ele, fora a bordo um homem das Ilhas Bem-Aventuradas – houve grande curiosidade e grande expectativa.

Zaratustra, porém, conservou-se em silêncio durante dois dias, frio e surdo, em sua tristeza; e não respondia aos olhares nem às perguntas.

Na noite do segundo dia, abriram-se-lhe de novo os ouvidos, conquanto permanecesse calado; porque naquele barco, que vinha de longe e que queria ir ainda mais longe, podiam-se ouvir muitas coisas estranhas e perigosas.

Zaratustra, porém, era amigo de todos os que fazem grandes viagens e dos que não gostam de viver sem perigo. Por fim, escutando, desatou-se-lhe a língua, e quebrou-se-lhe o gelo do coração. Então começou a falar assim:

– A vós, intrépidos buscadores, exploradores, e a todos os que sempre embarcaram com velas sutis para singrar mares temíveis – a vós, ébrios de enigmas, gozosos das penumbras, almas que cedeis à atração das flautas de todos os abismos equívocos – porque vos recusais a seguir às cegas e com mão medrosa um fio condutor: e onde podeis *adivinhar*, detestais ter de *concluir* – somente a vós, contarei o enigma que *vi*, a visão do mais solitário. Sombrio atravessei ultimamente o pálido crepúsculo – sombrio e duro, lábios contraídos. – Mais de *um* sol se pusera para mim.

Uma senda que subia obstinadamente por entre despenhadeiros, uma perversa senda solitária, desertada de ervas e brenhas, uma senda de montanha, rangia ante o desafio dos meus passos.

Mudos, no meio do irônico ranger do pedregulho, pisando a pedra que os fazia resvalar, os meus pés pugnavam em seguir para cima.

Para cima: apesar do espírito que os atraía para baixo, para o abismo: apesar do Espírito de Pesadume, meu demônio e mortal inimigo.

Para cima: embora gravitasse sobre mim esse espírito entre anão e míope, paralisado e paralisador, vertendo chumbo nos seus ouvidos, e destilando pensamentos de chumbo no meu cérebro.

"Zaratustra! – segredava-me em tom chocareiro, sílaba a sílaba –, Rocha da sabedoria! Tu te projetaste ao alto, mas toda a pedra lançada *tem... que* tornar a cair.

Zaratustra, tocha da sabedoria, pedra lançada por uma funda, destruidor de estrelas! Foste tu que te projetaste tão alto, mas toda pedra lançada *tem que* tornar a cair.

Condenado a ti mesmo e à tua própria lapidação, Zaratustra, atiraste muito longe a pedra... mas é sobre ti que ela tornará a cair!"

Aqui se calou o anão, e muito tempo decorreu: mas o seu silêncio oprimia-me: quando nos desdobramos em dois, na verdade somos mais sós do que quando somos *um só!*

Eu subi, subi mais, sonhando e pensando: mas tudo me oprimia.

Era como um enfermo prostrado pelo longo sofrimento, e a quem um pesadelo desperta do torpor.

Eu, porém, tenho qualquer coisa a que chamo minha coragem, qualquer coisa que até agora venceu em mim todas as minhas fraquezas.

Esta coragem me levou afinal a ordenar-lhe alto e a dizê-lo: – Anão! Tu! Ou Eu! Coragem, é na verdade, o melhor dos matadores: coragem que *ataca*, porque sempre se ataca ao som das fanfarras.

Ora, o homem é o animal mais corajoso. Por isso venceu todos os outros animais. Ao som da fanfarra triunfou de todas as dores: e a dor humana é a mais profunda das dores.

A coragem mata também a vertigem à beira dos abismos! E onde não estará o homem à beira dos abismos? Não é o próprio olhar... olhar abismos?

A coragem é o melhor dos matadores: a coragem mata até a compaixão. E a compaixão é o abismo mais profundo: tão fundo quanto vê o homem a vida, assim fundo vê no sofrimento.

Mas a coragem é o melhor dos matadores... quando ataca. Ela matará a própria morte porque diz: "Quê! É *isto* a vida? Então, vamos! Mais uma vez!"

Mas uma máxima tal é uma fanfarra. Quem tem ouvidos, que ouça!

II

– Alto, anão! – disse – ou eu ou tu! Eu, porém, sou o mais forte dos dois: tu não conheces o meu mais profundo pensamento. Esse... não o poderias suportar.

Então se me aliviou a carga, porque o anão, curioso como é, saltou dos meus ombros para o chão.

Acocorou-se sobre uma pedra diante de mim. Onde estávamos, encontrava-se casualmente um pórtico.

– Anão! – prossegui. – Olha para este pórtico, Anão! – disse a seguir: – Tem duas faces. Aqui se reúnem dois caminhos: ainda ninguém os seguiu até o fim.

Esta rua larga que desce, dura uma eternidade; e essa outra longa rua que sobe: é outra eternidade...

Estes caminhos se entrecruzam, opõem-se um ao outro, e aqui, neste pórtico, encontram-se. O nome do pórtico está escrito no frontão: chama-se *"Instante"*.

Se alguém, todavia, seguisse sempre, sem deter-se, e cada vez mais longe, por um destes caminhos, acaso julgas, anão, que eles eternamente se oporiam?

– Tudo quanto é reto mente – murmurou com desdém o anão. – Toda a verdade é sinuosa: o próprio tempo é um círculo.

– Espírito do Pesadume! Disse eu irado. – Não aprecies tão precipitadamente as coisas ou te deixo onde estás acocorado, capenga, pois fui eu quem te colocou aí em cima!

– Olha para este instante! – continuei. – Deste pórtico *Instante* segue-se uma longa estrada, estrada eterna, estendendo-se para trás de nós; há aí uma eternidade.

Tudo quanto é capaz de correr, não deve já ter percorrido alguma vez esta estrada? Tudo quanto pode suceder não deve ter sucedido, ocorrido, já alguma vez? E se tudo quanto é já foi, que pensas tu, anão, deste instante? Este pórtico não deve também... ter existido por aqui?

E não estão as coisas entrelaçadas tão solidamente, que este instante atrai após si *todas* as coisas futuras? E tu também, por consequência?

Por que tudo quanto pode correr *deverá* percorrer também *mais uma vez* esta longa estrada que sobe?

E aquela aranha preguiçosa, que se arrasta à luz da lua, e esta luz da lua, e tu e eu, que nos encontramos aqui juntos ao pórtico, segregando sobre coisas eternas, não é de toda necessidade que uns e outros tenham já existido? Não nos será necessário voltar e percorrer este outro caminho que se afasta diante de nós, esse longo e terrível caminho – não é necessário que todos voltemos?

Assim falava eu, em voz cada vez mais baixa, porque me assustavam os meus próprios pensamentos, e as suas segundas intenções quando, subitamente, ouvi *uivar*, perto de mim, um cão.

Não ouvira, já uma vez, uivar assim um cão? Meu pensamento subiu rapidamente o curso do tempo. Sim, quando criança, em minha longínqua infância, ouvi um cão uivar assim. E o vi também, pelo eriçado, cabeça erguida, trêmulo, à hora silenciosa da meia-noite, quando até os cães acreditam em fantasmas, e tive pena dele. Silenciosamente a lua cheia surgia no silêncio de morte acima da casa: deteve-se depois, como um disco incandescente sobre o teto plano, como se se instalasse sobre uma propriedade alheia.

Foi o que assombrou o cão; porque os cães acreditam em ladrões e fantasmas. E quando tornei a ouvir o uivar, tornei a sentir, como outrora, piedade dele.

Para onde fora o anão? E o pórtico? E a aranha? E essa voz segredante? Teria sonhado? Teria acordado. Encontrei-me de repente entre selvagens rochedos, subitamente só, abandonado ao mais solitário lugar que já existiu.

Mas ali jazia um homem! E o cão, a saltar, e a gemer, com o pelo eriçado, viu-me caminhar, e uivou outra vez, e pôs-se a *gritar*. Ouvira eu alguma vez um cão pedir socorro assim?

E vi, na verdade, o que até então não houvera visto. Vi um jovem pastor a contorcer-se, anelante e convulso, rosto desfigurado, pois uma grande serpente negra caía-lhe da boca.

Vira eu jamais igual repugnância e terror pálido num mesmo rosto? Adormecera, decerto, e a serpente introduzira-se-lhe pela garganta, aferrando-se ali?

A minha mão começou a puxar a serpente, a puxar... mas em vão! Não consegui arrancá-la da garganta. Então saiu de mim um grito: "Morde! Morde! Arranca-lhe a cabeça! Morde!" Assim gritava qualquer coisa em mim: o meu espanto, o meu ódio, a minha repugnância, a minha compaixão, todo o meu bem e o meu mal se puseram a gritar em mim, num só grito.

Valentes que me rodeais, exploradores, aventureiros! Vós todos que embarcais em velas sutis, em mares inexplorados, apreciadores de enigmas, adivinhai o enigma que eu vi então, e interpretai um pouco a visão do mais solitário!

Pois foi ao mesmo tempo visão e previsão: que símbolo foi o que vi naquele momento? E quem é aquele que um dia deve vir?

Quem é esse pastor, e essa serpente que se introduziu em sua garganta? Quem é o homem, em cuja garganta se atravessará assim o mais negro e mais pesado que existe no mundo?

O pastor, porém, começou a morder como o meu grito lhe aconselhara: deu fortes dentadas! E cuspiu para longe de si a cabeça da serpente, e ergueu-se de um salto.

Já não era homem nem pastor: transformado, transfigurado, *ria!* Nunca homem algum na terra riu como ele!

Ó, meus irmãos! Ouvi um rir que não era rir humano, e agora me devora uma sede, uma ânsia que nunca se aplacará.

Devora-me a ânsia daquele rir. Ó, como posso tolerar viver ainda? E como posso ainda tolerar morrer?

Assim falava Zaratustra.

Da beatitude involuntária

Com tais enigmas e tais amarguras no coração, passou Zaratustra ao mar. Quando estava, porém, a quatro dias das Ilhas Bem-Aventuradas e dos amigos, conseguira dominar completamente sua dor; vitorioso, e com passo firme, dominava de novo o seu destino. Zaratustra falou assim à sua consciência, radiante de alegria:

"Estou novamente só, e assim quero estar! Só com o céu sereno e o mar livre; expande-se novamente a tarde à minha volta.

Foi à tarde que encontrei pela primeira vez os meus amigos; e das outras vezes também à tarde, à hora em que toda a luz se torna mais tranquila.

Pois tudo quanto ainda tem felicidade, a caminho entre o céu e a terra, busca um refúgio numa alma luminosa; é *por felicidade* que a luz agora se torna mais tranquila.

Ó! Tarde da minha vida! Também a minha felicidade desceu um dia ao vale para procurar um refúgio; e ela encontrou, então, aquelas almas francas e hospitaleiras.

Ó tarde da minha vida! Quanto não dei eu para ter este *único* bem; essa viva colheita dos meus pensamentos e essa luz matinal das minhas mais altas esperanças.

Um dia, o criador procurou companheiros que fossem filhos da sua própria esperança e sucedeu que não poderia encontrá-los, a não ser que primeiramente os criasse de si mesmo.

Eu estou, portanto, em meio da minha obra, indo para os meus filhos e voltando para perto deles; por amor aos filhos, deve Zaratustra completar-se a si mesmo.

Porque ninguém ama de todo o coração senão seu filho e sua obra. Um grande amor de si mesmo é presságio de fecundidade: ao menos, foi o que notei.

Os meus filhos verdejam em sua primeira primavera, plantados uns ao lado dos outros, ondulando aos ventos, árvores do meu jardim, e o melhor de minha terra.

E, na verdade, onde existem juntas tais árvores, estão as Ilhas Bem-Aventuradas!

Mas, um dia, eu os transportarei, e os podarei separadamente, para que aprendam a solidão, a altivez e a prudência!

Nodosos e retorcidos, duros, mas flexíveis, assim eu quero vê-los erguerem-se à margem do mar, vivos faróis de vida invencível.

Lá, onde as tempestades se precipitam no mar, onde a raiz da montanha se banha nas ondas, é lá onde cada um deverá passar as vigílias da noite, para que seja também experimentado e sondado a fundo.

É mister que seja experimentado e conhecido a fundo, para saber se é da minha raça e da minha estirpe, senhor de um longo querer, silencioso até quando fale, e condescendente a ponto de aceitar quando dá, para que chegue a ser um dia companheiro e colaborador de Zaratustra, um dos que escrevam sobre minhas próprias tábuas meu próprio querer: dando a todas as coisas a sua plena perfeição.

E por amor de tal ser de seus semelhantes, devo completar-me a mim mesmo; por isso fujo à minha ventura e ofereço-me a todos os sofrimentos, para sofrer eu mesmo esta minha *última* prova e reconhecimento.

E, na verdade, já era tempo de partir; e a sombra do viandante, e o Longo Momento e Hora

Mais silenciosa, todos me disseram: 'Chegou a Grande Hora!'

O vento soprou pelo orifício da fechadura e disse-me: 'Vem!' A porta abriu-se disfarçadamente, e disse-me: 'Anda!??'

Eu, contudo, permanecia acorrentado pelo amor aos meus filhos: o desejo prendia-me em suas redes, meu desejo de amor, necessidade de me oferecer em holocausto aos meus filhos, e perder-me por amor deles.

Desejar – esta palavra agora significa minha perdição. Pois eu vos *possuo, meus filhos*. Nesta posse tudo deve ser certeza; nada deve ser desejo.

Mas o sol do meu amor brilhava abrasador acima de minha alma, e Zaratustra abrasava-se no seu próprio jugo. Sombras e dúvidas passaram acima de mim.

Já desejava o frio e o inverno. Ó, suspirava, possam o frio e o inverno arrepiar minha pele, fazer-me tiritar e bater meus dentes! Neste instante nuvens glaciais surgiram ante mim.

O meu passado destruiu as suas sepulturas; mais de uma dor enterrada viva despertou; não fizera mais do que adormecer envolta em mortalhas.

Assim tudo me gritava em sinais: 'É já tempo!' Eu, porém, não ouvia: até que, afinal, o meu abismo estremeceu e mordeu-me o pensamento.

Ah! Abissal pensamento, és tu *meu* pensamento! Quando encontrarei forças para te ouvir cavar sem tremer?

Chegam-me à garganta os baques do coração quando te ouço cavar. O teu próprio silêncio me afoga, taciturno silêncio abissal!

Nunca me atrevi a chamar-te à superfície; bastava trazer-te em mim! Ainda não tive força suficiente para a última audácia e para a suprema temeridade do leão.

Bem terrível tem sido sempre o teu peso para mim: mas hei de encontrar, um dia, para erguer-me do abismo, a força e a voz do leão.

Quando eu tenha conseguido esse triunfo sobre mim mesmo, conseguirei ainda outro maior, e uma *vitória* será a marca da minha plenitude.

Entrementes, vaguei ainda por mares incertos, acariciado pela sedução do acaso; e volvo os olhos para trás e para adiante, e em parte alguma descubro o fim.

Ainda não chegou a hora da minha última luta – ou será que ela acaba de soar neste instante? – Na verdade, que pérfida beleza neste mar e nesta vida que me rodeiam!

Ó entardecer da minha vida! Ó ventura da véspera! Ó porto em pleno mar! Ó paz na incerteza! Como desconfio de todos vós!

Na verdade, desconfio da vossa pérfida beleza, como o amante que desconfia do sorriso meigo demais.

Assim como ele repele a amada, até a mais amada, terno até na sua dureza, esse ciumento, assim eu repilo esta hora venturosa.

Para longe de mim, hora venturosa! Trouxeste-me uma felicidade que não queria. Aqui me encontro, pronto para a minha mais profunda dor: chegaste fora de tempo.

Para longe de mim, hora venturosa! Busca refúgio, lá embaixo, entre os meus filhos! Vai, corre! Antes do crepúsculo, dá-lhes a *minha* bênção de felicidade.

Já se aproxima a noite. O sol declina... é minha ventura!"

Assim falava Zaratustra. E toda a noite esperou a sua desventura; mas esperou em vão. A noite permaneceu clara e silenciosa, e foi a felicidade que dele se aproximou, e cada vez mais. Mas, ao alvorecer, Zaratustra pôs-se a rir em seu coração, e disse em tom irônico:

– A felicidade persegue-me. É por eu não correr atrás de mulheres. Ora, a felicidade é mulher.

Antes do nascer do sol

"Ó, tu, céu claro acima de mim! Profundo! Tu abismo de luz! Ao contemplar-te estremeço de divinos desejos!

Erguer-me à tua altitude; eis para mim a profundidade! Encobrir-me em tua pureza: eis a minha inocência!

O deus oculta-se na sua beleza; assim tu revelas as tuas estrelas. Tu não falas; assim me anuncias a tua sabedoria.

Mudo sobre o fervilhante mar, surgiste-me hoje: teu amor e o teu pudor revelam-se à minha alma fervilhante.

Belo, vieste a mim, mas velado por tua beleza; falaste-me com palavras silenciosas, revelando tua sabedoria.

Ó, como pude eu não adivinhar todos os pudores secretos da tua alma! Antes do nascer do sol vieste até mim, solitário entre os solitários.

Fomos amigos desde o início. Tristeza, terror e profundidade não são comuns. O sol também nos é comum.

Não trocamos nenhuma palavra, porque sabemos demasiadas coisas: olhamo-nos sem nada dizer, basta um sorriso para dizer o que sabemos.

Não és tu a luz do meu fogo? Não és tu a alma irmã da minha inteligência?

Tudo aprendemos juntos; juntos aprendemos a elevar-nos sobre nós e a sorrir, com um sorriso límpido, sem nuvens baixas, e fazê-lo brilhar, bem alto, desde remotas paragens, quando a nossos pés se desvanecem como a névoa vaporosa que sucede à chuva, o constrangimento, o fim e o erro.

E em minhas peregrinações solitárias, de que minha alma tinha fome ao longo das noites e dos caminhos viciosos? E quando eu escalava montes, a quem procurava nos pincaros senão a ti!

E todas essas peregrinações, e todas essas ascensões de montanha eram apenas um erro e uma maneira de enganar a minha impotência; o que eu desejava era *voar*, voar *em ti*.

E que odiei mais do que as nuvens vagabundas e tudo quanto manchava a tua pureza? E odiei até o meu próprio ódio porque manchava a tua pureza!

Tenho aversão a essas nuvens vagabundas, a esses gatos monteses que se arrastam lá em cima; eles nos tomam, de ti e de mim, o que nos é comum: a imensa e infinita afirmação que diz a tudo *sim* e *amém*.

Esses indiscretos que misturam e confundem tudo, esses seres de meios-termos e de composições, esses seres mistos que não sabem nem bendizer nem maldizer com todo o coração.

Preferiria viver sem horizonte, num tonel, no fundo de um abismo, sem ver o céu, a ver-te, a ti, céu luminoso, manchado por essas nuvens errantes.

E muitas vezes tenho sentido desejos de as trespassar com os fulgurantes fios de ouro do relâmpago, para poder, como o trovão, rufar na pança da caldeira, rugir de cólera porque me roubam a tua afirmação que diz *sim* e *amém*, ó céu acima de minha cabeça, céu puro, luminoso, abismo de luz, pois eles me roubam o ímpeto que te diz sim e amém.

Pois prefiro o rugir e o trovão e as maldições da tempestade e essa calma felina, medida e hesitante. E entre os homens, também, repugnam-me todos os que andam sobre as pontas dos pés, que não sabem nem dizer sim nem dizer não, que são nuvens errantes, hesitantes, tateantes.

E 'quem não sabe bendizer deve aprender a maldizer!' – Do alto de um luminoso céu me caiu esta máxima luminosa: – é uma estrela que brilha no meu céu, até em meio das noites mais escuras.

Eu, porém, sou daqueles que bendizem e afirmam sempre, quando tu me envolves, céu puro, luminoso de claridade! Ao fundo de todos, levo a minha afirmação que bendiz.

Tornei-me o que bendiz e afirma: mas tive de lutar para ter um dia as mãos livres para bendizer.

Mas a minha maneira de bendizer consiste em estar acima de todas as coisas como o céu que lhe é próprio, a redonda cúpula, o campanário cerúleo, e a sua eterna serenidade: e bem-aventurado aquele que bendiz assim!

Pois todas as coisas foram batizadas na fonte da eternidade, além do bem e do mal; mas o bem e o mal não são mais do que sombras transeuntes, úmidas aflições, nuvens errantes.

Na verdade, o que ensino é bendição e não blasfêmia, quando digo: 'Sobre todas as coisas estende-se o céu da contingência, o céu da inocência, o céu do acaso e o céu da altivez'.

'Por Acaso', é esta a mais antiga nobreza do mundo; eu a restituí a todas as coisas; eu as livrei da servidão da finalidade.

Como cúpulas cerúleas, coloquei, sobre todas as coisas, esta liberdade, esta serenidade celeste, no dia em que ensinei que acima delas, e por elas, não há um 'querer eterno' que atue.

Eu pus, em lugar desta vontade, esse capricho e esta loucura, no dia em que ensinei que em todas as coisas há *uma* impossibilidade: racionalidade!

Sem dúvida, um *pouco* de razão, um grão de sabedoria, disperso de estrela em estrela, é levedura indubitavelmente misturada a todas as coisas: é para que sejam elas mais loucas que um pouco de sensatez foi incorporada a todas as coisas!

É possível que nelas haja um pouco de sensatez; mas eis a certeza divina que encontrei em todas as coisas: é sobre as pernas do acaso que elas preferem *dançar!*

Ó, céu acima de minha cabeça, céu puro, céu alto! A tua pureza para mim consiste agora em que não haja a eterna aranha da razão, nem as eternas teias de aranha da razão: em seres um salão onde bailam os divinos azares, uma mesa divina para os divinos dados e para os divinos jogadores de dados.

Mas enrubesces? Disse coisas indizíveis? Blasfemei querendo abençoar-te?

Ou foi o pudor de estarmos os dois frente a frente?

O que te faz sorrir é a vergonha de ser dois. Mas que te encheu de vergonha? Pedes-me para que me retire e cale porque chega agora o *dia*?

O mundo é profundo, e mais profundo do que jamais poderia pensar o dia. Nem tudo pode falar diante do dia. Mas eis que ele chega. Separemo-nos!

Ó, céu acima de mim, ó céu pudico e flamejante! Ó minha felicidade que antecede à aurora! Chega o dia. Separemo-nos!"

Assim falava Zaratustra.

Da virtude amesquinhadora

I

Quando Zaratustra chegou à terra firme, em vez de dirigir-se à sua montanha e à sua caverna, seguiu por vários caminhos, fez muitas perguntas para se informar de muitas coisas, o que o levava a dizer a si mesmo, gracejando: "Eis aqui um rio que, por mil meandros, retrocede à sua nascente!" Pois queria ele saber o que fora feito do *homem* durante a sua ausência: se se tornara maior ou menor. E um dia, ao divisar uma fileira de casas novas, admirado, disse:

"Que significam estas casas? Na verdade, não foi nenhuma alma grande que as edificou como símbolo de si mesma.

Foi algum menino idiota que as tirou de sua caixa de brinquedos?

Tomara que um outro menino as reponha na caixa!

E esses aposentos e câmaras! Poderão *homens* ali entrar e sair? Parecem-me feitos para bonecas de seda, ou para gatas gulosas, que gostariam de se deixar comer como petiscos".

E Zaratustra parou para refletir. Afinal disse com tristeza:

"Tudo se tornou pequeno! Por toda a parte vejo portas mais baixas: os de minha espécie poderão talvez ainda passar por elas, mas terão de se curvar!

Oh! Quando voltarei para a minha pátria onde já não terei de me curvar... onde não terei de me curvar *ante o pequeno?"*

E Zaratustra suspirou, olhos volvidos para o longínquo.

Mas, nesse mesmo dia, pronunciou o seu discurso sobre a virtude amesquinhadora.

II

"Passo por entre este povo de olhos bem abertos; eles não me perdoam de não lhes invejar as virtudes.

Querem morder-me, por eu lhes dizer que as pessoas pequenas *necessitam* de pequenas virtudes, e porque me é difícil conceber que sejam necessárias as pessoas pequenas.

Estou aqui como galo em terreiro estranho, que até as galinhas lhe querem bicar: mas eu nem por isso guardo rancor a tais galinhas.

Sou indulgente para com elas como se é para com todos os pequenos incômodos; mostrar seus esporões aos pequenos incômodos é, a meu ver, uma sabedoria de ouriço.

Todos falam de mim quando estão sentados à noite à volta da lareira; falam de mim, mas ninguém pensa em mim.

Eis o novo silêncio que aprendi a conhecer: o rumor que fazem à minha volta recobre como um manto os meus pensamentos.

Eles vociferam: 'Que quer de nós esta sombria nuvem. Cuidado, não nos traga ela alguma epidemia!'

E recentemente uma senhora puxou violentamente para si o filho que queria vir até mim. 'Afastai dele as crianças!', exclamou ela. 'Esses olhos consomem a alma das crianças'.

Tossem, quando eu falo. Julgam que a tosse é uma objeção contra os ventos rijos: nada percebem do sussurro da minha felicidade.

'Ainda não temos tempo para pensar em Zaratustra.' – Eis a sua objeção. – Mas, que é esse tempo que 'não tem tempo' para pensar em Zaratustra?

E até se me glorificassem, como poderia repousar sobre tais louros? O elogio deles é para mim um cinturão de espinhos: mortifica-me até depois de o tirar.

E também aprendi isto entre eles: o que elogia procede como devolvesse um benefício, mas na realidade deseja receber mais.

Perguntai ao meu pé se lhe agrada a melodia de seus louvores e de suas adulações! Verdadeiramente não quer bailar nem repousar sob o ritmo desse tique-taque.

Quereriam à custa de louvores converter-me à sua modesta virtude; desejariam persuadir o meu pé para seguir o tique-taque de uma pequena felicidade.

Eu passo por entre esse povo, de olhos abertos; tornaram-se *menores* e continuam a se tornarem ainda menores: *o qual se deve à sua doutrina da felicidade e da virtude.*

São modestos até na sua virtude, porque querem as suas conveniências. E só uma virtude modesta se conforma com as conveniências.

Aprendem também a andar a seu modo, e a andar para adiante: ao que eu chamo *ir coxeando*. Eis por que são um obstáculo a todos que andam depressa.

E há quem caminha para a frente, a olhar para trás, e com o pescoço estendido: são aqueles com os quais gostaria de disputar.

Não devem os pés e os olhos mentir nem desmentir uns aos outros. Mas há muitas mentiras entre as pessoas pequenas.

Alguns deles querem, mas na maioria apenas são queridos. Alguns são sinceros, mas a maioria deles é de maus comediantes.

Há entre eles comediantes sem o saber, e comediantes sem o querer; os sinceros são sempre raros, principalmente os comediantes sinceros.

Não são suficientemente viris, eis por que suas mulheres se masculinizam. Porque só o que for suficientemente homem libertará na mulher... a mulher.

Eis a pior das hipocrisias que encontrei entre os homens: até os que mandam fingem as virtudes dos que obedecem.

'Eu sirvo, tu serves, nós servimos' – assim psalmodeia também aqui a hipocrisia dos governantes... e eis uma desgraça quando o primeiro dos senhores nada mais é que o primeiro servidor!

O meu olhar curioso deteve-se até em suas hipocrisias e percebi toda a sua felicidade de moscas que zumbem à volta das vidraças cobertas de sol.

Onde vejo a bondade, vejo também a fraqueza. Onde vejo a justiça e a piedade, vejo também a fraqueza.

São corretos leais, e benévolos uns para com os outros – eis sua maneira de ser; corretos, leais e benévolos como os grãos de areia o são para os outros grãos de areia.

Abraçar modestamente uma pequena felicidade: eis ao que chamam 'resignação!' E ao procederem assim olham de soslaio modestamente para outra pequena felicidade.

No fundo da sua simplicidade, o que querem é uma coisa bem simples: que ninguém os prejudique. Por isso cuidam de ser amáveis para com todos, e praticam o bem.

Isto, porém, é *covardia*, embora o chamem virtude.

E quanto a esses mesquinhos lhes sucede falar com rudeza, eu, na sua voz, só ouço a rouquidão, porque qualquer rajada de vento os enrouquece!

São prudentes; as suas virtudes têm dedos prudentes. Mas, faltam-lhes os pulsos; os dedos não sabem desaparecer ao abrigo dos punhos.

Para eles, o que modera e domestica é virtude; assim fizeram do lobo um cão e do próprio homem, o melhor animal doméstico do homem.

'Nós nos colocamos no *meio* – assim me confessa o seu sorriso – a igual distância dos gladiadores moribundos e dos imundos suínos.'

Isto, porém, é *mediocridade*, embora o chamem meio-termo."

III

"Passo por entre este povo, e deixo cair muitas sentenças, mas não sabem receber nem aprender.

Espantam-se de eu não vir anatematizar os apetites e os vícios; e, na verdade, também não vim para pô-los de sobreaviso contra os gatunos.

Espantam-se de eu não estar pronto a afinar e aguçar-lhes a sutileza: como se não tivessem ainda bastante sábios sutis, cujas vozes ringem em meus ouvidos como guinchos desafinados.

E quando exclamo: 'Maldizei todos os demônios covardes que há em vós, esses demônios sempre predispostos a gemer, a cruzar as mãos e a adorar', então eles gritam: 'Zaratustra é ímpio!'

São sempre os pregadores da resignação que vociferam tais coisas, e justamente é com esses que me agrada mais gritar-lhes ao ouvido: 'Sim! Eu sou Zaratustra, o ímpio'.

Esses pregadores da resignação! Onde quer que haja mesquinhez, doença e tinhosos, arrastam-se como piolhos, e só por nojo os não esmago entre meus dedos!

Pois bem! Eis o sermão que lhes dedico às orelhas: eu, Zaratustra, o ímpio, digo: 'Quem é mais ímpio do que eu, para me regozijar com o seu ensinamento?'

Eu sou Zaratustra, o ímpio: onde encontrarei os meus semelhantes? Os meus semelhantes são todos os que fixam a si mesmos a sua vontade e se afastam de toda resignação.

Eu sou Zaratustra, o ímpio: na minha caldeira cozinho todos os acontecimentos; e só quando estão bem cozidos, declaro-os excelentes, pois são pratos da minha cozinha.

E na verdade, mais de um acontecimento de mim se acercou com arrogância; mas o meu *querer* respondeu-lhe com mais arrogância ainda, e logo o vi ajoelhar-se suplicante aos meus joelhos, suplicando-me lhe desse asilo e afeição, dizendo em tom adulador: 'Olha, Zaratustra: só um amigo pode aproximar-se assim de um amigo!'

A quem falar, porém, quando ninguém tem os *meus* ouvidos? Por isso quero gritar a todos os ventos:

– Gente mesquinha, cada vez vos amesquinhais mais! Gente acomodatícia, cada vez vos desagregais mais! E acabareis por perecer, com a vossa infinidade de minguadas virtudes, de minguada resignação.

Demasiado fofo e mole, eis o que é o vosso solo! Para que uma árvore se torne *grande*, suas duras raízes têm que se abraçar às rochas duras.

Até o que omitis ajuda a tecer a teia do futuro dos homens, até o vosso nada é uma teia de aranha e uma aranha que se alimenta do sangue do futuro.

E o que aceitais assemelha-se a um furto, mesquinhos virtuosos; mas até os ladrões conhecem esta máxima de *honra*: 'Só se deve furtar com astúcia o que se não pode arrebatar com a força'.

'Isto acontece'; tal é também uma doutrina de resignação. Mas eu vos digo, a vós, que sois acomodatícios: 'Isto *toma-se* e tomar-se-á sempre ainda mais de vós'.

Ah! Não renunciardes a essa vontade do *meio-termo!* Não saberdes ser decididos tanto para a indolência como para a ação!

Ah! Não compreenderdes estas minhas palavras: 'Fazei sempre o que quiserdes, mas sede desde logo *capazes de querer!* Amai sempre o vosso próximo como a vós mesmos, se vos agradar, mas sabei em primeiro lugar *amar a vós mesmos*, mas amar com o grande amor, dos que se amam com o grande desdém'".

Assim falava Zaratustra, o ímpio.

"Mas, para que falar, quando ninguém tem os *meus* ouvidos? Ainda a hora é demasiado cedo para mim.

Eu sou entre esta gente o meu próprio precursor, o meu próprio canto do galo que me anuncia nas vielas escuras.

Mas, sua hora há de soar. E também a minha! A cada hora se tornam mais mesquinhos, mais miseráveis, mais estéreis: pobre erva! Pobre terra!

Breve estarão à minha frente como a erva seca da estepe, e verdadeiramente fatigados de si mesmos, mais sedentos de fogo que de água!

Oh! Bendita a hora do raio. Ó, mistério do que precede o Meio-dia! Há de chegar um dia em que eu os converta num incêndio que se propaga, e precursores de línguas de fogo; e anunciarão um dia, com línguas de chamas: aí vem, já se aproxima o *Grande Meio-dia!*"

Assim falava Zaratustra.

No Monte das Oliveiras

"O inverno, mau hóspede, penetra na minha morada; tenho as mãos roxas do seu amigável aperto de mão.

Honro este hóspede maligno, mas prefiro deixá-lo só, em seu quarto. Gosto de safar-me dele, e podemos safar-nos dele desde que *corramos* bem.

Quentes os pés e quente o pensamento, corro onde o vento emudece, até o canto cheio de sol do meu Monte das Oliveiras.

Lá me rio do meu rigoroso hóspede, e fico-lhe agradecido por me livrar das moscas e fazer calar inúmeros pequenos ruídos.

Ele não gosta de ouvir zumbir uma mosca, e muito menos duas; e até a rua torna-a tão solitária que a luz da lua chega a ter medo da noite.

É um hóspede duro; e eu o honro, pois não rezo ao pançudo rei do fogo, como o fazem os efeminados. Prefiro bater um pouco mais os dentes do que adorar ídolos! Assim o quer a espécie que sou. – E eu detesto sobretudo esses ídolos do fogo, que apenas sabem queimar, fumegar e aborrecer.

Quando amo, amo melhor o inverno do que o verão; zombo agora melhor e mais animosamente dos meus inimigos, quando o inverno entra em minha casa.

Com ânimo, na verdade, quando chega a hora de *aconchegar-me* na cama, então a minha felicidade solitária ri e diverte-se consigo mesma, como não ri nem sequer o meu sono enganador?

Arrastar-me?... Eu? Nunca na minha vida me arrastei ante os poderosos, e se alguma vez menti foi por amor. Por isso estou satisfeito até em minha cama hibernal.

Um leito humilde aquece-me mais do que um leito faustoso, porque me orgulho da minha pobreza. E é no inverno que ela me é mais fiel.

Inauguro todos os dias com alguma maldade; zombo do inverno com um banho frio: isto faz resmungar o meu rigoroso hóspede.

Gosto também de lhe fazer cócegas com uma velazinha, até a hora em que ele afinal me permite ver o céu que surge da aurora pardacenta.

É de madrugada que sou precisamente mais mau, quando chiam os baldes no poço, e os cavalos relincham pelas ruas sombrias.

Então espero impacientemente rever o céu luminoso, o céu de inverno de nívea barba, o velho de cabeça branca: o céu de inverno, esse taciturno céu, que até o seu sol guarda silêncio às vezes.

Foi dele que aprendi esse longo silêncio luminoso? Ou ele o aprendeu de mim? Ou cada um de nós o inventou por sua vez?

Todas as coisas boas têm origens múltiplas; todas as boas coisas de humor folgazão lançam-se de um salto alegre na existência, como só o fazem uma vez!

Também o longo silêncio é uma dessas coisas de humor alegre, e a arte de fazer brilhar os olhos redondos na face clara, igual ao céu de inverno, arte de calar, como o faz o seu sol e a sua inflexível vontade de sol, na verdade é uma arte e uma alegria hibernal que eu a aprendi bem. A minha mais amada malícia e arte é ter ensinado o meu silêncio a não se trair pelo silêncio.

Com um estalido de palavras e de dedos, engano os meus graves guardiães à espreita; quero que a minha vontade e o meu desígnio se subtraiam a esses severos inquisidores.

Para ninguém poder ver o meu fundo íntimo e a minha última vontade, inventei esse longo e claro silêncio.

Encontrei muitos prudentes que velavam o semblante e turvavam as suas águas para ninguém poder sondá-las a fundo.

Era, porém, a eles que se aproximavam os astutos, os mais desconfiados; os decifradores de enigmas, e neles os peixes mais escondidos!

Mas os claros, os bravos, os límpidos, esses são para mim os que mais sabem calar; porque o seu fundo é tão profundo que nem a mais límpida água os denuncia.

Silencioso céu de inverno de barba nívea, céu taciturno, cabeça branca, de redondos olhos, que te ergues sobre mim! Ó, símbolo celeste da minha alma e da sua alegria travessa!

E não será mister que eu me esconda como quem tragou o ouro, temeroso que lhe abram a alma?

Não *será* mister que eu use pernas de pau para andar, para que não reparem no comprimento das minhas pernas todos esses invejosos, esses melancólicos que me rodeiam?

Todas essas almas defumadas, mofadas, consumidas, azedadas, aborrecidas, como lhes poderia a inveja tolerar a minha ventura?

Não lhes revelarei senão o gênio e o inverno dos meus píncaros; e não lhes revelo todas as zonas cobertas de sol que encerram ainda a minha montanha. Só ouvem sibilar as minhas tempestades de inverno; mas não ouvirão correr sobre a superfície de tépidos mares os ventos de sol, ardentes, pesados e crestantes.

Eles se apiedarão dos riscos e azares porque passo – mas a minha divisa é: 'Deixai vir a mim o acaso; ele é inocente como uma criança'.

Como poderiam suportar a minha ventura, se eu não rodeasse de acidentes e de angústias hibernais, de gorros de pele de ursos brancos e de mantos de um céu de neve, se eu não tivesse dó da sua compaixão, da compaixão desses invejosos, desses melancólicos, se eu não suspirasse e tiritasse diante deles, deixando-me envolver pacientemente na sua compaixão!

Eis a sabedoria caritativa; a benevolência da minha alma: ela não oculta o seu inverno nem suas tempestades geladas; ela nem sequer oculta os seus regelos.

A solidão para uns é o refúgio do enfermo, para outros é um refúgio *ao abrigo* das enfermidades.

Gostarão de ouvir-me tiritar e gemer de frio, esses pobres diabos de olhos turvos que me rodeiam!

Esses arrepios, esses suspiros são para mim o meio de fugir aos seus quartos quentes.

Que me lastimem e tenham dó de mim pelos meus enregelamentos, ao dizerem: 'Ele acabará por se gelar com os gelos do seu conhecimento! É assim que gemem; no entretanto, corro em todos os sentidos, com os pés quentes, pelos caminhos do meu Monte das Oliveiras, até o retiro cheio de sol do meu Monte das Oliveiras, onde canto e escarneço de toda compaixão.'"

Assim falava Zaratustra.

Do "seguir adiante"

Tendo assim percorrido lentamente muitos povos e cidades, voltou Zaratustra para a sua montanha e para a sua caverna.

E eis que subitamente, às portas da *Grande Cidade*, surgiu ante ele, impedindo-lhe a entrada com os braços estendidos, um louco furioso. Era o mesmo louco a quem o povo chamava o "macaco de Zaratustra", porque imitava um tanto o tom e o ritmo de sua frase, e lhe agradava também explorar o tesouro da sua sabedoria.

E o louco falou assim a Zaratustra:

– Ó Zaratustra, é esta a Grande Cidade! Aqui nada tens a achar, mas tudo a perder. Para que queres meter-te neste lodaçal? Tem dó dos teus pés! Cospe sobre a porta da cidade, e segue o teu caminho!

Aqui é o inferno para os pensamentos solitários. Aqui, os grandes pensamentos são cozidos vivos; aqui são reduzidos a papas.

Aqui apodrecem todos os grandes sentimentos; aqui só se pode ouvir o crepitar das pequenas paixões descarnadas.

Não sentes já daqui o cheiro dos matadouros e dos cortiços do espírito? Não exala esta cidade o fumo dos espíritos sacrificados?

Não vês as almas penduradas como sórdidos frangalhos sujos?

E desses frangalhos eles fazem jornais! Não ouves como aqui o espírito é apenas um jogo de palavras? Vomitam repugnantes intrigas verbais! E desses vômitos fazem ainda jornais!

Provocam-se mutuamente sem saber para aonde vão. Excitam-se uns aos outros sem saber por quê. Tintilam com suas lâminas de folhas e tilintam com o seu ouro.

Sentem frio, e buscam esquentar-se com bebidas alcoólicas, acaloram-se, e procuram a frescura nos espíritos álgidos; todos são doentios, todos contaminados pela opinião pública.

Todas as concupiscências e todos os vícios aqui fizeram moradia, mas há também virtuosos; há aqui uma virtude oficiosa e oficial, munida de dedos ágeis para escrever, de um poder infinito de paciência e de espera, de peito adornado com condecorações sem valor, de jovens enchumaçadas e sem nádegas.

Também há aqui muita devoção, muita lisonja cortesã e muitas baixas curvaturas ante o deus dos exércitos. "De cima chovem as estrelas, e as magnânimas bajulações; para cima vão os desejos de todos os peitos desprovidos de estrelas."

A lua tem a sua corte, e a corte tem seus satélites; mas o povo mendicante e as hábeis virtudes mendicantes adoram tudo o que vem da corte.

"Eu sirvo, tu serves, nós servimos". É a litania que a virtude oficiosa dirige ao Príncipe, na esperança que a estrela bem merecida se prenda afinal ao peito esquálido.

Mas a lua gira em torno de tudo quanto é terrestre. Assim também o Príncipe gravita em torno do que há de mais terrestre: o ouro dos merceeiros.

O deus dos exércitos não é o deus das barras de ouro: o Príncipe propõe, mas o merceeiro... dispõe.

E, em nome de tudo quanto é claro, forte e bom em ti, ó Zaratustra, cospe sobre esta cidade de merceeiros, e segue o teu caminho.

Aqui corre sangue viciado, pobre e espumoso, por todas as veias; cospe sobre a Grande Cidade, sobre esta sentina, onde se acumulam todos os excrementos.

Cospe sobre esta cidade das almas deprimidas e dos peitos estreitos, dos olhos penetrantes e dos dedos viscosos; esta cidade de importunos, de impudentes e de escrevinhadores e palavrosos, de ambiciosos exasperados; cidade onde fermenta o purulento, o carcomido, o desconsiderado, o lascivo, o sombrio, o putrefato, ulcerado e subversivo – cospe sobre a Grande Cidade, e retoma o teu caminho!

Nesse ponto, porém, Zaratustra interrompeu o louco furioso, e tapou-lhe a boca.

– Cala-te! – exclamou Zaratustra. – Já há muito me aborrecem as tuas palavras e os teus modos. Por que tens vivido tanto tempo à beira do pântano, a ponto de tu mesmo te converteres em rã ou sapo?

Não correrá agora em tuas próprias veias um sangue de pântano, vicioso e espumoso para teres aprendido a guinchar e blasfemar assim?

Por que te não retiraste para o bosque? Por que não lavraste a terra? Não está o mar cheio de ilhas verdejantes?

Desprezo o teu desdém; já que me prevines, por que te não preveniste a ti mesmo?

Meu desdém, e o seu pequeno pássaro que lhe serve de presságio, só do fundo do meu amor, e não do pântano, que ele alçará o voo!

Chamam-te o meu macaco, doido raivoso; mas eu chamo-te suíno grunhidor; com o teu grunhido acabas por emporcalhar o elogio que eu fiz da loucura.

Que foi que te fez grunhir? É porque não te aduleram suficientemente; por isso te sentaste ao lado dessas imundícies, a fim de teres numerosas razões de vingança. A vingança, louco raivoso, é a tua espuma. Vai-te, descobri o que és.

As tuas palavras de louco prejudicam-me até quando tens razão.

E ainda que Zaratustra tivesse cem mil vezes razão em palavras, tu, usando as minhas próprias palavras, não terias razão!

Assim falou Zaratustra, e, olhando a Grande Cidade, suspirou e permaneceu por longo tempo calado. Por fim, disse:

– Também eu estou desgostoso com esta Grande Cidade, e não apenas com esse louco. Não há mais, nem num nem noutro, o que se possa melhorar nem piorar.

Ai desta Grande Cidade! Queria ver já a coluna de fogo em que se há de consumir, pois tais colunas de fogo hão de preceder o Grande Meio-dia. Mas tudo isso tem o seu tempo e o seu próprio destino.

Quanto a ti, louco, dou-te este ensinamento a modo de despedida: onde já se não pode amar, deve-se... *seguir adiante*.

Assim falou Zaratustra, e afastou-se deixando atrás de si o louco da Grande Cidade.

Dos trânsfugas

I

– Ah! Como já está triste e cinzento neste prado tudo o que há pouco estava verde e cheio de cor! E quanto mel de esperança daqui levei à minha colmeia!

Todos estes corações juvenis já se tornaram velhos: e nem sequer são velhos, mas simplesmente fatigados, vulgares e indolentes – é o que explicam chamando-se de piedosos.

Ainda não há muito os vi, à primeira hora da manhã, porem-se a caminho, com um passo brioso, mas pernas do Conhecimento fatigaram-se, e agora caluniam até os seus brios matinais.

Na verdade, mais de um movia pernas como um bailarino, ao chamado do riso, que está na minha sabedoria; mas depois refleti, e acabei por vê-lo curvado... arrastando-se aos pés da cruz.

Antes giravam em torno da luz e da liberdade, como o fazem as mariposas e os jovens poetas. Envelheceram um pouco, e se tornaram um pouco mais frios, e ei-los amigos das trevas, acocorados ao pé da lareira. Faltou-lhes coração, porque a solidão tragou-me como uma baleia?

Teriam inutilmente prestado ouvidos durante longo tempo às minhas trombetas e aos meus gritos de arauto?

Ai! Sempre foram muito poucos os que têm um coração de longa coragem e de longa audácia; e nestes também o próprio espírito é perseverante. Tudo o mais é *covarde*.

E esse "tudo o mais" é sempre a grande massa, a banalidade, o supérfluo, os que estão demais. Todos estes são covardes!

Aquele que for da minha têmpera tropeçará no seu caminho com aventuras iguais às minhas; e terá como primeiros companheiros cadáveres e saltimbancos.

Mas os companheiros que virão em segundo lugar chamar-se-ão os seus *crentes*: enxame turbulento, muito amor, muita loucura, muita veneração ainda imberbe.

A estes crentes não deverá ligar o seu coração se for da minha têmpera; não acreditará nesses rebentos da primavera e nesses prados de variadas cores, se conhecer a raça fugidia e covarde dos homens.

Se *pudessem* proceder de outra maneira, *quereriam* também proceder de outra maneira. Quem não é isto nem aquilo, mancha tudo que é puro.

As folhas murcham. Que há aí de deplorar?

Deixa-as ir, deixa-as cair, Zaratustra, sem te lamentares! Ao contrário, varre-as com o sopro do teu vento; varre estas folhas, Zaratustra, e tudo o que é murcho, e afasta-te o mais depressa possível.

II

"Nós nos tornamos piedosos" – eis o que confessam os trânsfugas; e alguns ainda são demasiado covardes para o confessar.

A estes os encaro, a estes digo eu nas suas caras envergonhadas: sois vós os que de novo *rezam!*

Mas é uma vergonha rezar! Não para toda a gente; mas para ti e para mim, e para quantos têm a sua consciência na cabeça. Para ti é uma vergonha rezar!

Bem o sabes; o covarde demônio que dentro de ti se compraz em juntar as mãos e em cruzar os braços, e que desejaria ter uma vida mais fácil, esse covarde demônio disse-te: "Há um Deus!"

Assim, pois, és dos que temem a luz, daqueles a quem a luz impede dormir; tens agora que ocultar todos os dias a cabeça mais profundamente na noite e nas trevas.

E, na verdade, escolheste bem a tua hora, porque as aves noturnas tornaram a erguer o voo. Chegou a hora dos seres que temem a luz, a hora vesperal em que o trabalho descansa... mas eles não descansam.

Ouço-o bem, e o sinto; chegou para eles a hora da caçada, em que se põem na busca, não na hora de uma caçada desenfreada, mas de uma caçada mansa, suave, farejando pelos cantos, sem fazer mais ruído que o murmúrio de uma reza: caçada de santarrões sentimentais, em que todas as ratoeiras de corações estão novamente preparadas!

E onde quer que se mova a cortina, logo sai precipitadamente uma mariposa. Estaria ali a caçada de uma mariposa? Porque eu em toda a parte pressinto pequenas comunidades clandestinas, e onde houver esconderijos, há novas confrarias piedosas, com o cheiro de confrarias piedosas.

Passam reunidos durante noites inteiras, e dizem entre eles: "Tornemo-nos iguais às crianças e invoquemos o santo Senhor!" Os piedosos confeiteiros estragaram-lhe a boca e o estômago.

Ou então passam as noites a contemplar alguma astuta aranha porta-cruz, que predica astúcia às próprias aranhas, ensinando-lhes: "É bom tecer sob as cruzes!"

Ou passam dias inteiros sentados, munidos de varas de pesca, à margem dos pântanos, e se julgam *profundos!* Mas o que pesca onde não há peixes, eu o declaro: nem sequer é superficial.

Ou então vão até algum poeta para aprender de um modo piedoso e alegre ao mesmo tempo – junto a um desses poetas que cantam com sua harpa para chegarem ao coração das donzelas, quando já se cansaram das velhas e dos seus elogios. Ou aprendem a espavorir-se com algum sábio tresloucado, que espera em quartos escuros que apareçam os espíritos... enquanto o seu espírito desaparece completamente!

Ou escutam um velho tocador de flauta, músico ambulante, a quem ventos tristes ensinaram toadas lamentosas: e sopram música à semelhança do vento que sibila e lhes prega a compreensão em tom compungido.

E alguns até se tornam guardas-noturnos; sabem agora tocar cornetas, rondar de noite e despertar antigas coisas há muito tempo adormecidas.

Ontem à noite, ao lado do muro de um jardim, ouvi algumas palavras sobre velhas coisas, que procediam desses velhos guardas, tristes e mirrados.

– Sendo pai, não vela bastante por seus filhos: pais humanos fazem-no melhor do que ele.

– Está velho demais. Já não se ocupa com os filhos.

Assim respondeu o outro guarda.

– Mas terá ele filhos? Ninguém o pode provar, se ele mesmo o não prova. Há muito que eu quereria que ele o provasse irrefutavelmente.

– Provar? Acaso provou ele alguma vez alguma coisa? Custam-lhe as provas; ele gosta que acreditem nele.

– Sim, sim! E a fé salva, a fé que tenham nele. Os velhos são assim. A nós sucede-nos o mesmo!

Assim conversavam os dois morcegos, inimigos da luz: depois tocaram tristemente as cornetas. Eis o que se passou ontem à noite, ao lado do velho muro do jardim.

Entretanto, o meu coração contorcia-se de riso; queria estalar, mas não sabendo onde se colocar premia o diafragma.

Na verdade, acabarei por morrer de rir, ao ver asnos embriagados, e ouvindo morcegos duvidarem assim de Deus.

Não passou *muito tempo* sobre este modo de duvidar? Quem teria ainda o direito de despertar do seu sono coisas tão inimigas da luz?

Há muito que se acabaram os antigos deuses, e na verdade tiveram um bom e alegre fim, como convém a deuses.

Não passaram por um "crepúsculo" para caminhar para a morte – é uma mentira dizê-lo! Pelo contrário: mataram-se a si mesmos de tanto rir!

No dia em que um deus pronunciou as mais ímpias das palavras: Só há um Deus! Não terás outro Deus além de mim! – esse velho deus, colérico, invejoso, excedeu-se ao falar assim – então todos os deuses se puseram a rir, e agitando-se nos seus assentos, exclamaram: "Não se baseia precisamente a divindade em haver deuses, e não um deus?"

Quem tiver ouvidos que ouça.

Assim falava Zaratustra na cidade que amava, e que se chama a "Vaca das Variadas Cores". Dali mediavam dois dias de caminho para chegar à sua caverna, aos animais que amava, e a alma alegrava-se sempre ante a ideia do próximo regresso.

O regresso à pátria

Oh! Solidão, solidão, minha pátria! Vivi muito tempo selvagem em selvagens países estranhos, para não regressar a ti sem lágrimas!

Ameaças-me agora com o dedo, como ameaçam as mães, sorris-me agora como sorriem as mães, e apenas dizes: "E quem foi que em tempos fugiu do meu lado como um furacão? E que ao retirar-se exclamou: Vivi demasiado tempo em companhia da solidão; e desprende de calar-me?

Foi, sem dúvida, o que ora aprendeste?

Ó, Zaratustra, sei tudo, e sei que te sentias *mais abandonado, só*, na multidão, do que jamais estiveste comigo.

Uma coisa é o abandono, e outra a solidão; eis o que aprendeste agora. E que entre os homens te sentirás sempre selvagem e estranho – selvagem e estranho mesmo que te amem; porque o que querem antes de tudo, é que se lhes guarde *consideração*.

Aqui, porém, está na tua pátria e na tua casa; aqui podes dizer tudo e expandir-te à vontade; aqui ninguém se envergonha de sentimentos ocultos e tenazes.

Aqui todas as coisas se aproximam carinhosas da tua palavra e te animam: porque te querem erguer ao ombro. Todos os símbolos são bons para te levarem à conquista de todas as verdades.

Aqui podes falar com franqueza a todas as coisas, e, na verdade, é um elogio aos seus ouvidos, quando lhes falas com franqueza.

O abandono é muito diferente. Recordas-te, Zaratustra, quando a tua ave se pôs a gritar acima de ti, quando estavas no bosque, indeciso, sem saber para aonde ir, ao lado de um cadáver? Tu dizias então: "Guiem-me os meus animais!" Verifiquei que é mais perigoso viver entre os homens do que entre os animais. Aquilo era abandono.

E recordas-te, Zaratustra, quando estavas sentado na tua ilha, fonte de vinho entre barris vazios, dando de beber, e esvaziando-te constantemente, vertendo e te desvertendo entre os sequiosos, até que afinal foste o único sequioso entre bêbados, e tu lamentavas à noite: "Não há mais prazer em receber do que dar? E mais prazer em tirar do que receber?"

Aquilo era abandono!

E recordas-te, Zaratustra, quando chegou a tua hora mais "silenciosa", e que te arrebatou de ti mesmo, quando te segredou maliciosamente: "Diz o que tens de dizer e depois sucumbe!" Essa hora que te desgostou de tua espera e de teu silêncio, e que desencorajou o teu humilde silêncio.

"Aquilo era abandono!"

Oh! Solidão, solidão, minha pátria! Como é divina e terna a tua voz que me fala!

Nós não nos interrogamos, não nos queixamos um ao outro: francamente passamos juntos por portas abertas de par em par. Pois tudo em ti é franco e iluminado, e as próprias horas deslizam aqui mais rápidas.

Pois, na obscuridade, o tempo parece que nos pesa mais que na luz.

Aqui se me revela a essência e a expressão de todas as coisas: tudo o que existe quer exprimir-se aqui, e tudo o que está em vésperas de existir, quer aprender a falar de mim.

Lá, ao contrário, toda a palavra é vã! Lá, a melhor sabedoria é esquecer e seguir o seu caminho – foi o que eu aprendi.

Para compreender tudo entre os homens, seria mister prender-se a tudo que é deles; mas tenho as mãos demasiado limpas para tanto.

A mim, já não gosto de respirar o seu hálito. Ah! Ter eu vivido tanto tempo entre o seu ruído e o seu ar viciado.

Ó bendito silêncio que me envolve! Ó puros aromas que me cercam! Ó puro silêncio que arranca de meu peito um hálito puro! Ó como escuto este bendito silêncio! Lá ao contrário tudo fala e nada se ouve. Embora alguém anuncie o seu saber a toques de campainha, os merceeiros abafarão o som na praça pública com o tilintar das suas moedas.

Entre estes todos falam e já ninguém sabe compreender. Tudo cai à água; nada porém imerge em fontes profundas.

Entre eles tudo fala e nada atinge a uma conclusão! Tudo cacareja! Mas, quem é que quer ficar ainda no ninho a chocar os ovos?

Entre eles tudo fala, tudo se dilui em palavras. E o que ontem era ainda demasiado duro para o próprio tempo e para os seus dentes, hoje pende, é usado e moído entre os maxilares dos homens atuais.

Entre eles tudo fala, tudo se divulga. E o que antigamente se chamava mistério e segredo das almas profundas pertence hoje aos gaiatos das ruas e aos "camelôs."

Ó singular natureza humana! Bulício de vielas escuras. Agora que vos deixei atrás de mim, também o meu maior perigo fica para trás!

As contemplações e a compaixão foram sempre o meu maior perigo, e todos os seres humanos querem ser amparados e socorridos.

Com verdades dissimuladas, com mãos loucas, e enlouquecido coração, rico em piedosas mentirinhas, assim vivi sempre entre os homens.

Eu estava entre eles disfarçado, disposto a fazer-me desconhecer para tolerá-los, comprazendo-me em dizer: "Louco que és; tu não conheces os homens!"

Desaprende-se o que são os homens quando se vive entre eles. Há demasiadas afinidades em todos os homens. É preciso perspicazes e pervertidos olhos!

E se eles me desconheciam, eu louco, olhava-os ainda com mais indulgência do que a mim – pois estava acostumado a ser rigoroso para mim mesmo – frequentes vezes até me vingava em mim dessa indulgência.

Picados de moscas venenosas, e roído com as pedras pelas numerosas gotas da maldade, assim estava eu entre eles e ainda dizia comigo: "Tudo quanto há de pequeno é inocente de sua pequenez!"

Principalmente os chamados "bons" foram os que me pareceram as moscas mais venenosas: picam com toda a inocência; mentem com toda a inocência. Como *poderiam* ser justos para comigo?!

A compaixão ensina a mentir aos que vivem entre os homens. A compaixão torna carregada a atmosfera de todas as almas livres.

A estupidez dos bons é insondável.

Oculta-me a mim mesmo a minha riqueza: eis o que lá aprendi – porque todos se me mostravam demasiadamente pobres de espírito.

A mentira da minha compaixão foi olhar e sentir em cada um o que para ele era bastante espírito e o que era espírito *demais*.

Aos seus rígidos sábios, chamei-os sábios, mas não rígidos – aprendi assim a comer palavras. – Aos seus coveiros, chamei investigadores e observadores – aprendi assim a trocar as palavras.

Os coveiros contraem enfermidades à força de cavar sepulturas.

Sob velhos escombros dormem exalações insalubres. Não se deve remexer os atoleiros. É preciso viver nas montanhas.

Minhas narinas se deleitam em respirar de novo a liberdade dos montanheses. Afinal, libertaram-se as minhas narinas do cheiro de todos os seres humanos!

Estimulada pelas ásperas brisas como por vinhos espumantes, a minha alma buliçosa exclama contente: "À tua saúde!"

Assim falava Zaratustra.

Dos três males

I

"No meu último sonho de madrugada, encontrava-me em pé num promontório... para além do mundo; tinha uma balança na mão, e *pesava* o mundo.

Ó! Por que me surpreendeu a aurora demasiado cedo? Despertou-me com o seu ardente reflexo, a ciumenta! Que ela é sempre ciumenta do ardor dos meus sonhos matinais.

Medível para o que tem tempo, pesável para um bom pesador, acessível às asas vigorosas, decifrável para divinos decifradores de enigmas: assim me aparecia o mundo.

O meu sonho, atrevido navegante, entre baixel e rajada de vento, silencioso como a mariposa, impaciente como o falcão de raça – como teve paciência para pesar o mundo esta manhã!

Falar-lhe-ia em segredo a minha sabedoria, a minha sabedoria diurna, risonha e desperta, que zomba de todos 'os mundos infinitos'? Pois, diz ela: 'Onde há força, o *número* é senhor: é ele que tem mais força'.

Com que segurança o meu sonho olhou este mundo finito! Não era curiosidade, nem indiscrição, nem temor, nem súplica.

Como uma grande maçã redonda – uma maçã de ouro, madura, de fresca e macia pele –, assim se me apresentou o mundo.

Como se uma árvore me acenasse – uma árvore de grandes ramos, de vontade firme, curvada como para apresentar com o seu apoio o fatigado viandante: – assim estava o mundo do meu promontório.

Como se graciosas mãos me estendessem um cofrezinho aberto, para deleite dos meus olhares tímidos e respeitosos, assim hoje o mundo veio ao meu encontro.

Nem bastante enigmático para afugentar a ternura humana, nem bastante categórico para adormecer a sabedoria dos homens; uma boa coisa, humanamente boa: tal me pareceu hoje o mundo do qual tanto mal se diz.

Quanto agradecido estou ao meu sonho antes da aurora por me ter permitido assim pesar o mundo! Veio até mim como uma coisa humanamente boa, esse sonho consolador do coração!

E para proceder, como ele, para me servir de exemplo o que tem de melhor, quero pôr agora na balança os três males maiores, e pesá-los com toda humana bondade.

O mestre que ensinou a bendizer, ensinou também a amaldiçoar. Quais são as três coisas mais amaldiçoadas no mundo? São essas que quero pôr na balança.

A *voluptuosidade, o desejo de dominar, o egoísmo*; estas três coisas têm sido as mais malditas, as mais cruelmente difamadas e caluniadas até hoje; são estas três coisas que quero pesá-las com toda humana bondade.

Coragem! Eis aqui o meu promontório, e eis ali o mar que se espraia aos meus pés com mil carícias, correndo, o mar ondeado, esse cão velho e fiel, monstro de cem cabeças a quem eu estimo.

Coragem! Vou colocar minha balança acima do mar onduloso, e vou escolher uma testemunha que nos observará. Serás tu, árvore querida!

Por que ponte vai o presente para o futuro? Qual é a força que compele o que é alto a baixar-se? E como poderemos fazer erguer ainda mais o que é mais elevado?

Agora a balança está imóvel, e em equilíbrio: lancei nela três pesadas perguntas: o outro prato sustém três pesadas respostas."

II

Voluptuosidade: para todos os desprezadores do corpo, cingidos de cilício, aguilhão e mortificação, e "mundo" maldito para todos os que creem em além-mundos, porque ela ri e zomba de todos os heréticos.

Voluptuosidade: para os infames, o fogo lento em que são consumidos, para toda a madeira carcomida e todos andrajos podres, o grande forno ardente.

Voluptuosidade: para os corações livres, inocente e livre, as delícias do jardim terrestre, transbordante gratidão do futuro para o presente.

Voluptuosidade: veneno deleitoso somente para os melancólicos; mas para os que têm a vontade do leão, o cordial supremo, o vinho dos vinhos, que religiosamente é poupado.

Voluptuosidade: grande felicidade simbólica para a ventura e para a esperança superior. Que há muitas coisas a que é permitido o consórcio, e mais que o consórcio, muitas coisas que são mais estranhas para si do que o homem para a mulher; e quem já compreendeu até que ponto são estranhos, um para o outro, o homem e a mulher?

Voluptuosidade... Mas quero prender os meus pensamentos e também as minhas palavras, para que os sórdidos e os exaltados não invadam os meus jardins.

Desejo de dominar: o açoite pungente dos mais duros de todos os corações endurecidos, o martírio espantoso reservado ao mais cruel, a chama das fogueiras onde se queimam carnes vivas.

Desejo de dominar: o afã que sentem os povos mais orgulhosos, o que zomba de todas as virtudes incertas, cavaleiro que cavalga sobre todas as montarias e todos os orgulhos.

Desejo de dominar: o tremor da terra que quebra e derrube tudo quanto é velho e oco, alude destruidor que rola rugindo e arrebentando os sepulcros caiados, relâmpago de interrogação que surge ao lado das respostas prematuras.

Desejo de dominar: ante cujo olhar se arrasta, se humilha e se serviliza o homem, descendo mais abaixo do que a cobra e o suíno, até a hora em que nele se desperte o grande desprezo.

Desejo de dominar: o terrível mestre que ensina o grande desprezo, que prega abertamente às cidades e aos impérios: "Sai-te daí!" até que afinal exclama ele próprio: "Saio-me eu!"

Desejo de dominar: tu que ascendes também até aos puros e aos solitários, a fim de os atrair, tu que até ascendes aos montes e às alturas que satisfazem a si mesmas, ardente como um amor que vem pintar no céu terrestre sedutoras beatitudes purpúreas.

Desejo de dominar: como chamar de vício a essa grandeza que condescende ao poder? Na verdade, nada há de mórbido, nada de cupido em tais desejos, em tais condescendências.

Não se condene a altura solitária à eterna solidão, a contentar-se consigo mesma, pois que desçam as montanhas para os vales e os ventos das alturas para as planícies!

Ó! Quem poderia dizer o verdadeiro nome, o nome virtuoso, para batizar e honrar semelhante desejo? "Virtude dadivosa", assim o chamou Zaratustra noutro tempo a essa coisa inefável.

E também então – e na verdade o foi pela primeira vez – com a sua palavra elogiou o *egoísmo*, o bom e são egoísmo, que brota da alma poderosa, da alma poderosa à qual corresponde o corpo elevado, belo, vitorioso e reconfortante aos meus olhos, do qual todas as coisas ambicionam ser espelho; o corpo flexível e sedutor, um dançarino cujo símbolo e expressão é a alma contente de si mesma.

Ao próprio contentamento de tais corpos de tais almas chama-se "Virtude".

Esse amor de si protege-se por meio de fórmulas do bem e do mal, como se rodeasse de bosques sagrados; os nomes que dá à ventura afastam dele, como por encanto, tudo o que é desprezível.

Desterra para longe de si tudo quanto é covarde, e diz: mal é ser covarde.

Despreza os corações preocupados, que se lamentam, doentios, e juntam até os mais humildes proveitos.

Despreza também toda a sabedoria infeliz: porque também há sabedoria que floresce na obscuridade, uma sabedoria de sombra noturna, como a que não cessa de suspirar: "tudo é vão!"

Não estima a medrosa desconfiança, nem aqueles que exigem juramentos em vez de olhares e apertos de mãos, nem tampouco a sabedoria desconfiada demais, o que é próprio das almas covardes.

Ainda mais baixo lhe parece o obsequioso cão que se deita, depois, de costas, o humilde; pois também há uma sabedoria humilde, rasteira, piedosa e obsequiosa.

O que odeia acima de tudo, o que lhe repugna, é aquele que nunca se quer defender, aquele que engole as salivas venenosas e os olhares de revés, ao pacientíssimo que tudo suporta e com tudo se contenta: porque isso é próprio do canalha servil.

Se há alguém que é servil ante os deuses e os pés divinos ou ante os homens e ante as estúpidas opiniões dos homens, a todo esse servilismo cospe na cara este bendito egoísmo.

Mau; assim chama a tudo o que é baixo, ruim e servil, aos olhos vesgos e submissos, aos corações contritos, e a essas criaturas falsas e rasteiras, que beijam com grossos lábios moles.

E pseudossabedoria: chama assim às insulsas pretensões da gente servil, os velhos e dos aborrecidos, e sobretudo à absurda loucura supersticiosa e pedante dos sacerdotes.

Mas todos esses sábios senis, todos esses sacerdotes, enfastiados do mundo, todas essas almas efeminadas e de escravo, ah! como têm perseguido o egoísmo com as suas manhas!

E seria propriamente virtude, e chamaram virtude tudo o que persegue o egoísmo!

E todos esses covardes desgostosos de si mesmos, todas essas aranhas porta-cruzes desejariam viver sem egoísmo!

Para todos eles, porém, há de chegar o dia, a metamorfose, a clava da justiça, o Grande Meio-dia, em que todas as coisas serão reveladas.

E aquele que proclama que o Eu é são e sagrado, e o egoísmo desejável, aquele que é o profeta do Grande Meio-dia, diz também porque já o sabe: *"Eis que vem, eis que se aproxima o Grande Meio-dia!"*

Assim falava Zaratustra.

Do espírito de Pesadume

I

"O meu modo de falar – é o do povo: linguagem forte e franca demais para os delicados. A minha palavra, porém, ainda parece mais estranha aos escrevinhadores e desenhadores de toda espécie.

A minha mão – é a de um louco: pobre de todas as mesas e de todas as paredes e de quanto ofereça espaço para rabiscos e borrões de louco!

O meu pé – é casco de cavalo; com ele troteio e galopo por montes e vales, de cá para lá, e o transporte de toda a carreira rápida dá-me um prazer diabólico.

Meu estômago, talvez seja estômago de águia. Pois o que prefere é a carne dos cordeiros. Em todo caso é estômago de pássaro.

Sustentado com coisas inocentes e com pouco, sempre pronto a voar, e impaciente por alçar voo: eis como sou. Como não ter algo de pássaro?

E eu sou como uma ave, sobretudo por ser inimigo do espírito do Pesadume: inimigo deveras mortal, inimigo jurado, inimigo nato!

Onde não voou já a minha inimizade!

Sobre este ponto poderia entoar um canto... e quero entoá-lo, conquanto esteja só numa casa vazia e tenha que o cantar aos meus próprios ouvidos.

Há também outros cantores que necessitam de uma sala cheia para ter a garganta expedita, a mão eloquente, expressivo o olhar e o coração desperto – eu, porém, não me assemelho a eles.

II

Aquele que um dia ensinar os homens a voar, destruirá todas as fronteiras; fará saltar pelos ares todas as fronteiras e dará à terra um novo nome, e chamá-la-á a 'Leve'.

O avestruz corre mais veloz que o mais veloz corcel: mas também enterra ainda pesadamente a cabeça na pesada terra; assim também o homem que ainda não sabe voar.

A terra e a vida parecem-lhe pesadas, e é o que quer o espírito do Pesadume! Mas aquele que desejar ser leve como um pássaro deve amar-se a si mesmo: é o que eu ensino; não do amor dos doentios e febris – porque nestes até o amor-próprio cheira mal.

É preciso aprender a amar-se a si próprio, é a minha doutrina, com um amor íntegro e são, a fim de aprender a ficar-se em si mesmo, em vez de vagabundear em todos os sentidos.

Tal vagabundear chama-se 'amor ao próximo', e não há expressão que tenha servido mais para cobrir de mentiras e hipocrisias, do que esta, sobretudo por parte daqueles a quem todo o mundo tolera dificilmente.

E não é um mandamento para hoje nem para amanhã este de *aprender* a amar-se a si mesmo. É, pelo contrário, a mais sutil, a mais astuta, a última e a mais paciente de todas as artes.

O que possuímos está-nos sempre oculto; e de todos os tesouros o que mais tarde se descobre é o que nos pertence em propriedade: assim o quis o espírito do Pesadume.

É quase no berço que nos dotam de pesadas palavras, e pesados valores chamados 'bem' e 'mal' –

pois tal é o nome desse patrimônio. – Ao preço desses valores, desculpam-nos viver.

E se os homens deixam aproximar de si as crianças é para impedi-las a tempo de se amarem a si próprias: tal é a obra do espírito do Pesadume.

E nós... arrastamos fielmente aquilo com que nos carregam, sobre duros ombros e por áridos montes! – Se suamos, dizem-nos: 'É verdade: a vida é uma carga pesada!'

A única coisa pesada, porém, para o homem levar, é o próprio homem! É que arrasta aos ombros demasiadas coisas estranhas. Como o camelo, ajoelha-se e deixa-se carregar bem.

Principalmente o homem forte e resistente, cheio de veneração; esse carrega aos ombros demasiadas palavras e pesados valores que lhe são *estranhos* – e a vida parece-lhe então um deserto.

E, na realidade, muitas coisas que nos são *próprias* são também pesadas de levar!

E o interior do homem parece-se muito com a ostra: repelente, viscosa e difícil de apanhar, de tal forma que uma nobre concha de nobres adornos se vê obrigada a interceder em seu favor.

Mas também se deve aprender essa arte, quero dizer: a arte de fazer-se casca, de ter uma bela aparência e uma sábia cegueira.

E ademais nos enganamos muito acerca do homem, por haver muita casca pobre e triste, de excessiva grossura. Há muita força e bondade ocultas que jamais se adivinharam: os manjares mais esquisitos não encontram afeiçoados.

As mulheres o sabem, pelo menos as mais delicadas: um pouco mais, um pouco menos de carnes, ó quanto destino em tão pouca coisa!

O homem é difícil de descobrir, sobretudo quando se trata de descobrir a si mesmo. O espírito mente muitas vezes a respeito da alma.

Eis a obra do espírito do Pesadume.

Mas aquele que sonha descobrir a si mesmo, proclama: 'Este é o meu bem e o meu mal'. De um golpe fechou a boca a esse míope, a esse anão que diz: 'Bem para todos, mal para todos'.

Em verdade, também me não agradam aqueles para quem todas as coisas são boas, e que chamam a este mundo o melhor dos mundos.

Chamo-lhes omnissatisfeitos.

A felicidade de gostar de tudo não é o melhor dos gostos. Louvo as línguas delicadas e os estômagos escrupulosos que aprenderam a dizer: *Eu, sim e não*.

Mastigar e digerir tudo, porém... é bom para os suínos.

Dizer sempre sim, isso só para os asnos e os da sua espécie.

O que o meu gosto deseja é o amarelo intenso e o vermelho quente – mistura de sangue com todas as cores. – Mas aquele que caia a casa de branco revela ter uma alma caiada de branco.

Uns, enamorados de múmias; outros, de fantasmas, e todos igualmente inimigos da carne e do sangue: como me repugnam todos!

Eu gosto é do sangue. Eu não quero estar nos lugares em que qualquer um anda e cospe: este é o meu gosto. Prefiro viver entre perjuros e ladrões. Ninguém tem ouro na boca.

Repugnam-me ainda mais os engolidores de saliva; e ao animal mais repugnante que tenho visto entre os homens, chamei-o parasita: aquele que não quer amar e quer viver do amor que lhe devotem.

Desgraçados são para mim todos aqueles que só podem escolher entre duas coisas: tornarem-se animais ferozes ou ferozes domadores de animais. Não erguerei a minha tenda ao seu lado.

Desgraçados são para mim também os que têm de estar sempre *à espera*. Repugnam-me esses guardas aduaneiros, merceeiros, reis e guardiães de países e de lojas!

Eu também aprendi profundamente a esperar, mas a esperar-me a mim. E aprendi sobretudo a ter-me de pé, a andar, a correr, a saltar, a trepar e a bailar.

Esta é a minha doutrina: quem quer aprender a voar um dia, deve desde já aprender a manter-se de pé, a andar, a correr, a saltar, a trepar e a bailar: não se aprende a voar ao primeiro alçar das asas!

Com escadas de corda aprendi a escalar mais de uma janela; com pernas ágeis trepei a elevados mastros. Não me parecia pequena ventura encontrar-me no cimo dos altos mastros do conhecimento, oscilando como um fanal: uma luzinha apenas, mas como um grande consolo para as embarcações encalhadas e para os náufragos.

Cheguei à minha verdade por muitos caminhos e de muitas maneiras; usei mais de uma escada para alcançar a altura de onde os meus olhos olham os longínquos espaços.

Foi sempre contrariado que perguntei pelo caminho. – Sempre me repugnou fazê-lo. Sempre preferi interrogar os próprios caminhos e experimentá-los.

Experimentar e interrogar: é a minha maneira de avançar, e, na verdade, é preciso *aprender* a responder a semelhantes perguntas.

Eis o meu gosto: não é um gosto bom nem mau; mas é o meu gosto, e não tenho que o ocultar nem dele me envergonhar.

'Este é agora o meu caminho: onde está o vosso'. Era o que eu respondia aos que me perguntavam '*o caminho*'. Que o 'caminho', na verdade... o caminho não existe."

Assim falava Zaratustra.

Das antigas e das novas tábuas

I

"Eis-me cercado de antigas tábuas quebradas, e também de tábuas semigravadas. Quando chegará a minha hora?

A hora do meu descer e do meu parecer, pois quero voltar *mais uma vez* para junto dos homens.

Eis o que espero *agora*: hão de vir os sinais indicadores da *minha* hora: o leão risonho, cercado de um bando de pombas.

Entretanto, como tenho tempo, falo comigo mesmo. Ninguém me narra coisas novas; por conseguinte, vou narrar-me a mim mesmo.

Quando vim para o lado dos homens, achei-os fortificados numa antiga presunção: todos julgavam saber há muito tempo o que é bem e mal para o homem.

Toda a discussão sobre a virtude lhes parecia coisa velha e gasta, e quem quisesse dormir tranquilamente, falava do 'bem' e do 'mal' antes de se deitar.

Eu sacudi essa sonolência quando ensinei: *Ninguém sabe ainda* o que é bem e mal... a não ser o criador.

Mas o Criador é aquele que cria um fim para os homens e que fixa à terra seu sentido e seu futuro. Dele somente depende que uma coisa seja boa ou má.

II

E eu ordenei-lhes que derribassem as suas antigas cátedras, e onde quer que existisse essa estranha presunção, mandei-os rir dos seus grandes mestres da virtude, dos seus santos, dos seus poetas e dos seus salvadores do mundo.

Mandei-os rir dos seus sábios austeros, e de todos os negros espantalhos, colocados como uma ameaça na árvore da vida.

Sentei-me à beira da sua grande avenida de sepulturas, até entre cadáveres e abutres, e ri-me de todo o seu passado e do podre esplendor desse passado em ruínas.

À semelhança dos pregadores de quaresma e dos loucos, fulminei anátemas contra todos os seus bons, grandes e pequenos. – Como é pequeno o melhor deles! E igualmente pequeno o pior! – Assim me ria.

Meu sábio desejo exalava-se nesses gritos e nesses risos, um desejo nascido sobre os montes, uma sabedoria selvagem na verdade, meu grande desejo de asas frementes.

E frequentemente o meu desejo me levou muito longe, mais além, para o alto, cercado de sorrisos; eu então voava, estremecendo como uma flecha através dos êxtases ébrios de sol, voava para remotos futuros que nenhum sonho ainda vira, para meios-dias mais cálidos que aqueles que jamais pode sonhar a fantasia, para países onde os deuses, em sua dança, se envergonhariam de qualquer vestido (e eis que eu falo em parábolas, e balbucio como o fazem os poetas, e, na verdade, envergonho-me de ser ainda poeta).

Tenho a visão de onde todo o devir me parecia danças e travessuras divinas, onde o mundo liberto e impetuoso refugiava-se em si mesmo; como um eterno fugir e procurar de inumeráveis deuses, que encontraram prazer em contradizer-se, depois se entender, e afastarem-se outra vez.

Tenho a visão de onde e quando o próprio tempo me parecia uma deliciosa zombaria divina para com os instantes, onde a necessidade era a própria liberdade, que brincava satisfeita com o aguilhão da liberdade. Tenho a visão do inimigo nato, o espírito do Pesadume, e de tudo quanto foi criado por ele; a coação, a lei, a necessidade, a consequência, o fim, a vontade, o bem e o mal.

Pois não é *necessário* haver coisas *além* das quais se possa dançar e delas libertar-se dançando? Não é necessário que haja, por causa dos leves e dos mais leves, míopes e pesados anões?

III

Foi também no meu caminho que apanhei a palavra 'Além-Homem', e esta doutrina: o homem é algo que deve ser superado.

O homem há de ser uma ponte, e não um fim: que deverá bendizer as horas do meio-dia e da tarde; que são o caminho de novas auroras.

Foi aí que encontrei o verbo de Zaratustra sobre o grande Meio-dia, e tudo quanto fiz luzir acima da cabeça dos homens, como a púrpura dos novos crepúsculos.

Fiz-lhes, também, ver novas estrelas e noites novas, e acima das nuvens, os dias e as noites, e estendi o riso como um tapete de mil cores.

Ensinei-lhes todos os *meus* pensamentos e todas as minhas aspirações: a concentrar e a unir num *todo* o que no homem não é mais que fragmento e enigma, e pavoroso azar.

Como poeta, como decifrador de enigmas, como redentor do azar, ensinei-os a serem criadores do futuro e a salvar com a sua atividade criadora tudo quanto foi.

Salvar o passado no homem e transformar tudo 'o que foi', até que a vontade diga: 'Mas eu quis que fosse assim! Assim o hei de querer!'

Eis o que chamei a sua redenção, eis o que lhes ensinei a chamar redenção.

Agora espero a minha própria redenção, para poder voltar pela última vez para o lado deles.

Pois, mais uma vez quero voltar para o lado dos homens: quero desaparecer entre eles, e quero, ao morrer, oferecer-lhes o meu presente mais rico e mais faustoso.

Quero deste modo imitar o sol poente, o opulento astro que derrama sobre o mar o ouro de sua riqueza inesgotável, para que até os mais pobres pescadores remem com dourados remos! Vi isto uma vez, e enquanto o via, as lágrimas não se cansaram de correr...

IV

Será como sol que Zaratustra perecerá; está agora à espera das velhas tábuas quebradas, e também de tábuas novas... semigravadas com sinais.

Vede; tendes aqui uma nova tábua; mas onde estão os meus irmãos que me ajudarão a levá-la ao vale e aos corações de carne?

Assim o exige o meu grande amor aos mais afastados: *não poupes o teu próximo!* O homem é o que deve ser superado.

Há múltiplos caminhos e meios para a superação; isto compete a ti!

Mas só um jogral pensa: 'Também se pode *saltar por cima do homem*'.

Supera-te a ti mesmo, até no teu próximo, e não consintas te deem um direito que possas conquistar.

O que tu fazes ninguém te pode tornar a fazer. Vês, não há recompensa. O que não pode mandar em si mesmo deve obedecer. E mais de um *é capaz* de mandar em si mesmo, mas é preciso que saiba obedecer a si mesmo.

V

Tal é a condição das almas nobres: elas nada querem ter gratuitamente, e, menos que tudo, a vida.

O homem vulgar quer viver sem nada dar em troca, mas nós, a quem a vida se deu, pensamos sempre no melhor que lhe poderíamos dar em troca.

E, na verdade, eis uma nobre linguagem: 'As promessas que a vida nos faz a nós, cabe-nos mantê-las à vida'.

Não se deve buscar o prazer se não temos prazer a dar. Não se deve *querer apenas o prazer*.

Pois o gozo e a inocência são as coisas mais pudicas: cuidemo-nos de procurá-las.

É preciso *possuí-las*: do contrário, melhor ainda seria *procurar* a culpa e a dor.

VI

Meus irmãos, aquele que é um precursor há de ser sempre sacrificado; e nós agora somos precursores.

Todos sangramos no altar secreto dos sacrifícios, todos ardemos e nos consumimos em honra dos velhos ídolos.

O que ainda temos de melhor é ainda novo: excita o paladar dos velhos. A nossa carne é tenra, a nossa pele não é mais do que uma pele de cordeiro: como não havemos de excitar os velhos sacerdotes idólatras?

Em nós mesmos respira ainda o velho sacerdote idólatra, que se prepara para celebrar um festim com o melhor que temos. Ai, meus irmãos! Como não hão de ser os precursores sacrificados!

Mas assim o quer a nossa condição, e eu amo os que se não querem preservar. Amo de todo o meu coração os que desaparecem porque passarão para o outro lado.

VII

Ser verídico... poucos o sabem! E quem o sabe não o quer ser!

E menos que ninguém, os bons. Ó, esses bons. *Os bons nunca dizem a verdade*: ser bom de tal maneira é uma enfermidade do espírito.

Estão sempre prontos a ceder esses bons: rendem-se. Seu coração aprova... e eles obedecem com toda a alma; mas aquele que escuta a todo o mundo não ouve a si mesmo!

É preciso reunir tudo quanto os bons chamam mau para produzir uma só verdade. Ó meus irmãos, sois bastante maus para produzir uma tal verdade?

A audácia temerária, a prolongada desconfiança, a recusa cruel, o desgosto, ferro que corta o vivo... como é raro reunir isto tudo!

De tais sementes é que nasce, contudo, a verdade.

É ao lado da consciência réproba que cresceu e se desenvolveu todo o saber até hoje! Quebrai, quebrai, ó vós que aspirais ao conhecimento, as antigas tábuas!

VIII

Quando há madeiras estendidas sobre a água, quando há pontezinhas e parapeitos através do rio, ninguém dá crédito a quem diga: 'Tudo flui'.

Pelo contrário: até os imbecis o contradizem. 'Quê! – exclamam. – Tudo flui? Então os madeiros e os parapeitos que estão sobre o rio?'

Por cima do rio tudo é sólido; todos os valores das coisas, os conceitos, todo o 'bem e mal', tudo isso é sólido.

E quando vem o rude inverno, o domador do rio, os mais maliciosos aprendem a desconfiar; e não são só os imbecis que dizem então: 'Não estaria tudo imóvel?'

'No fundo tudo permanece imóvel': eis um verdadeiro ensinamento do inverno, uma boa coisa para os tempos estéreis, um bom consolo para o sono hibernal e para os sedentários.

'No fundo tudo permanece imóvel'; mas o vento do degelo protesta contra tais palavras.

É o vento do degelo, um vento que não lavra, um touro furioso e destruidor que quebra o gelo com hastes coléricas! O gelo, por sua parte, *quebra as pontezinhas*!

Ó, meus irmãos! Não *flui agora tudo*? Não caíram à água todos os parapeitos e todas as pontezinhas? Quem poderia agora *segurar-se* no bem e no mal?

Ai de nós! Glória a nós! Sopra agora o vento do degelo! Pregai isso através de todas as ruas, meus irmãos.

IX

Outrora, acreditava-se em adivinhos e astrólogos, e *eis porque* se acreditava que tudo é fatalidade: 'É o teu dever porque é necessário'.

Mais tarde, desconfiou-se de todos os adivinhos e astrólogos, e eis por que se acreditou: 'Tudo é liberdade; pedes o que queres!'

Ó, meus irmãos, tudo quanto se acreditou sobre as estrelas e sobre o futuro nada mais foi que conjecturas, e nada se soube ao certo, e eis por que sobre o bem e o mal não se tem feito senão conjeturar, e nada se soube nunca.

X

'Não furtarás! Não matarás!' Estas palavras eram santas outrora; perante elas dobravam-se os joelhos, baixavam-se as cabeças e descalçavam-se as sandálias.

Eu pergunto-vos, porém: onde houve jamais no mundo melhores salteadores e assassinos, que estas santas palavras?

Não há na própria vida furto e assassínio? E ao santificar estas palavras, não se assassinou a própria verdade?

Ou não seria pregar a morte santificar tudo o que contradiz e desaconselha a vida? Ó meus irmãos! Quebrai as antigas tábuas.

XI

O que me dá pena no passado é que eu o vejo entregue sem defesa à mercê do arbítrio, das disposições, dos desvarios de cada geração que chega, e olha tudo o que existiu como uma ponte que leva até ela.

Poderia vir um grande déspota, um demônio cheio de astúcia, que violentasse arbitrariamente todo o passado, e o forçasse a servir de prognóstico, de arauto, de canto de galo.

Mas conheço um outro perigo e outro motivo de dó: a memória do homem comum sobe até o seu avô, mas além do avô acaba o tempo.

Por isso, todo o passado fica ao abandono: porque um dia poderia suceder que a populaça dele se tornasse senhor, e todo o tempo se afogasse em águas superficiais.

Eis por que, meus irmãos, é preciso uma *nova nobreza*, adversária de toda a populaça e todo o despotismo, e que escreva novamente, em novas tábuas, a palavra 'nobre'.

Pois são necessários muitos nobres e de essência diversa, para haver nobreza! Ou como já o disse numa parábola: 'A divindade consiste, precisamente, em haver deuses, e não Deus!'

XII

Ó, meus irmãos! Eu vos consagro e edifico em vós uma nova nobreza. – Vós sereis, eu o quero, os pais, os educadores e semeadores do futuro.

Na verdade, não será uma nobreza que possais adquirir como merceeiros e com ouro de merceeiros, porque tudo quanto tem pouco valor tem preço.

Não poreis mais a vossa honra nas vossas origens, mas no termo para aonde ides! Que a vossa vontade e a vossa decisão de ir além de vós mesmos constituam a vossa nova honra!

Na verdade, vossa honra não será a de ter servido um Príncipe – que importam já os Príncipes! Ou em vos terdes tornado muralha do existente para o existente ser mais sólido.

Não será por que vossa linguagem tenha aprendido nas cortes maneiras corteses e em terdes aprendido, como o flamengo, a estar durante longas horas à beira do lago; porque saber estar de pé é um mérito nos cortesãos; e todos os cortesãos julgam que após a morte a beatitude consistirá em poder sentar-se.

Nem tampouco em que um espírito a que chamam Espírito Santo tenha conduzido os vossos ascendentes a essa Terra Prometida, que nada promete de bom; pois o país, onde brotou a pior das árvores, a árvore da cruz – nada tem de bom a me prometer!

E na verdade, onde esse 'Espírito Santo' tenha conduzido os seus paladinos, tais cortejos trazem sempre na *vanguarda* cabras, gansos, cruzados e tresloucados.

Ó, meus irmãos! Que vossa nobreza não olhe para trás, mas *para diante de vós!* Sereis expulsos de todas as pátrias e de todos os países dos vossos ascendentes.

Deveis amar o *país dos vossos filhos*: seja este amor a vossa nobreza; o país a descobrir no meio de longínquos mares. É o que eu ordeno às vossas velas: que procurem sem cessar.

Deveis *redimir-vos* em vossos filhos de serdes filhos de vossos pais; assim libertareis todo o passado. Esta é a nova tábua que ergo acima de vós!

XIII

'Para que viver? Tudo é vão! Viver... é trilhar palha. Viver... é consumir-se sem chegar a se aquecer'.

Estas velhas cantilenas passam ainda por 'sabedoria': são estranhas, trescalam a ranço; por isso são mais honradas. A podridão é também um título de nobreza.

Crianças podiam falar assim. Elas *temem* o fogo que já as queimou. Há muita puerilidade nos antigos livros da sabedoria.

E o que sempre trilha palha, como teria o direito de zombar quando se maneja o flagelo? Seria preciso amordaçar tais loucos! Estes sentam-se à mesa sem levar nada, sem sequer um bom apetite, e depois blasfemam: 'Tudo é vão!'

Mas comer e beber bem, meus irmãos, não é, na verdade, uma arte vã. Quebrai, quebrai-me as tábuas dos eternamente descontentes!

XIV

'Para os puros tudo é puro'. – Assim fala o povo. – Mas eu vos digo: 'Para os porcos tudo é porco!'

Por isso os fanáticos e os que curvam a cerviz, os que têm o coração inclinado, pregam: 'O mundo é apenas um monstro lamacento!'

Porque eles são espíritos sujos, especialmente os que não se dão paz nem sossego enquanto não veem o mundo *por detrás*: são os crentes em além-mundos.

A esses lhes direi na cara, embora não lhe seja agradável ouvir: o mundo parece-se com o homem por ter também traseiro; é verdade!

Há no mundo lama; é verdade! Mas nem por isso o mundo é um monstro lamacento!

É sensato haver no mundo muitas coisas que cheiram mal. O próprio asco dá asas e forças para pressentir mananciais!

Até nos melhores há qualquer coisa repugnante, e até o melhor de todos é coisa que se deve superar!

Ó, meus irmãos, é da própria sabedoria que haja muita lama no mundo!

XV

Eu já ouvi piedosos crentes em além-mundos dizerem à sua consciência palavras como estas, e na verdade, sem malícia, nem zombarias embora na terra nada haja mais falso nem pior: 'Deixai o mundo ser mundo! Não movais sequer um dedo contra ele!'

'Deixai as pessoas estrangularem-se, traspassarem-se, e pulverizarem-se; não movais sequer um dedo para vos opordes a isso.

Assim aprendereis a renunciar ao mundo'.

'E quanto à tua própria razão, estrangula-a tu mesmo, porque essa razão é deste mundo. Assim aprenderás a renunciar este mundo.'

Quebrai, quebrai, meus irmãos, essas velhas tábuas desses devotos! Aniquilai as máximas desses caluniadores do mundo!

XVI

'Aquele que aprende muito esquece todos os desejos violentos.' Assim se murmura hoje em todas as vielas escuras.

'A sabedoria fatiga; nada vale um esforço – não deves cobiçar.' Também encontrei esta nova tábua suspensa até nas praças públicas.

Quebrai, meus irmãos, quebrai também essa *nova* tábua! Erigiram-na os enfastiados do mundo, os pregadores da morte e os carcereiros: porque ela é também um apelo ao servilismo.

Eles têm aprendido mal, e não as coisas melhores, e tudo cedo demais e depressa demais: comeram mal e revolveu-se-lhes o estômago: que um estômago revolto é esse espírito, que aconselha a morte; porque o espírito, meus irmãos, é verdadeiramente um estômago.

A vida é uma fonte de alegria! Mas para aquele que deixa falar o estômago sobrecarregado, pai de toda aflição, todas as fontes parecem envenenadas.

Conhecer é um *gozo* para quem tem vontade de leão. Mas o que se fatigou é tão somente 'querido'; é joguete de todas as ondas.

E assim fazem todos os débeis, perdem-se no caminho. E o seu cansaço acaba por perguntar a si mesmo: 'Por que seguimos este caminho? Tudo é igual!'

É a eles que agrada ouvir pregar: 'Nada vale a pena! Não devemos querer!' Mas isso, é ainda um apelo ao servilismo.

Ó, meus irmãos! Zaratustra chega como uma rajada de vento fresco para todos os que estão cansados do seu caminho; ainda há de fazer espirrar muitas narinas!

O meu hálito livre sopra através das paredes, penetrando nas prisões e nos espíritos prisioneiros!

Querer liberta, porque o querer é criador: assim ensino eu. E é só para aprender a criar que precisais aprender!

E só de mim aprendeis agora a *aprender*, a aprender bem. Quem tiver ouvidos que ouça!

XVII

Aí está a barca; voga ali talvez para o grande nada. Quem quererá, porém, embarcar para esse 'talvez'?

Nenhum de vós quer embarcar na barca da morte! Como pretendeis estar *cansados do mundo!*

Cansados do mundo! E nem sequer estais desprendidos da terra! Eu sempre vos encontrei desejosos da terra, enamorados da vossa própria lassidão terrestre!

Nem é em vão que tendes o lábio caído: ainda nele pesa um desejozinho terrestre! E em vosso olhar não flutua uma nuvenzinha de alegria terrestre que ainda não esquecestes?

Há na terra muitas boas invenções, umas úteis, outras agradáveis; é por elas que ainda se ama a terra.

E algumas invenções são tão engenhosas que, como o seio da mulher, são úteis e agradáveis ao mesmo tempo.

Mas vós, porém, fatigados do mundo e preguiçosos, é preciso sacudir-vos com vergastas! A vergastadas aprendereis a servir-vos de vossas pernas!

Pois, a não ser que sejais enfermos, desses seres gastos, de quem a terra está fatigada, sois preguiçosos ladinos ou gatos gulosos e casmurros, que só buscam o seu prazer.

E se não quereis tornar a correr alegremente, o melhor é desaparecerdes.

Não devemos nos empenhar em ser médicos dos incuráveis; assim ensina Zaratustra. Deveis desaparecer, pois!

Mas é necessário mais coragem para concluir do que para fazer um novo verso; todos os médicos o sabem, e todos os poetas.

XVIII

Ó, meus irmãos, há tábuas criadas pela fadiga e tábuas criadas pela preguiça e pela podridão; conquanto expressem o mesmo, querem ser ouvidas de maneira diferente.

Vede este prostrado! Falta-lhe apenas um passo para chegar ao fim, mas deitou-se desesperado no chão, esse bravo!

Simplesmente rendido, boceja à vista do caminho, da terra, do seu fim e de si mesmo: não quer dar mais um passo, esse bravo!

O sol agora o queima, e os cães quereriam lamber-lhe o suor; mas está caído obstinadamente, e prefere deixar-se morrer, morrer a um passo do fim! Na verdade, ser-vos-á preciso levantá-lo pelos cabelos até o seu céu, esse herói! Mais vale, na verdade, deixá-lo onde caiu, e que o sono venha reconfortá-lo, com um rumor de chuva refrigerante.

Deixai-o deitado até despertar de si mesmo, e que repila de si mesmo todo o cansaço e tudo o que, nele, ensina o cansaço.

O que haveis de fazer, meus irmãos, é afastar deles os cães, os preguiçosos sorrateiros e todos esses vermes invasores.

Todos esses vermes invasores da gente 'ilustrada', que se alimenta do suor dos heróis!

XIX

Eu traço à minha volta círculos e santas fronteiras: cada vez são mais raros os que sobem comigo por montanhas cada vez mais elevadas. Eu construí uma cadeia de montanhas cada vez mais santas.

Mas aonde quer que desejeis subir comigo, irmãos, olhai não haja *parasitas* que subam convosco!

Um parasita é um verme rasteiro e insinuante que quer engordar com todas as vossas intimidades enfermas e feridas.

É esta a sua arte: adivinhar onde estão, fatigadas, as almas que sobem. Na vossa aflição, no vosso descontentamento, no vosso frágil pudor constrói o seu repugnante ninho.

Onde o forte é débil, onde o nobre é demasiado indulgente, é ali que constrói o seu repugnante ninho; o parasita habita onde o grande tem pequenas feridas.

Qual entre os vivos a espécie de seres mais elevada, e qual a mais baixa?

O parasita é a espécie mais baixa, mas o da espécie mais alta é aquele que alimenta mais parasitas.

Como não transportaria sobre si o maior número de parasitas a alma que tem a escala mais vasta, e pode descer até o mais baixo?

A alma mais vasta, aquela que traz em si o maior espaço para correr, extraviar-se e errar; a alma que traz em si o máximo da necessidade, que por prazer se precipita no azar, a alma plena de ser e que se submerge na corrente do devir, a alma que possui tudo, e ademais se lança voluntariamente no querer e no desejo, a alma que foge de si mesma, a fim de se encontrar no mais amplo círculo; a alma mais sensata, a quem a loucura convida mais docemente, a alma que se ama mais a si mesma, na qual todas as coisas têm o seu fluxo e o seu refluxo... Ó, como não havia a *alma superior* de ter os piores parasitas?

XX

Ó, meus irmãos, acaso serei cruel? Mas eu vos digo: ao que cai é ainda mister empurrá-lo! Tudo o que é de hoje cai e sucumbe; quem, pois, o quereria deter? Eu, pela minha parte, ainda quero empurrá-lo.

Conheceis a voluptuosidade que precipita as pedras nas profundidades? Vede os homens de hoje! Olhai como rondam pelas minhas profundidades!

Eu sou um prelúdio que anuncia melhores atores, ó meus irmãos! Eu sou o exemplo! Segui o meu exemplo!

E a quem não ensinardes a voar, ensinai-lhe... *cair mais depressa!*

XXI

Agradam-me os valentes: mas não basta ser uma boa espada: é preciso saber também a quem se fere!

E muitas vezes há mais valentia em se inibir e seguir adiante, a fim de se reservar para um mais digno adversário.

Vós deveis ter somente inimigos dignos de ódio, mas não inimigos dignos de desprezo: é mister estardes orgulhosos do vosso inimigo: já uma vez vo-lo ensinei.

É mister reservardes-vos para o inimigo mais digno, meus amigos, por isso há muitos diante dos quais deveis passar; sobretudo ante a canalha numerosa que vos apedreja os ouvidos, falando-vos do povo e das nações.

Guardai os vossos olhos do seu 'pró' e do seu 'contra'! Há ali muita justiça e injustiça: ver tal coisa revolta. Vê-la, e com eles misturar-se, é tudo a mesma coisa. Ide-vos pois ao bosque e dai paz à vossa espada!

Segui os vossos caminhos! E deixai os povos e nações seguirem os seus, sombrios caminhos na verdade, nos quais já não brilha nenhuma esperança.

Deixai reinar os merceeiros, lá onde tudo quanto brilha é só ouro de merceeiros! Já passou o tempo dos reis: o que hoje se chama povo não merece mais um rei.

Olhai como esses povos imitam agora os merceeiros; remexem até os detritos para deles retirar sórdidos proveitos.

Espiam-se uns aos outros, espreitam-se, furtam-se uns aos outros e a isso chamam 'boa vizinhança'.

Ó tempos venturosos aqueles em que um povo dizia a si mesmo: 'Quero *reinar* sobre nações!'

Pois, meus irmãos, o melhor deve reinar, o melhor *quer* também reinar. E onde se ouve outra doutrina é que *falta* o melhor.

XXII

Se estes tivessem o pão de graça, atrás de quem andariam a gritar?

Em que se ocupariam se não fosse da sua subsistência? E é necessário terem vida dura!

São animais rapaces: no seu 'trabalho' há também furto; nos seus 'lucros'... há também astúcia. Por isso devem ter vida dura.

Devem, pois, tornar-se melhores animais rapaces, mais perfeitos e astutos, animais *mais humanos*, porque é o primeiro dos animais rapaces.

O homem arrebatou já as suas virtudes a todos os animais; por isso, de todos os animais, é o homem que tem tido vida mais dura.

Só os pássaros lhe são superiores. E se o homem aprendesse também a voar, que desgraça! *A que* altura voaria a sua rapacidade!

XXIII

Eis como quero o homem e a mulher: um apto para a guerra, a outra, apta para a maternidade; mas ambos aptos para dançar com a cabeça e as pernas.

E consideraremos como perdido o dia em que não tenhamos dançado; e consideraremos como falsa toda a verdade que não venha acompanhada de risos.

XXIV

Quanto à maneira como concluir vossos matrimónios, cuidai que não o vejam como más *ataduras*. Vós vos ateis com demasiada pressa. Pois daí *segue-se* um rompimento.

E vale mais romper abertamente o vínculo do que sujeitar-se, e mentir. Eis o que me disse uma jovem mulher: 'É verdade que quebrei os laços do matrimónio, mas os laços do matrimónio haviam quebrado a mim'.

Sempre vi os maridos malsucedidos sedentos da pior vingança: vingam-se em toda a gente de não poderem já andar separados.

Por isso quero que os que estão de boa-fé digam: 'Nós nos amamos: *procuremos* continuar o nosso amor'. Ou então: 'Seria a nossa promessa um equívoco?'

'Dá-nos um prazo, uma breve união para vermos se somos capazes de uma longa união! Grave coisa é ser sempre dois!'

Eis o que aconselho a todos os que estão de boa-fé; e a que se reduziria o meu amor ao Além-Homem, e a tudo o que deve vir, se aconselhasse e falasse doutro modo?

E não só deveis propagar a vossa espécie, mas elevá-la cada vez *mais alto*. Possa, meus irmãos, ajudar-vos nessa marcha ao jardim do matrimônio!

XXV

Aquele que conhece a fundo as antigas origens acabará por procurar as fontes do futuro e novas origens.

Meus irmãos, um pouco mais de tempo, e veremos surgir novos povos, e novos e rumorejantes mananciais lançarem-se em novas profundidades.

Que o terremoto arrebate muitas fontes e faça muitos mortos; mas erga também à luz forças interiores e secretas.

O tremor de terra revela novos mananciais. Do cataclismo dos povos antigos surgiram mananciais novos.

E se alguém exclama: 'Olhai: aqui tendes uma fonte para muitos sedentos, um coração para muitos desmaiados, uma vontade que encontrará muitos instrumentos', em torno desse alguém veremos reunir-se um povo, quer dizer, muitos homens que tentam uma experiência.

Essa experiência dirá quem sabe mandar e quem deve obedecer.

Ah! Com que longa busca, e com acertos e desacertos, e aprendendo e novamente procurando...

A sociedade humana é uma experiência; eis o que eu ensino. É uma longa busca; ela busca porém quem comandará.

É uma experiência, meus irmãos, e não um contrato. Rompei, eu vos conjuro, esta fórmula dos corações covardes e dos quereres partilhados!

XXVI

Ó, meus irmãos, em que reside o pior perigo do futuro humano? Não é nos bons e nos justos?

Nos que dizem e sentem no seu coração: 'Nós sabemos já o que é bom e justo, e possuímo-lo: desgraçados dos que ainda querem procurar aqui!'

E por muito mal que os maus possam fazer, o que fazem os bons é o mais nocivo de tudo!

E por muito mal que os caluniadores do mundo possam fazer, o que fazem os bons é o mais nocivo de tudo!

Meus irmãos, alguém olhou uma vez o coração dos bons e dos justos, e disse: 'São os fariseus'. Ninguém, porém, o entendeu.

Os próprios bons e os justos não o podiam compreender: sua inteligência é prisioneira da sua boa consciência.

A estupidez dos bons é de uma insondável sabedoria. Mas, na verdade, os bons são necessariamente fariseus – não têm escolha!

Os bons crucificam *necessariamente* aquele que inventa a sua própria virtude! Eis a verdade!

Outro que descobriu o seu país – o país, o coração, e o terreno dos bons e dos justos – foi aquele que perguntou: 'A quem eles odeiam mais?'

O *criador* é a quem eles mais odeiam: aquele que quebra as tábuas e os valores antigos; a esse destruidor chamam criminoso.

Os bons, na verdade, não podem criar: são sempre o princípio do fim.

Crucificam aquele que grava novos valores em tábuas novas; sacrificam para si o futuro; e crucificam o futuro dos homens!

Os bons foram sempre o princípio do fim.

XXVII

Meus irmãos, compreendestes também estas palavras, e o que eu disse um dia do 'último homem?'

Em quem se encontram os maiores perigos para o futuro dos homens?

Não é nos bons e nos justos?

Acabai, acabai com os bons e com os justos! Meus irmãos, compreendestes também estas palavras?

XXVIII

Fugis de mim? Tendes medo? Tremeis ante estas palavras? Meus irmãos, no dia em que vos disse que acabásseis com os bons e com as tábuas dos bons, nesse dia lancei a humanidade em pleno mar.

Só agora é que lhe sobrevém o grande terror, o grande olhar inquieto, a grande enfermidade, a grande náusea, o grande enjoo.

Os bons ensinaram-vos coisas enganadoras e falsas seguranças; tínheis nascido entre as mentiras dos bons. Tudo foi falsificado e desnaturalizado pelos bons. Mas o que descobriu esse país que se chama 'homem', descobriu ao mesmo tempo o país 'futuro dos homens'. Agora deveis ser os corajosos e pacientes marinheiros!

Caminhai direito a tempo, meus irmãos! Aprendei a caminhar direito! O mar está agitado; há muitos que necessitam se aproximar de vós.

O mar está em fúria, tudo está no mar! Eia! Avante, velhos corações de marinheiros!

Que importa a pátria? Nós queremos governar lá embaixo onde está o país de *nossos filhos!* Além, ao longe e mais fogoso do que o mar, desencadeia-se o nosso grande desejo.

XXIX

– Por que serei tão duro? – disse um dia o diamante ao carvão comum: 'Não somos próximos parentes?'

Por que sois tão brandos? Pergunto-vos eu, meus irmãos: então não sois meus irmãos?

Por que sois tão brandos, tão pegajosos, tão frouxos? Por que há tanta renúncia, tanta abdicação em vossos corações? Tão pouco alvo no vosso olhar?

E se não quereis ser destinos, se não quereis ser inexoráveis, como podereis um dia vencer comigo?

Pois os criadores são duros. E deve-nos parecer beatitude imprimir a vossa mão em séculos como em cera branda, e escrever sobre a vontade de milenários como sobre bronze – mais duros que o bronze, mais nobres que o bronze. Só o mais duro é mais nobre.

Meus irmãos, eu coloco sobre vós esta nova tábua: *Tornai-vos duros!*

XXX

Ó, tu minha vontade! Trégua de toda necessidade, tu, minha necessidade! Guarda-te de todas as pequenas vitórias!

Ó destino de minha alma, tu que eu chamo destino, tu que estás em mim, acima de mim, preserva-me, reserva-me para um grande destino!

E tu, grandeza suprema, ó meu querer, conserva-o para a tua proeza suprema – que sejas implacável na tua vitória! Ai quem não sucumbiu à sua vitória?

Que olhos não se obscureceram no claro-escuro dessa embriaguez? Que pé não tropeçou e perdeu a sua firmeza na vitória?

Faz que eu esteja um dia preparado e maduro para quando chegar o Grande Meio-dia: preparado e maduro como o bronze fundente, como a nuvem que traz os relâmpagos, como o seio prenhe de leite; preparado para mim mesmo e para a minha vontade mais oculta: um arco anelante da sua flecha, uma flecha anelante da sua estrela, uma estrela preparada e madura no seu Meio-dia, ardente e traspassada, satisfeita da flecha destruidora do sol, sol implacável e inexorável vontade solar, pronta a tudo destruir na vitória.

Ó vontade, rodeio de toda necessidade, tu *minha* necessidade, reserva-me para uma grande e única vitória."

Assim falava Zaratustra.

O convalescente

I

Certa manhã, pouco tempo depois do regresso à sua caverna, Zaratustra saltou do leito como um louco, gritando com voz terrível, e gesticulando como se tivesse ao seu lado uma outra pessoa que se não quisesse levantar; ante os gritos de Zaratustra, os seus animais acorreram espantados, e de todos os esconderijos próximos à caverna de Zaratustra todos os animais fugiram, voando, revoando, arrastando-se, saltando, cada um a seu modo, consoante tinham patas ou asas.

Zaratustra pronunciou então estas palavras:

– De pé, pensamento de abismo, que vens do fundo de mim mesmo! Eu sou o teu galo e o teu crepúsculo matutino, adormecido verme! Levanta-te! Levanta-te! A minha voz acabará por te despertar!

Destapa os tampões dos teus ouvidos! Escuta! Quero ouvir-te! Levanta-te! Levanta-te! Há bastantes trovões para que até os túmulos ouçam!

Esfrega teus olhos para afastar o sono e todo vestígio de estupidez e cegueira. Escuta-me também com os teus olhos: a minha voz é um remédio até para os cegos de nascença.

E quando despertares, espero ficarás acordado para sempre. Não é da *minha* espécie despertar de seu sono os ancestrais para ordená-los a seguir que durmam. Move-te, espreguiça-te? Estira-te? Levanta-te! Levanta-te! Não é um grunhido, são palavras que quero ouvir. É Zaratustra que te chama, Zaratustra o ímpio!

Eu, Zaratustra, o advogado da vida, o advogado da dor, o advogado do Ciclo, sou eu que te chamo, meu pensamento de abismo!

Ó felicidade! Tu te aproximas, ouço tua voz. Meu abismo *falou*, minha última profundidade surge à luz!

Ó felicidade! Vem! Dá-me a tua mão!... Deixa-a! Ah! Ah! Haha... Nojo! Nojo! Nojo! Pobre de mim!

II

Pronunciadas estas palavras, Zaratustra caiu no chão como morto, e permaneceu assim longo tempo, como um morto. Ao tornar a si, estava pálido e trêmulo, e permaneceu deitado sem querer comer nem beber durante muito tempo. Esteve durante sete dias neste estado; mas os seus animais não o abandonaram, nem de dia nem de noite, a não ser quando a águia percorria os ares em busca de alimento.

E o que encontrava, depunha no leito de Zaratustra, de forma que Zaratustra acabou por estar deitado entre bagas amarelas e vermelhas, raízes, maçãs, ervas aromáticas e pinhas. A seus pés, contudo, estavam estendidas duas ovelhas, que a águia dificilmente roubara aos seus pastores.

No fim de sete dias, Zaratustra reanimou-se, pegou numa pinha, cheirou-a e agradou-lhe o perfume. Então os animais julgaram chegado o momento de lhe falar.

– Zaratustra – disseram eles –, há sete dias que estás aí estendido com os olhos pesados; não queres enfim, pôr-te de pé?

Sai da caverna. O mundo aguarda-te como um jardim. O vento brinca com os fortes perfumes que querem vir ao teu encontro, e todos os regatos desejam seguir atrás de ti.

Por ti suspiram todas as coisas, ao verem que ficaste sozinho durante sete dias. Sai da caverna! Todas as coisas querem ser teus médicos.

Surpreendeu-te algum novo conhecimento, amargo e pesado? Permaneceste aí como uma massa caída e a tua alma crescia e transbordava por todos os lados.

– Ó meus animais – respondeu Zaratustra –, prossegui falando assim e deixai-me escutar. As vossas palavras reanimam-me: onde se fala, o mundo parece-se como um jardim. Como é agradável ouvir palavras e sons! Não serão as palavras e os sons os arco-íris e as pontes ilusórias entre as coisas eternamente separadas?

A cada alma pertence um mundo diferente; para cada alma, toda outra alma é um mundo transcendente.

Entre as coisas mais semelhantes é onde é mais bela a ilusão: porque o abismo mais estreito é o mais difícil para nele lançar-se uma ponte.

Para mim... como poderia haver qualquer coisa fora de mim?

Não há mundo exterior. Mas nós o esquecemos quando vibram os sons; como é agradável podermos esquecer!

Não foram os nomes e os sons dados aos homens para que eles se recreassem com as coisas? Falar é uma bela loucura: falando, evade-se e baila o homem sobre todas as coisas.

Como toda a palavra é doce! Como parecem doces todas as mentiras dos sons! Os sons fazem bailar o nosso amor em variados arco-íris.

Então os animais disseram:

– Zaratustra, para os que pensam como nós, todas as coisas bailam; vão, dão-se as mãos, riem, fogem... e retornam.

Tudo vai, tudo torna; a roda da existência gira eternamente.

Tudo morre, tudo torna a florescer; eternamente fluem as estações da existência.

Tudo se destrói, tudo se reconstrói; eternamente se edifica a mesma casa da existência. Tudo se separa, tudo se saúda outra vez; o anel da existência conserva-se eternamente fiel a si mesmo.

A existência principia em cada instante; em torno de cada "aqui" gira a esfera do "acolá". O Centro está em toda a parte. O caminho da eternidade torna sobre si mesmo.

– Ah! Como sois astutos, orgãozinhos! – respondeu Zaratustra, tornando a sorrir. – Como sabíeis bem o que sucedeu nestes sete dias, e como aquele monstro introduziu-se na minha garganta a fim de me afogar!

Mas, de uma dentada cortei-lhe a cabeça, e cuspi-a para longe de mim!

E vós já tínheis tirado disto um estribilho! Eu, agora, eis-me aqui estendido, fatigado do esforço de ter mordido e cuspido, doente ainda da minha própria libertação.

E *vós fostes testemunhas de tudo isto!* Oh! Animais meus! Também vós sois cruéis? Quisestes contemplar a minha grande dor, como o fazem os homens?

Pois o homem é o mais cruel de todos os animais.

Nada no mundo lhe tem dado tanto prazer como as tragédias, as corridas de touro e as crucificações; e quando inventou o inferno, teve o seu paraíso na terra.

Quando um grande homem lança um grito, logo acorre um pequeno com a língua pendente de ânsia. É o que ele chama "compaixão".

Vede o homem mesquinho, especialmente se é poeta..., com que ardor ele acusa a vida! Escutai-o, mas prestai a atenção ao prazer que há em toda a sua acusação.

A vida triunfa sobre esses acusadores, num abrir e fechar de olhos.

"Amas-me? – pergunta ela com insolência. – Espera um pouco, que eu tenha tempo para ocupar-me de ti".

O homem é para si mesmo o animal mais cruel que existe; e naqueles que se designam "pecadores" ou "penitentes", cuidai de discernir a voluptuosidade que há nessas lamentações e nessas invectivas.

E até eu... acaso quererei ser com isto acusador do homem? Ah, meus animais, sei apenas uma coisa neste mundo; é que o homem precisa do que tem de pior em si mesmo para alcançar o que tem de melhor. O pior é o melhor de sua *força* e a pedra mais dura que se oferece ao mais alto criador; é mister que o homem se torne melhor e pior.

Eu não só me vi cravado nesta cruz – saber que o homem é mau – mas também gritei como ninguém gritou ainda: "Ah! Como é pequeno o pior deles! Ah! Como é pequeno o melhor deles".

O que me afogava e se me atravessava na garganta era o grande tédio do homem; e também estas palavras com as quais profetizava o Profeta: "Tudo é igual; nada merece a pena; o saber asfixia".

Um longo crepúsculo arrastava-se ante mim, uma agônica e mortal tristeza, ébria de morte, e que falava agonizando:

"O homem de que estás enfastiado voltará eternamente, o homem mesquinho". – Assim bocejava a minha tristeza, arrastando os pés, sem poder adormecer.

Vi a terra dos homens tornar-se cavernosa, o peito encolher-se, e tudo quanto vivia apareceu para mim como podridão, feita de ossamentas e de um passado em ruínas.

Os meus suspiros repousavam sobre as sepulturas humanas, e não podiam deixá-las. Os meus suspiros e as minhas perguntas não cessavam de coaxar, de me afogar, e de se lamentarem noite e dia.

"Ai, o homem retornará eternamente! O homem mesquinho retornará eternamente!"

Outrora, vi ambos nus, o maior dos homens e o menor, demasiado parecidos um com o outro!... Demasiado humanos, ainda até o maior!

Demasiado pequeno, até o maior! – Eis o que me desgostou dos homens e o Eterno Retorno do maior entre eles. Eis o que me desgostou de toda existência! Que nojo! Que nojo! Que nojo! – Assim falava Zaratustra, suspirando e estremecendo, porque se lembrava da sua doença. Os seus animais, porém, o interromperam:

– Não fales mais, convalescente! – responderam-lhe – Sai daqui; vai para onde o mundo te espera como um jardim. Sai! Vai ver os roseirais, as abelhas e os bandos de pombas! E especialmente as aves canoras, para que aprendas a *cantar!*

Pois o canto convém ao convalescente. Ao homem são é preferível falar. Mas até o homem que frui saúde quer canções, mas devem ser diferentes dos cantos de convalescente!

– Ah! Astutos orgãozinhos, calai-vos! – respondeu Zaratustra, rindo-se do que lhe diziam os seus animais – como conheceis bem o consolo que inventei para meu uso no decorrer desses sete dias!

Preciso cantar de novo: é este o consolo e o remédio que inventei para mim; eis a minha cura. Também quereis tirar disto um estribilho.

– Para de falar – tornaram os animais! – prepara uma lira, convalescente, uma lira nova!

Olha, Zaratustra, para os teus novos cantos é preciso uma lira nova.

Canta, e distrai-te, Zaratustra; cura a tua alma com cantos novos, para poderes suportar o teu grande destino, que ainda não foi o destino de ninguém.

Que os teus animais bem sabem quem és, Zaratustra, e o que deves chegar a ser: *tu és o profeta do Eterno retorno das coisas*. E este é agora o *teu* destino!

Pois hás de ser o primeiro a ensinar esta doutrina: como não há de ser esse grande destino também o teu maior perigo e a tua enfermidade?

Olha; nós sabemos o que ensinas: que todas as coisas retornam eternamente, e nós com elas; que nós já existimos uma infinidade de vezes, e todas as coisas conosco.

Ensinas que há um grande Ano do acontecer, um Ano desmesurado que, à semelhança de um relógio de areia, tem sempre de voltar novamente para correr e esvaziar-se outra vez, de forma que todos esses grandes anos são iguais a si mesmos, no que têm de maior e de mais ínfimo, de forma que nós, no decurso desses grandes anos, somos iguais a nós mesmos, no que temos de maior e de mais ínfimo.

E se tu agora quisesses morrer, Zaratustra, também sabemos o que dirias a ti mesmo; mas os teus animais te suplicam: não morras ainda.

Falarás sem tremer, peito aberto de beatitude, porque um grande peso e um pesado acabrunhamento te serão retirados, ó modelo de toda paciência.

"Agora, morro e desapareço – dirias – e num instante já nada serei. As almas são tão mortais como os corpos.

O nó das causas em que me encontro enlaçado tornará e me criará de novo! Eu próprio faço parte das causas do Eterno Retorno das coisas.

Regressarei com este sol, com esta terra, com esta águia, com esta serpente, não numa vida nova, numa vida melhor, nem numa vida análoga, tornarei eternamente para esta mesma vida, igual em suas grandezas e suas misérias, para ensinar outra vez o Eterno Retorno das coisas, para anunciar mais uma vez o grande Meio-dia da terra e dos homens, para anunciar mais uma vez o Além-Homem.

Disse a minha palavra, e por ela sucumbo. Assim quer o meu eterno destino; desapareço ao anunciá-lo.

Chegou a hora: a hora em que o que vai morrer abençoa a si mesmo.

Assim... terminará a 'descida de Zaratustra'."

Depois de pronunciadas estas palavras, os animais calaram- se, esperando que Zaratustra dissesse alguma coisa. Ele permanecia com os olhos fechados, como se dormisse, embora não dormisse, pois conversava com a sua alma.

Vendo-o tão silencioso, a águia e a serpente respeitaram o grande silêncio que o rodeava, e retiraram-se sem fazer ruído.

Do grande anelo

"Ó minha alma, ensinei-te a dizer 'hoje', como se diz 'um dia' ou 'noutro tempo', e a dançar acima de tudo quanto se chama 'aqui', 'acolá', ou 'além'.

Ó minha alma, limpei todos os teus recantos; afastei de ti os pós, as aranhas e a obscuridade.

Ó minha alma, lavei-te do mesquinho pudor e da virtude meticulosa, e te persuadi a ofereceres-te nua ante os olhos do sol.

Soprei sobre o teu mar revolto a tempestade que se chama 'espírito', dissipei todas as nuvens e estrangulei até esse estrangulador que se chama 'pecado'.

Ó minha alma, dei-te o direito de dizer 'não' como a tempestade, e de dizer 'sim' como o céu límpido: serena como a luz, atravessas as tempestades negadoras.

Ó minha alma, restitui-te a liberdade quanto às coisas criadas e por criar; e quem conhece como tu a voluptuosidade das coisas futuras?

Ó minha alma, ensinei-te o desprezo que não vem ocultamente como o caruncho, o grande desprezo amante que mais ama o que mais despreza.

Ó minha alma, ensinei-te a arte de persuadir até as próprias razões assim; como o sol persuade o próprio mar a erguer-se para ele.

Ó minha alma, libertei-te de toda a obediência, de toda genuflexão e de todo o servilismo; eu mesmo te dei o nome de 'trégua', de miséria e de 'destino'.

Ó minha alma, dei-te nomes novos, e coloridos brinquedos; chamei-te 'Destino' e 'circunferência das circunferências', e 'centro do tempo' e 'abóbada cerúlea'.

Ó minha alma, dei a beber o teu domínio terrestre toda a sabedoria, todos os vinhos novos e também os mais raros e fortes da sabedoria, os de tempo imemorial.

Ó minha alma, derramei sobre ti todos os sóis e todas as noites, todos os silêncios e todos os desejos; vi-te crescer como um cepo de vinho.

Ó minha alma, vejo-te agora desbordante de riqueza e pesada, como vide carregada de cheios úberes, de dourados cachos exuberantes; exuberante e oprimida por tua própria ventura, desbordante e à espera, e envergonhada da sua própria espera.

Ó minha alma, agora já não há em parte alguma alma mais amante, mais ampla e compreensiva! Onde estariam o futuro e o passado mais perto um do outro do que em ti?

Ó minha alma, dei-te tudo, e por ti esvaziei as mãos... e agora! Agora, dizes-me sorrindo, cheia de melancolia: 'Qual de nós dois deve agradecer ao outro?'

Não é o doador que deve estar agradecido àquele que houve por bem aceitar? Dar, não será uma necessidade? Aceitar, não será... ter pena?

Ó minha alma, compreende o sorriso da tua melancolia: é a tua exuberância que estende agora as mãos ávidas.

É a tua plenitude que deixa seus olhares errarem pelos mares rumorejantes, em busca e à espera; no céu sorridente de teus olhos, vejo brilhar o desejo que nasce da excessiva profusão!

E na verdade, ó minha alma, quem poderia ver o teu sorriso, sem se desfazer em lágrimas? Os próprios anjos choram ante o excesso de bondade que fala no teu sorriso.

E a tua bondade, a tua bondade demasiado grande, que recusa lastimar-se e chorar; e, contudo, o teu sorriso deseja as lágrimas, e os teus lábios trêmulos aspiram a soluçar.

'Não será todo o pranto uma queixa, e toda a queixa uma acusação?'

Eis o que disseste a ti mesma, e eis por que preferes sorrir a deixar espraiar-se a tua pena, a derramar em torrentes de lágrimas todo o sofrimento que te causa a tua excessiva plenitude, dor da cepa que deseja o vindimador e o podão do vindimador.

Se não queres chorar, espraiar em lágrimas a tua purpúrea melancolia, precisas *cantar*. Vês: eu sorrio ao te dar este conselho.

Precisas cantar com voz dolente, até os mares ficarem silenciosos para escutar o teu grande anelo.

Até que em anelantes e silenciosos mares se baloice o barco, a dourada maravilha, em torno de cujo ouro se agitam todas as coisas boas, más e maravilhosas, e muitos animais grandes e pequenos, e tudo quanto possui pernas leves e maravilhosas para poder correr por caminhos de violetas até a áurea maravilha, até a barca voluntária, e até ao seu dono.

Ele é, porém, o grande vindimador que espera com a sua serpe de diamante, o teu grande libertador, ó minha alma, o inefável, para quem só os hinos futuros saberão encontrar nomes. E, na verdade, o teu hálito já tem o perfume dos hinos futuros.

Já ardes e sonhas, já a tua sede bebe em todos os poços consoladores, já a tua melancolia descansa na beatitude dos hinos do futuro!

Ó minha alma, dei-te tudo, até o meu último bem, e as minhas mãos por ti se esvaziaram: *ter-te dito que cantasses* foi a minha última dádiva.

Disse-te que cantasses. Dize agora, dize, qual de nós dois deve agora agradecer?

Mas, canta, canta, ó minha alma. E deixa-me por fim agradecer-te!"

Assim falava Zaratustra.

Outra canção para dançar

I

"Em teus olhos, mergulhei recentemente o meu olhar, ó vida; ouro vi reluzir nos teus olhos noturnos, e essa voluptuosidade paralisou-me o coração.

Vi cintilar uma barca de ouro em águas noturnas, uma balouçante barca dourada que submergia, bebia água e reaparecia outra vez!

Tu dirigiste um balouçante olhar aos meus pés, doridos de dançar, aquele olhar que acaricia, e que me ria, e me inquiria.

Só duas vezes agitaste com as mãozinhas as tuas castanholas, e os pés balouçavam ébrios do furor da dança.

Os calcanhares erguiam-se; os dedos escutavam para te compreender; pois o dançarino tem os ouvidos nos dedos dos pés.

Saltei ao teu encontro; tu retrocedeste ante o meu impulso, e as manchas de teus cabelos flutuantes, na tua fuga, pareciam línguas serpeantes que vinham até mim.

Num pulo me afastei de ti e das tuas serpentes: já tu te erguias com os olhos cheios de desejos.

Com lânguidos olhares me mostras caminhos tortuosos; por esses tortuosos caminhos, meu pé aprende todas as espécies de astúcias.

Receio-te, quando próxima; amo-te, quando longínqua; ao fugir, atrais-me; quando paras, gelo-me; sofro, mas, de boa vontade, quanto não sofreria por ti?

Ó! Tu, cuja frialdade nos inflama, cujo ódio nos seduz, cuja fuga nos prende, cujos enganos nos comovem, quem te não odiará, grande carcereira, sedutora, investigadora e inventiva! Quem te não amará, inocente, impaciente, arrebatada pecadora de olhos infantis!

Aonde me arrastas agora, indômito prodígio? E já me tornas a fugir, doce esquiva, doce ingrata!

Dançando, sigo as tuas menores pisadas. Onde estás? Dá-me a mão, ou um dedo sequer.

Há por aí cavernas e bosques, onde iremos nos extraviar. – Para! Detém-te! Não vês revoarem corujas e morcegos?

Eh! Lá, coruja! Morcego! Quereis brincar comigo? Onde estamos? Foram os cães sem dúvida que te ensinaram a uivar e a rosnar assim.

Mostravas-me graciosamente os brancos dentinhos, e os teus olhos malvados dardejavam até mim, por entre teus ondulados cabelos.

Era uma dança por montes e vales! Eu sou o caçador; queres tu ser o meu cão ou a cabra montês que quero caçar?

Agora, permanece ao meu lado! E depressa, malvada saltadora, sobe agora, sobe mais alto! – Que desgraça! Ao saltar, caí!

Olha caprichosa, vê-me como estou estendido. Olha, altaneira, como imploro o teu socorro! Como desejaria seguir-te, ir contigo... pelos caminhos mais agradáveis, pelos caminhos do amor através de tranquilos bosques cobertos de flores. Ou ao longo do lago, onde nadam e saltam dourados peixes!

Estás cansada, agora? Ali, embaixo, há ovelhas e crepúsculos vermelhos. Não é tão bom adormecer ao som da flauta dos pastores?

Então, estás assim cansada? Vou-te levar lá; deixa pender os teus braços. E tens sede?... Poderia dar-te qualquer coisa... Mas teus lábios não querem beber.

Ó maldita serpente, feiticeira fugidia, veloz e ágil, que sempre me escapas. Para aonde fostes? Sinto no rosto dois sinais da tua mão, dois sinais vermelhos!

Na verdade, estou cansado de ser sempre teu ingênuo pastor! Feiticeira, se até agora cantei para ti, agora, para mim deves... gritar!

Deves dançar e gritar ao compasso de meu látego!

Esqueceria eu o látego? – Não!"

II

E assim me respondeu a vida, tapando os delicados ouvidos:

– Oh! Zaratustra! Não vibres tão tremendamente o látego! Bem sabes que o ruído assassina os pensamentos... e eis que me assaltam agora pensamentos tão ternos!

Nós francamente não somos nem bons nem maus para nada! É além do bem e do mal que encontramos a nossa ilha, o nosso verde prado: só nós dois os encontramos! Temos já uma razão para bem nos estimarmos.

E se na verdade não nos amamos de todo o coração, devem acaso se detestarem uns aos outros porque não se amam de todo o coração?

Que eu te quero bem, e muitas vezes com excesso, tu bem o sabes.

E a razão é que estou invejosa de tua sabedoria. Ah! Que velha louca é a sabedoria!

Se alguma vez a tua sabedoria te abandonasse, também logo a minha ternura te deixaria. – Então a vida olhou pensativa para trás e em torno de si, e disse em voz baixa: – Oh Zaratustra, tu não me és bastante fiel!

Ainda falta muito para me teres o amor que dizes; sei, tu pensas deixar-me em breve.

Há um velho bordão tão pesado, tão pesado que ressoa de noite até lá acima, à tua caverna; quando ouves esse sino dar a meia-noite, pensas, bem o sei, entre a primeira e a última badalada, eu o sei, pensas que em breve me deixarás.

– Sim – respondi hesitante –, mas tu também sabes... – E eu disse-lhe algumas palavras ao ouvido, por entre as mechas douradas e revoltas de sua emaranhada cabeleira.

– Tu *sabes* isso, Zaratustra? Ninguém o sabe...

Olhamo-nos, e dirigimos depois o nosso olhar para o verde prado por onde corria a frescura do entardecer, e choramos juntos.

Mas, neste momento, a Vida foi para mim mais cara do que jamais o foi a minha sabedoria.

Assim falava Zaratustra.

III

Um!

Homem, escuta!

Dois!

Que diz a meia-noite profunda!

Três!

"Tenho dormido, tenho dormido..."

Quatro!

"De um profundo sono despertei."

Cinco!

"O mundo é profundo..."

Seis!

"E mais do que o dia julgava."

Sete!

"Profunda lhe é a dor..."
Oito!
"E a alegria... mais que a tristeza."
Nove!
"A dor diz: Passa!"
Dez!
"Mas toda alegria quer eternidade..."
Onze!
"...quer profunda eternidade!"
Doze!

Os sete selos
Ou: A canção do Sim e do Amém

I

"Se eu sou um profeta, e cheio desse espírito profético, que caminha por uma alta crista entre dois mares, que caminha como uma densa nuvem entre o passado e o futuro, inimiga de todos os lugares baixos, sufocantes, de todos os seres extenuados que não podem morrer nem viver, nuvem sempre disposta a soltar de seu obscuro seio, o relâmpago libertador, o raio que diz sim, que ri sim, pronto para exaltações proféticas (feliz de quem traz em seu seio tais raios, pois, na verdade, permanece sempre suspenso como uma pesada tormenta no flanco da montanha, aquele que é destinado a acender a tocha do porvir); como não me queimaria o desejo da eternidade, o desejo do nupcial anel dos anéis, o anel do retorno?

Ainda não encontrei mulher de quem quisesse ter filhos, senão esta mulher a quem amo, porque eu te amo, Eternidade!

Porque eu te amo, ó Eternidade!

II

Se alguma vez a minha cólera profanou sepulturas, deslocou barreiras e precipitou velhas tábuas partidas em profundos abismos de tábuas antigas, se o meu sarcasmo varreu alguma vez as palavras apodrecidas; se fui a vassoura para as aranhas porta-cruzes e o vento purificador de antigas e bolorentas cavernas sepulcrais,

se alguma vez estive sentado, cheio de alegria, nos túmulos onde jazem deuses antigos, abençoando e amando este mundo ao lado dos monumentos de antigos caluniadores deste mundo,

– porque eu amo até as igrejas e os túmulos dos deuses, contanto que o céu espreite serenamente através das suas rendilhadas abóbadas, pois gosto de repousar sobre as igrejas em ruínas, como a erva e as vermelhas papoulas, como não me queimaria o desejo da eternidade, o desejo do nupcial anel dos anéis, o anel do retorno?

Ainda não encontrei mulher de quem quisesses ter filhos, senão esta mulher a quem eu amo: porque eu te amo, Eternidade!

Porque eu te amo, ó Eternidade!

III

Se alguma vez chegou até mim um sopro do sopro criador e dessa necessidade divina que obriga até os azares a dançar a ronda das estrelas,

se alguma vez me ri com o riso do relâmpago criador, que segue resmungando, mas obediente, ao prolongado troar da ação,

se alguma vez joguei os dados com os deuses, na mesa divina da terra, de forma que a terra tremesse e se rasgasse, despedindo torrentes de chamas,

– porque a terra é a mesa dos deuses e treme quando reboam palavras inovadoras e criadoras, quando os deuses lançam os dados: como não me queimaria o desejo da eternidade, o desejo do nupcial anel dos anéis, o anel do retorno?

Ainda não encontrei mulher de quem quisesse ter filhos, senão esta mulher a quem eu amo: porque eu te amo, Eternidade!

Porque eu te amo, ó Eternidade!

IV

Se alguma vez bebi a longos sorvos dessa cratera espumosa de espécies e misturas, onde se casam todas as coisas,

se a minha mão alguma vez misturou as mais longínquas com as mais próximas, e o fogo com o espírito, e o prazer com a dor, e as coisas piores com o bem supremo,

se eu mesmo sou grão desse sal redentor que permite que todas as coisas se misturem no interior da cratera.

– pois há um solvente que integra o bem e o mal, e até o pior é digno de servir de condimento e de fazer transbordar a espuma do cântaro, como não me queimaria do desejo da eternidade, desejo do nupcial anel dos anéis, o anel do retorno?

Ainda não encontrei mulher de quem quisesse ter filhos, senão esta mulher a quem eu amo: porque eu te amo, Eternidade!

Porque eu te amo, ó Eternidade!

V

Se eu amo o mar, e tudo quanto ao mar se assemelha, e se o amo sobretudo quando me contradiz com mais furor,

se trago em mim essa paixão investigadora que impele a vela para terras desconhecidas; se há na minha paixão um tanto da paixão do navegante, se alguma vez a minha alegria exclamou: 'Desapareceu a terra; caiu agora a minha última cadeia, em meu redor agita-se a intensidade sem limites; longe de mim cintilam o tempo e o espaço; vamos! Coragem, velho coração!' como não me queimaria o desejo da eternidade, o desejo do nupcial anel dos anéis, do anel do retorno?

Ainda não encontrei mulher de quem quisesse ter filhos, senão esta mulher a quem eu amo: porque eu te amo, Eternidade!

Porque eu te amo, ó Eternidade!

VI

Se a minha virtude é virtude de bailarino, se muitas vezes dancei com o coração em êxtases de ouro e de esmeralda,

se a minha maldade é uma maldade risonha que atemoriza vales cheios de rosas e sebes de açucenas,

porque o riso encerra em si tudo o que é mau, mas é santificado e absolvido pela sua própria beatitude,

e se o meu alfa e ômega é tornar leve tudo quanto é pesado, tornar dançarino todo o corpo, e pássaro todo o espírito: na verdade, é assim o meu alfa e ômega.

Como não me queimaria o desejo da eternidade, o desejo do nupcial anel dos anéis, do anel do retorno?

Ainda não encontrei mulher de quem quisesse ter filhos, senão esta mulher a quem eu amo: porque eu te amo, Eternidade!

Porque eu te amo, ó Eternidade!

VII

Se alguma vez descobri sobre mim céus tranquilos e se levei minhas próprias asas para o meu próprio céu,

se nadei, brincando, em profundos longe de luz; se a alada sabedoria da minha liberdade me viu dizer:

'Vê! Não há nem alto nem baixo! Lança-te em

todos os sentidos, para diante, para trás, leve como és! Canta! Não fales mais!

Todas as palavras não foram feitas para os que são pesados?

Não mentem todas as palavras aos que são leves? Canta! Não fales mais!',

como não me queimaria o desejo da eternidade, o desejo do nupcial anel dos anéis, do anel do retorno?

Ainda não encontrei mulher de quem quisesse ter filhos, senão esta mulher a quem eu amo: porque eu te amo, Eternidade!"

Porque eu te amo, ó Eternidade!

Quarta e última parte

...Onde no mundo se cometeu maiores loucuras do que entre os compassivos? E há no mundo maior causa de sofrimento do que as loucuras dos compassivos?

Infelizes dos que amam se não têm uma altivez que paira acima da sua compaixão! Assim falou-me um dia o diabo:

– Deus também tem o seu inferno: é o seu amor pelos homens.

E recentemente eu lhe ouvi dizer esta frase:

– Deus morreu; matou-o a sua compaixão pelos homens.

                       Dos compassivos.

A oferenda de mel

E outra vez passaram meses e anos pela alma de Zaratustra, sem que ele o percebesse; mas os cabelos embranqueceram.

Um dia, enquanto estava sentado numa pedra diante da sua caverna, olhando para fora, em silêncio, pois daquele ponto se via o mar até muito longe, para o outro lado dos abismos tortuosos, os seus animais, preocupados, andavam em torno dele, e terminaram por se colocarem ante ele.

– Zaratustra – disseram-lhe –, procuras a tua felicidade com os olhos?

– Que me importa a felicidade? – respondeu ele. – Há muito tempo que não aspiro mais à felicidade; aspiro à minha obra.

– Zaratustra – replicaram os animais. – Falas como quem está saturado de bem. Repousas por acaso num lago azulado de ventura?

– Velhacos! – respondeu Zaratustra, sorrindo. – Como escolhestes bem a parábola! Também sabeis que a minha felicidade é pesada, e que não é líquida como a onda: impele-me, e não me quer deixar, aderindo-se como pez derretido.

Os animais tornaram a andar à volta dele, pensativos, e novamente se colocaram ante ele.

– Zaratustra – disseram –, então é *isso que* explica porque estás tão sombrio e amarelado, embora os teus cabelos brancos querem parecer cor de linho? Cuida-te de não caíres nesse pez de que falas!

– Que dizeis – exclamou Zaratustra rindo. – Fiz mal em me lembrar do pez. – O que me sucede, sucede a todos os frutos que amadurecem. O *mel* que tenho nas veias é que torna mais espesso o meu sangue e mais silenciosa a minha alma.

– Assim deve ser, Zaratustra – afirmaram os animais, esfregando-se nele – mas, hoje não queres subir a uma montanha? O ar é puro, e hoje vê-se o mundo melhor que nunca.

– Sim, animais meus – respondeu ele –, o conselho é excelente e de acordo com o meu coração, quero subir hoje a uma alta montanha! Procurarei, porém que haja mel ao meu alcance, mel de douradas colmeias, amarelo, branco, bom e de glacial frescura. Ficai sabendo que quero lá em cima a oferenda do mel.

Quando Zaratustra chegou ao cume, mandou que descessem os animais que o haviam acompanhado, e viu que se encontrava só; riu-se, então, com todo o seu coração, à volta de si, e falou deste modo:

– Se falei de oferendas e de oferenda de mel, era isto um ardil do meu discurso e, na verdade, uma útil loucura. Aqui, em cima, já posso falar mais livremente do que diante das cavernas dos anacoretas e dos animais domésticos dos anacoretas.

Era sobre oferendas que eu falava. Se dissipo o que me dão, e dissipo a mancheias, poderei acaso chamar a isso de oferenda?

E quando pedi mel, o que pedia era uma isca, doce e viscosa bebida de que são gulosos os ursos rosnadores e as aves prodigiosas e irritáveis, a melhor isca, como a necessitam caçadores e pescadores.

Pois se é verdade que o mundo é um sombrio bosque povoado de animais ferozes, o jardim de delícias de todos os ferozes caçadores, para mim parece-se mais a um mar sem fundo, um mar cheio de coloridos peixes e de caranguejos, que os próprios deuses cobiçariam a ponto de se tornarem pescadores e lançarem suas redes: tão rico é o mundo em prodígios grandes e pequenos, o mundo dos homens, principalmente o mar dos homens; a *ele* lanço eu a minha dourada linha, dizendo: abre-te, abismo humano!

Abre-te, e traze-me peixes e reluzentes caranguejos! Com a minha melhor isca, isco hoje para mim os mais prodigiosos peixes humanos!

Lanço ao longe a minha felicidade, arrojo-a a todas as paragens, entre o Oriente, o Meio-dia e o Ocidente, a ver se não haverá muitos peixes humanos que aprendam a morder e a puxar pela ponta da minha felicidade.

Depois, quando tenham mordido os meus agudos e ocultos anzóis, subirei até a minha *altura*, esses coloridos gabiões, pescados pelo mais maligno de todos os pescadores de homens.

Porque eu sou, originária e fundamentalmente, força que puxa, que atrai, que levanta, que eleva: guia, corretor e educador, e não foi em vão que um dia disse a mim próprio: "Torna-te o que és!"

Por conseguinte, *subam* agora os homens até mim, porque ainda espero os sinais, pois é tempo do meu declínio; eu não descerei por mim mesmo, embora o queira, até os homens.

Por isso, astuto e zombeteiro, espero aqui nas altas montanhas, nem impaciente, nem paciente, mas apenas como quem esqueceu a paciência, pois já não sabe o que é "padecer".

O meu destino, na verdade, dá-me tempo. Ter-me-á esquecido! Ou entretém-se a caçar moscas, sentado à sombra, sob uma grande pedra?

E, na verdade, sou grato ao meu destino eterno, que me não fustiga nem me impele, e me dá tempo para farsas e malícias; tanto que hoje trepei a esta alta montanha para apanhar peixes.

Acaso se viu já um homem pescando em altas montanhas?

E embora o que eu procuro e o que faço aqui em cima seja loucura, não é melhor do que se lá embaixo me tornasse verde e amarelo à força de esperar; tornar-me um colérico, endurecido em sua espera, uma santa tempestade, rugindo do alto das montanhas, um impaciente que grita aos vales: "Ouvi, eu vos sacudo com o azorrague de Deus!"

Não é que eu me irrite com tais coléricos; são adequadamente bons para me fazerem rir. É natural que estejam impacientes esses tambores ruidosos, que hão de ter a palavra hoje ou nunca!

Eu e o meu destino, porém, não falamos ao "hoje" e tampouco ao "nunca"; temos paciência para falar, e tempo suficiente, ademais, para esperar o momento de falar.

Porque ele há de chegar um dia, e não passará sem deter-se.

Que é que terá de vir um dia, e não passará sem deter-se?

O nosso grande Acaso: é esse o nosso grande e longínquo Reinado do Homem, o reinado de Zaratustra, o *milenium*.

Se esse "hoje" ainda está longe, que me importa? Nem por isso é menos sólido para mim. Confiadamente me firmo com os dois pés nesta base.

Sobre uma base eterna, sobre duas rochas primitivas, sobre estes antigos montes, os mais altos e rijos, dos que todos os ventos se aproximam como de um limite meteorológico, cada qual perguntando onde?

E de onde? E para onde?

Ri-te aqui, ri, minha luminosa e sã malícia! Atira das altas montanhas o teu cintilante riso zombeteiro!

Atrai com o teu cintilar os mais belos peixes humanos!

E tudo quanto me pertence em todos os mares, tudo quanto for em mim é por mim em todas as coisas, pesca-o para mim, e o traz aqui em cima; eis o que espera o mais maligno de todos os pescadores.

Ao longe, ao longe, meu anzol! Desce, vai ao fundo, isca da minha ventura! Distila o teu mais suave orvalho, mel do meu coração!

Morde, meu anzol, morde no ventre de todas as negras tristezas.

Ao longe, ao longe, olhos meus! Quantos mares em torno de mim, quanto futuro humano na aurora!

E acima de mim, ó que rosado silêncio, que silêncio sem nuvens!

O grito de angústia

O dia seguinte encontrou Zaratustra sentado na sua pedra diante da caverna, enquanto os animais andavam pelo mundo à cata de novos alimentos, e também de novo mel; porque Zaratustra tinha empregado e dissipado até à última gota o mel antigo. Estando ali sentado com um bastão na mão, seguindo o contorno da sombra que o corpo projetava no solo, meditando profundamente – mas não em si mesmo nem na sua sombra – estremeceu de repente, e ficou sobressaltado de terror: porque vira outra sombra ao lado da sua.

E levantando-se, voltando-se rapidamente, viu em pé, a seu lado, o Profeta, o mesmo a quem uma vez dera de comer e beber à sua mesa, o proclamador do grande cansaço, o que ensinava: "Tudo é igual: nada merece a pena; o mundo não tem sentido; o saber nos asfixia".

O semblante, porém, transformara-se-lhe desde então; e Zaratustra, ao ver-lhe os olhos, sentiu doer-lhe o coração, e viu naqueles cinzentos traços sinais de maus presságios.

O Profeta, compreendendo o que agitava a alma de Zaratustra, passou a mão pelo rosto como se quisesse apagar os traços que nele havia, e o mesmo fez Zaratustra.

Quando ambos se acalmaram e retomaram o ânimo, deram-se as mãos em sinal de que desejavam renovar o conhecimento.

– Sê bem-vindo, ó Profeta da grande lassidão – disse Zaratustra; – não foste em vão meu hóspede e comensal. Come e bebe hoje também na minha morada, e deixa que se sente à tua mesa um velho jovial.

– Um velho jovial? – respondeu o Profeta, meneando a cabeça – Quem quer que sejas ou desejas ser, Zaratustra, já o não serás por muito tempo nesta altura. Dentro em pouco a tua barca já não estará em porto seguro.

– Por acaso estou em porto seguro? – perguntou, rindo, Zaratustra. O Profeta respondeu:

– Em torno da tua montanha sobem cada vez mais as ondas, as ondas da imensa miséria e da grande aflição: não tardarão em erguer a tua barca e arrastar-te com ela.

Zaratustra calou-se, admirado. – Nada ouves ainda? – continuou o Profeta. – Não percebes que sobe do abismo um zumbido, um rumor surdo?

Zaratustra permaneceu calado e escutou. Ouviu, então, um grito prolongado, soltado de uns para os outros abismos, pois nenhum deles o queria guardar para si tão funesto era o som.

– Sinistro agoureiro – disse afinal Zaratustra; – é um grito de angústia, e grito humano; vem provavelmente de algum negro oceano. Mas, que me importa a angústia dos homens! O último pecado que me está reservado, sabes como se chama?

– *Compaixão!* – respondeu o Profeta, cujo coração transbordava, erguendo as mãos. – Ó Zaratustra! Venho aqui para induzir-te a cometer o último pecado!

Apenas pronunciadas estas palavras, tornou a ressoar o grito mais prolongado e angustioso do que dantes, e já muito mais próximo.

– Ouves, ouves, Zaratustra! – exclamou o profeta. – A ti se dirige o grito, é por ti que chama; vem, vem, *vem;* já é tempo; não há um momento a perder!

Zaratustra, entretanto, calava-se perturbado e alterado. Por fim perguntou, como quem hesita interiormente:

– E quem me chama lá de baixo?

– Bem o sabes – respondeu vivamente o Profeta. – Por que te iludires? É o *homem superior* que te chama em seu auxílio.

– O homem superior! – gritou Zaratustra, admirado. – E que quer ele? Que quer o homem superior? Que quer ele aqui? E o corpo cobriu-se-lhe de suor.

O Profeta não respondeu à angustiosa pergunta de Zaratustra: escutava e tornava a escutar, inclinado para o abismo. Mas como o silêncio se prolongasse muito, olhou para trás, e viu Zaratustra de pé e a tremer.

– Zaratustra – começou a dizer em voz triste –, não aparentas a expressão de um homem a quem a felicidade virou-lhe a cabeça; terás de dançar, de medo que subitamente não caias. Mas mesmo que quisesse dançar e fazer saltos diante de mim, ninguém, ao te ver, afirmaria: eis aí o único homem no mundo a conhecer a alegria.

Em vão subirá a esta altura quem procurar aqui esse homem: encontraria cavernas e grutas, esconderijos para os que precisam ocultar-se, mas não fontes de felicidade, nem tesouros nem novos filões áureos de ventura.

Ventura! Como encontrá-la entre semelhantes sepultados, entre tais solitários! Hei de buscar ainda a última felicidade nas Ilhas Bem-Aventuradas, e, ao longe, entre esquecidos mares?

Mas tudo é igual, nada merece a pena, são inúteis todas as pesquisas; também já não há Ilhas Bem-Aventuradas!

Assim suspirou o profeta, mas ao ouvir o seu último suspiro, Zaratustra recuperou a serenidade e a presença de espírito, como quem regressa à luz ao sair de um antro profundo.

– Não! Não! Três vezes não! – exclamou com voz firme, cofiando a barba. – Eu o sei muito melhor do que tu. Ainda há Ilhas Bem-Aventuradas! Não digas *mais* uma palavra, surrão de tristezas!

Cessa *de cair*, nuvem chuvosa da manhã! Não me vês já molhado pela tua tristeza e encharcado como um cão?

Agora sacudo-me e *fujo* para longe de ti, para me secar: não te admires!

Pareço-te indelicado? Mas esta é a minha cortesia!

Quanto ao teu homem superior, seja! Vou correr para procurá-lo por esses bosques. Foi de onde partiu o seu grito. Talvez o ameace alguma fera.

Está no meu domínio; não quero que lhe suceda nenhuma desgraça. E, na verdade, no meu domínio há muitas feras!

Dito isso, Zaratustra dispôs-se a partir. Então o Profeta exclamou:

– És um velhaco, Zaratustra! Bem sei: o que tu queres é livrar-te de mim! Preferes fugir para os bosques e perseguir animais ferozes!

Mas de que te servirá isso? À noite tornarás a encontrar-me: estarei sentado na tua própria caverna, com a paciência e o peso de um madeiro: ali sentado, à tua espera.

– Pois seja! – exclamou Zaratustra, afastando-se. – E o que me pertence na caverna, pertence-te também a ti, que és meu hóspede.

Se lá ainda encontrares mel, lambe-o, urso rabugento, e adoça a tua alma. E à noite estaremos alegres: alegres e contentes por ter terminado este dia! E tu mesmo deves acompanhar os meus cantos com as tuas danças, como se fosses o meu urso amestrado.

Julgas que não? Meneias a cabeça! Vai-te daí, velho urso! Também eu sou profeta!

Assim falava Zaratustra.

Diálogo com os reis

I

Não havia ainda Zaratustra andado uma hora de caminho em suas montanhas e bosques, quando subitamente viu um estranho cortejo.

Na estrada que ele queria seguir, adiantavam-se dois reis, adornados de coroas e de púrpuras multicores como flamengos; diante deles vinha um jumento carregado.

– Que querem estes reis no meu reino? – perguntou assombrado Zaratustra ao seu coração, e escondeu-se logo atrás de uma moita.

Quando os reis estavam muito perto dele, acrescentou à meia voz como se falasse consigo mesmo: – Espantoso! Espantoso! Como é que pode ser isso? Vejo dois reis... e um único asno!

Nisto os dois reis pararam, sorriram e dirigiram o olhar para de onde partira a voz. Entreolharam-se:

– Estas coisas – disse o rei da direita – também se pensam lá entre nós, mas não se dizem.

O rei da esquerda respondeu, encolhendo os ombros:

– Deve ser algum cabreiro ou um anacoreta que tem vivido demais entre brenhas e árvores. A absoluta ausência de sociedade também prejudica os bons costumes.

– Os bons costumes! – replicou o outro rei com enfaro e amargura. – Pois de que nos queremos livrar senão dos "bons costumes" da nossa "boa sociedade"?

Antes viver como anacoretas e pastores do que com a nossa plebe dourada, falsa e ultrajosamente polida, embora se lhe chame a "boa sociedade", embora se lhe chame de "nobreza". Ali tudo é falso e corrompido, a começar pelo sangue, graças a estranhas e malignas enfermidades, e a curandeiros mais perniciosos ainda.

O melhor para mim, e o que hoje prefiro, é um camponês sadio, tosco, astuto, tenaz e resistente: é hoje a espécie mais nobre.

O camponês é hoje o melhor; e a espécie camponesa devia ser soberana. Vivemos, porém, no reinado da populaça; já me não deixo ofuscar.

Ora, populaça quer dizer: mixórdia.

Mixórdia da populaça: ali tudo está misturado: o santo e o bandido, o fidalgo e o judeu, e todos os animais da arca de Noé.

Os bons costumes! Entre nós tudo é falso e corrupto. Já ninguém sabe reverenciar. *Disso*, justamente, é que nos devemos livrar.

São cães servis e importunos: douram as palmas.

O desgosto que me sufoca é de nós mesmos, reis, termo-nos tornado falsos, e nos cobrirmos e disfarçarmo-nos com o falso esplendor dos nossos antepassados, iguais a medalhas ofertadas para os mais tolos e os mais astutos, e para todos os que hoje traficam com o poder!

Nós não *somos* os primeiros, mas necessitamos *aparentar* que o somos, e este embuste acaba por inspirar-nos saciedade e desgosto.

Queremos fugir à canalha de todos esses gritões, moscas varejeiras, que vociferam, que têm o cheiro dos merceeiros, da rixa da ambição, e do hálito pestilento... Puf! Nada de viver entre a canalha! Nada de ser os primeiros entre a canalha! Ah! Que horror, que horror! Que horror! Que valemos nós agora, os reis?

– Torna a afligir-te o teu velho mal – disse o rei da esquerda –, é a repugnância que te retoma, irmão! Mas, sabes, alguém nos escuta.

Imediatamente Zaratustra, que fora todo olhos e ouvidos, ergueu-se do esconderijo, e dirigindo-se aos reis começou a dizer:

– Aquele que vos escuta, aquele que gosta de vos escutar, a vós, reis, chama-se Zaratustra. Eu sou Zaratustra que um dia disse: – Que importam já os reis? Perdoai-me: mas rejubilei quando dissestes um para o outro: "Que valemos nós agora, os reis? Aqui, porém, estais no *meu* reino, e sob o meu domínio: que podeis *procurar* no meu reino? Talvez, contudo, *encontrásseis* no caminho o que eu *procuro*: eu procuro o homem superior.

Ao ouvir isto, os reis bateram no peito e disseram ao mesmo tempo:

– Fomos reconhecidos! Com a espada da tua palavra cortas a mais profunda obscuridade dos nossos corações. Descobriste a nossa angústia; porque, olha, nós vamos em busca do homem superior – o homem que nos é superior, embora sejamos reis. – Para ele trazemos este jumento. Que o mais elevado homem deve ser também na terra o mais elevado senhor.

Não há calamidade mais cruel em todos os destinos humanos do que quando os poderosos da terra não são também os primeiros dos homens. Então tudo se torna falso, desfigurado e monstruoso.

E quando acontece que os mais vis de todos tenham o poder, os que são mais animais que os homens, então sobe de preço a populaça, e pela continuação acaba por dizer: "Eis, só eu sou a Virtude!"

– Que ouço!? – respondeu Zaratustra – que sabedoria em reis! Estou entusiasmado, e, na verdade, já me apetece fazer uns versos – talvez sejam uns versos que não agradem aos ouvidos de toda a gente. – Já há muito que esqueci a arte de considerar as orelhas compridas. Vamos! Adiante!

(Mas neste momento também o asno tomou a palavra; e disse distintamente e com mau intuito: IA.)

Uma vez – creio que foi no ano um – disse-me a sibila, ébria sem ter provado vinho: "Ai! Tudo vai mal! Tudo degenera! O mundo cai bem baixo! Roma é uma rameira e antro de rameiras. César um bruto, e o próprio Deus tornou-se judeu!"

II

Os reis gostaram muito dos versos de Zaratustra, e o da direita disse:

– Zaratustra, como fizemos bem em nos pormos a caminho para te ver!

Pois os teus inimigos nos mostram a tua imagem no seu espelho: vimos a estampa de um demônio de riso sarcástico, de forma que nos amedrontaste.

De que servia, porém? Sempre tornavas a penetrar com as tuas máximas nos nossos ouvidos e nos nossos corações. De forma que acabamos por dizer: que nos importa a cara dele? É preciso *ouvir* aquele que ensina: "Deveis amar a paz como meio de novas guerras, e a paz breve mais do que a prolongada!"

Ninguém pronunciou tão guerreiras palavras: "Que é que é bom? Bom é ser valente. A boa guerra santifica todas as coisas".

Ó, Zaratustra! O sangue de nossos antepassados ferve ao ouvir estas palavras, que nos fala como a primavera fala aos velhos tonéis de vinho.

Quando as espadas se cruzavam como serpentes tintas de vermelho, os nossos pais amavam a vida; o sol da paz parecia-lhes brando e tíbio, mas a paz prolongada envergonhava-os.

Como os nossos pais suspiravam quando viam inativos na parede as espadas brilhantes e limpas! Como tinham sede de guerra, à semelhança dessas espadas. Porque uma espada quer beber sangue e cintila com o seu ardente desejo.

Quando os reis falaram assim tão calorosamente da felicidade de seus pais, Zaratustra sentiu grandes tentações de zombar daquele entusiasmo, porque evidentemente eram reis muito pacíficos os que via diante de si, com seus velhos e finos semblantes.

Dominou-se, porém:

– Vamos! A caminho! – disse. – Estais no caminho; lá em cima se encontra a caverna de Zaratustra; e este dia deve ter uma grande tarde. Agora, porém, chama-me para longe de vós um grito de angústia.

A minha caverna ficará honrada se nela se sentarem reis e se se dignarem esperar. Mas, na verdade, tereis de esperar muito!

Que importa! Onde se aprende hoje a esperar melhor do que nas cortes? E toda a virtude dos reis, a única que conservaram, não se chama *saber esperar*?

Assim falava Zaratustra.

A sanguessuga

Zaratustra afastou-se pensativo e penetrou cada vez mais nas florestas, afastando-se dos terrenos pantanosos; mas, como sucede a todos que meditam em coisas difíceis, pisou por equívoco um homem. Logo troou em seus ouvidos um grito de dor, duas pragas, e vinte injúrias terríveis foram-lhe atiradas ao rosto, de tal modo que ergueu o bordão, e bateu com ele no que houvera pisado.

No mesmo instante, porém, caiu em si, e no íntimo pôs-se a rir da loucura que perpetrara.

– Desculpa-me – disse ao homem que havia pisado, o qual acabava de erguer-se colérico, para se tornar a sentar em seguida – desculpa-me e ouve primeiro uma parábola.

Assim como um viandante que sonha em coisas longínquas por um caminho solitário, tropeça, por descuido, com um cão que dormita, com um cão deitado ao solo, e ambos se erguem e se encaram repentinamente como mortais inimigos, mortalmente assustados, assim nos sucedeu a nós.

E, contudo, contudo como faltou pouco para que esse solitário e esse cão se afagassem! Não são ambos solitários?

– Quem quer que sejas – respondeu enfurecido o pisado – ainda te aproximas muito de mim, não só com o pé, mas com a tua parábola também.

Olha para mim: acaso serei algum cão? – E dizendo isto ergueu-se tirando do pântano o braço nu.

Pois, a princípio estava deitado ao comprido no solo, oculto e irreconhecível como quem espreita caça nos pântanos.

– Mas que estás fazendo? – perguntava Zaratustra assustado, porque lhe via correr muito sangue do braço nu: que te sucedeu? – Mordeu-te algum bicho ruim, infeliz?

O que sangrava ria, ainda cheio de cólera.

– Que tens que ver com isto? – exclamou, fazendo menção de querer prosseguir o seu caminho. – Estou aqui nos meus domínios. Interrogue-me quem quiser; mas a um néscio eu não responderei.

– Enganas-te – disse Zaratustra, retendo-o cheio de compaixão –, enganas-te: aqui não estás no teu reino, mas no meu, e aqui não deve suceder a ninguém desgraça alguma.

Chama-me como o quiseres – eu sou o que devo ser. – A mim mesmo me chamo Zaratustra.

Vamos! Lá em cima é o caminho que conduz à caverna de Zaratustra: não está muito longe. Não queres vir a minha caverna para curar as tuas feridas?

Não foste feliz neste mundo, desditoso: primeiro mordeu-te um bicho; depois, pisou-te um homem!...

Quando o homem ouviu, porém, o nome de Zaratustra, transformou-se: – Que me sucedeu? – exclamou. – Quem é que há no mundo que me preocupa senão este único homem, Zaratustra, e o único animal que bebe sangue, a Sanguessuga?

Por causa da sanguessuga estava eu ali estendido, à beira do pântano, como um pescador; e já o meu braço estendido fora mordido dez vezes, quando se me pôs a morder outra sanguessuga mais bela, o próprio Zaratustra.

Ó Ventura! Ó Milagre! Bendito seja este dia que me trouxe a este pântano! Bendita seja a melhor ventura, a mais viva que vivi hoje!

Bendito seja Zaratustra, a grande sanguessuga da consciência!

Assim falava o homem pisado, e Zaratustra rejubilou-se com as suas palavras e com as suas maneiras finas e respeitosas. E estendendo-lhe a mão, perguntou:

– Quem és? Entre nós há muitas coisas por esclarecer e desabafar, mas já me parece nascer o dia puro e luminoso.

– Eu sou o *Espírito do Escrúpulo Intelectual* – respondeu o interrogado; – e nas coisas do espírito é difícil alguém conduzir-se de forma mais rigorosa do que eu, exceto aquele de quem a aprendi, o próprio Zaratustra.

Antes não saber nada do que saber muitas coisas a meias! Antes ser louco por meu próprio critério, que sábio segundo a opinião dos outros! Eu, por mim, vou ao fundo das coisas.

Que importa que esse fundo seja pequeno ou grande, que se chame pântano ou céu? Um pedaço de terra do tamanho da mão me basta, contanto que seja uma verdadeira base.

Num pedaço de terra como a mão, pode uma pessoa ter-se de pé. No verdadeiro saber conscienscioso nada há grande nem pequeno.

– Então és talvez aquele que procura conhecer a sanguessuga? – perguntou Zaratustra. – Tu, o conscienscioso, estudas a sanguessuga em busca dos seus últimos fundamentos?

– Ó, Zaratustra! – respondeu o pisado. – Isso seria uma monstruosidade! Como me atreveria a ter tais intenções!

O que eu domino e conheço é o *cérebro* da sanguessuga: é esse o meu universo!

E é verdadeiramente um universo! Perdoa, porém, se deixo falar aqui o meu orgulho, porque nesse domínio não tenho semelhante.

Por isso posso dizer que é este o meu domínio.

Há quanto tempo persigo esse único objeto: o cérebro da sanguessuga, para que não me fuja mais a verdade fugidia. Eis o meu reino!

Por isso pus tudo o mais de lado, por isso tudo o mais se me tornou indiferente; e fronteira à minha ciência, estende-se a minha negra ignorância.

A minha consciência intelectual exige-me que saiba uma coisa e ignora o restante. Tenho horror de todos os semissábios, de todos os nebulosos, flutuantes e visionários.

Onde cessa a minha probidade, sou cego, e quero ser cego. Mas onde quero saber, também quero ser probo, isto é, duro, servo, estreito, cruel, implacável.

O que tu disseste um dia, Zaratustra, "que a inteligência é a vida que esclarece a própria vida", foi o que me conduziu e me atraiu à tua doutrina. E, na verdade, com o preço do meu próprio sangue, aumentei a minha própria ciência.

– Como o prova a evidência – interrompeu Zaratustra. Pois o sangue continuava a correr do braço nu do escrupuloso. Dez sanguessugas estavam fixadas nele.

Singular personagem, que ensinamento me dá este espetáculo, quer dizer, tu mesmo!

Eu talvez não me atrevesse a insinuar tudo isso nos teus austeros ouvidos.

Vamos! Separemo-nos aqui! Agradar-me-ia, porém, tornar a encontrar-te. Ali, em cima, está o caminho que conduz à minha caverna.

Lá deves esta noite ser bem-vindo entre os meus hóspedes. Quereria também reparar no teu corpo o haver sido pisado por Zaratustra.

É o que me preocupa. Chama-me, porém, para longe de ti um grito de angústia.

Assim falava Zaratustra.

O encantador

Mas como Zaratustra contornava um penhasco, viu perto de si, e no mesmo caminho, um homem que agitava os ombros como doido, e que acabou por se precipitar de bruços no chão.

– Alto! – disse então Zaratustra consigo. – Deve ser este o homem superior; dele procedia aquele sinistro grito de angústia.

Quero ver se posso socorrê-lo.

Quando porém chegou ao local em que o homem estava deitado, encontrou um velho trêmulo com o olhar fixo; e apesar de todas as tentativas de Zaratustra para levantá-lo, foram vãos os esforços.

O infeliz parecia não notar que estivesse alguém ao seu lado; ao contrário, continuava a olhar para um e outro lado, fazendo gestos comovedores, como quem se vê abandonado, e isolado do mundo inteiro.

Afinal, depois de muitas tremuras, sobressaltos e contorções, começou a lamentar-se desta forma:

– Quem me dá calor? Quem me ama ainda? Dai-me cálidas mãos! Dai-me braseiros para o coração!

Tombado, a tremer, como um moribundo, cujos pés são aquecidos, estremecendo por desconhecidas febres, tiritando ante as gélidas e aceradas flechas da geada, acossado por ti, Pensamento inefável, oculto, espantoso caçador, emboscado por detrás das nuvens!

Ferido por ti, olho zombeteiro que me contemplas do fundo das trevas, aqui jaz meu corpo, e me curvo, me contorço, atormentado por todos os eternos suplícios, ferido por ti, o mais cruel caçador, por ti, Deus desconhecido... Fere mais profundamente! Fere outra vez! Traspassa, quebra este coração! Para que é este martírio com setas rebotadas?

Por que me olhas ainda, eterno esfomeado do sofrimento humano, por que me fulminas com teus olhos divinos e cruéis?

Não queres a minha morte, mas o meu martírio. Para que martirizar-me, a mim, Deus cruel, Deus desconhecido? Aproximas-te rastejando no âmago da noite. Que queres? Fala! Persegues-me, cercas-me.

Aproxima-te cada vez mais! Vai-te! Vai-te! Ouça-me respirar, espreita o meu coração, ó ciumento! Mas de quem tens ciúmes? Vai-te! Vai-te daqui! Para que é essa escada? Queres penetrar no meu coração, penetrar nos meus mais secretos pensamentos!

Insolente! Desconhecido! Ladrão! Que queres roubar? Que queres ouvir? Que te propões arrancar com as tuas torturas, Deus verdugo?

Ou terei de me arrastar na tua presença como um cão, entregando-te o meu amor, acorrentado e sacudindo a cauda?

É em vão! Fere de novo, cruel aguilhão! Eu não sou teu cão, apenas tua presa, caçador cruel entre os cruéis, o teu mais altivo prisioneiro, salteador oculto atrás das nuvens!

Fala de uma vez, tu que te escondes velado pelos relâmpagos, fala desconhecido! Que *queres* de mim, Deus desconhecido?

Quê?! Um resgate? Por que queres um resgate?

Pede muito – assim o aconselha o meu orgulho! – E fala pouco – aconselha-te o meu outro orgulho!

Ah! É a mim mesmo que queres! A mim? A mim todo?

Ah! E me martirizas, insensato. E torturas-me o orgulho! Dá-me cálidas mãos, dá-me braseiros para o coração, dá a ti, o mais solitário, a quem o gelo faz suspirar sete vezes até pelos próprios inimigos...

Dá-me a ti, cruel inimigo! Foi-se. Até ele fugiu, o meu único companheiro, o meu grande inimigo, o meu desconhecido, o meu Deus verdugo!

Não! Torna! Torna com os teus suplícios!

Torna ao último dos solitários! Volta! Todas as minhas lágrimas correm em tua procura! E por ti desperta a derradeira chama do meu coração! Oh! Volta, Deus incógnito! Minha dor! Minha última ventura!

III

Neste ponto, porém, Zaratustra não pôde conter mais tempo, agarrou do bordão, e deu com todas as forças no que se lastimava.

– Para! – gritou-lhe num rir colérico – para, histrião! Moedeiro falso, inveterado embusteiro! Bem te conheço!

Hei de te pôr fogo nas canelas, sinistro encantador, sei muito bem como tratar com os da tua laia!

– Para! – disse o velho, erguendo-se de repente. – Não me batas mais, Zaratustra! Tudo isto era apenas uma brincadeira.

Estas coisas participam da minha arte; quis pôr à prova a ti mesmo, apresentando-te esta prova de minha arte. E, na verdade, penetraste bem nos meus pensamentos!

Mas tu também... tu me deste uma prova apreciável do que sabes fazer. És rigoroso, sábio Zaratustra! Feres duramente com as tuas "verdades"; o teu nodoso bastão, obriga-me a confessar... esta verdade!

– Não me adules, histrião! – respondeu Zaratustra sempre irritado, e com semblante sombrio. – És falso; por que falas da verdade?

Pavão dos pavões, oceano de vaidade, que é que tu representavas diante de mim, sinistro encantador? Que querias obrigar-me a reconhecer em ti ao escutar os teus lamentos?

– Eu representava o papel do Penitente do espírito – disse o velho –, foste tu que inventaste noutro tempo esta expressão: o poeta, o mágico que acaba por tornar o espírito contra si mesmo, o homem que tendo-se transformado interiormente se congela ao contato de sua má ciência, e de sua má consciência.

E, confessa francamente, Zaratustra: demoraste em descobrir os meus artifícios e mentiras! *Acreditavas*, na verdade, na minha angústia, quando me amparavas a cabeça; ouvi-te gemer: "Amaram-no pouco, muito pouco!"

Haver-te enganado a tal ponto faz exultar intimamente a minha malícia.

Zaratustra respondeu com dureza:

– A outros mais finos do que eu deves ter enganado. Eu não estou em guarda contra os enganadores; não tenho que tomar precauções: assim o quer a minha sorte.

Tu, porém... *tens que* enganar: conheço-te bem! As tuas palavras hão de ter sempre duplo, triplo, quádruplo, quíntuplo sentido.

O que me confessaste não era bastante verdadeiro nem bastante falso para mim.

Vil moedeiro falso, como havias de fazer outra coisa? Até a tua enfermidade encobririas, se te apresentasses nu ante o médico.

E acabavas de dourar a tua maneira diante de mim quando disseste: "Só o fiz por brincadeira!" Também nisso havia seriedade; tu és, em certo ponto, algo parecido com um redentor do espírito.

Sei perfeitamente calar-te: fizeste-te de encantador de toda a gente; mas, quanto a ti, já te não resta mentira nem astúcia; no que te diz respeito estás desencantado.

Colheste o enfado como única verdade. Nenhuma palavra é já verdadeira em ti, mas tua boca é verdadeira, quero dizer o enfado pegado à tua boca.

– Mas quem és tu? – exclamou o velho, já agora com voz altaneira. – Quem tem o direito de me falar assim, a mim, que sou o maior dos viventes de hoje? E os olhos faiscaram – e voltou a encarar Zaratustra –, mas ao mesmo instante, porém, transformou-se, e disse com tristeza:

– Zaratustra, estou farto de tudo isso, cansam-me os meus artifícios; eu não sou *grande!* Para que fingir? Mas tu bem o sabes, procurei a grandeza!

Eu quis agir como um grande homem, e a muitos seduzi; mas é mentira acima das minhas forças. Estou esgotado.

Zaratustra, em mim tudo é mentira; mas estou realmente esgotado, esta é a verdade que resta em mim.

– Ela honra-te – respondeu Zaratustra, sombrio e desviando o olhar para o chão – honra-te o teres procurado a grandeza, mas também isso te traiu. Tu não és grande.

Sinistro encantador, o melhor e mais honroso para ti é te teres enfastiado de ti mesmo, e haveres exclamado: "Não sou grande!" Neste ponto, eu te reverencio, neste ponto és realmente o Penitente do espírito, embora o fosse pelo tempo de uma respiração ou de um abrir e fechar de olhos, mas nesse instante foste verdadeiro.

Dize-me, porém: que procuras tu aqui nos meus bosques e entre os meus rochedos? E que prova querias de mim ao atravessares o meu caminho? Em que me querias tentar?

Assim falava Zaratustra, e seus *olhos* faiscavam. O velho encantador fez uma pausa, e disse depois:

– Acaso te tentei? Eu não faço mais do que... procurar.

Zaratustra, eu procuro alguém que seja sincero, reto, simples, alheio ao fingimento, um homem de toda a probidade, um vaso de sabedoria, um santo do conhecimento, um grande homem!

Porventura o ignoras, Zaratustra? *Procuro Zaratustra*.

Então fez-se um longo silêncio entre os dois. E Zaratustra, concentrando-se profundamente, fechou os olhos; depois, virando-se para o encantador, pegou-lhe da mão, e disse-lhe delicada e astuciosamente:

– Está bem! Ali em cima se encontra o caminho que conduz à caverna de Zaratustra. Na minha caverna, podes procurar o que desejarias encontrar.

E aconselha-te com os meus animais, a minha águia e a minha serpente: eles te ajudarão a procurar. A minha caverna é grande, contudo.

Verdade é que eu próprio... ainda não vi nenhum grande homem. Para o grande, os olhos mais sutis são ainda demasiado grosseiros para vê-lo. Vivemos no reinado da populaça.

Já vi mais de um homem ocupado em esticar e inflar, enquanto o povo gritava: "Vede: este é um grande homem!" Mas, para que servem os foles? Eles apenas deixam sair vento.

A rã, à força de inchar, acaba rebentando, e então sai vento.

Furar o ventre de um inchado, acho que é uma honesta distração. Ouvi isto, meus filhos!

O nosso hoje pertence à populaça: quem pode saber ainda o que é grande ou o que é pequeno?

Quem teve bom êxito na busca da grandeza? Os loucos apenas. Os loucos aí são afortunados.

Procuras os grandes homens, estranho louco! Quem te *ensinou* essa busca! Já soou a hora. Ó, malicioso investigador, por que me tentas?

Assim falava Zaratustra, com o coração consolado; e rindo, prosseguiu o seu caminho.

Em disponibilidade

Pouco depois de se livrar do Encantador, Zaratustra viu outro homem sentado à beira do caminho que ele seguia, um homem alto e de negro, de semblante pálido e descarnado; e ficou tristemente impressionado: "Mau! – disse em seu coração – quem está sentado ali é a tristeza mascarada, parece-me figura de sacerdote. Que querem *eles* no meu reino?

Mal me livrei daquele Encantador, e já interrompe o meu caminho outro nigromante, um desses taumaturgos que praticam a imposição das mãos, um sombrio milagreiro pela graça de Deus, algum untuoso difamador do mundo. Que o diabo o carregue!

Mas o diabo nunca está onde deveria estar; sempre chega tarde, este maldito anão, esse capenga!"

Assim praguejava Zaratustra, cheio de impaciência em seu coração, decidido a passar rapidamente diante do homem de negro, olhando para outro lado. Mas as coisas sucederam de outro modo; porque, no mesmo instante, foi percebido pelo que estava sentado; e como quem encontrava subitamente o que procurava, pôs-se de pé de um salto, e encaminhou-se para Zaratustra.

– Quem quer que sejas – viandante, disse ele – auxilia um extraviado que procura o seu caminho, a um velho a quem poderia suceder alguma desgraça!

Este mundo aqui é para mim um mundo estranho e longínquo.

Também ouvi rugidos de feras; e quem poderia proteger-me não está aqui. Procurava o último homem piedoso, um santo eremita, que, sozinho, na floresta, ainda não ouvira dizer o que todos hoje sabem.

– Que é que todos hoje sabem? – perguntou Zaratustra. – Será que não existe mais o Deus antigo, o Deus em quem dantes todos acreditavam?

– É o que dizes – respondeu tristemente o velho. – E eu servi a esse Deus antigo até a sua última hora.

Agora, porém, estou em disponibilidade, encontro-me sem senhor, e, apesar disso, não sou livre; por isso só encontro felicidade nas minhas recordações.

Por isso subi a estas montanhas, para tornar a celebrar uma dessas festas, como convém a um velho Papa e padre da Igreja – porque, fica sabendo, sou o último Papa! – uma festa de piedosas lembranças e de culto a Deus.

Mas sucede que morreu o mais piedoso dos homens, esse santo da floresta, que incessantemente louvava a Deus com cantos e preces.

Encontrei a sua cabana, mas o homem piedoso não encontrei; lá vi dois lobos que uivavam à sua morte – porque todos os animais o queriam. Ao ver tal coisa, fugi. Foi em vão a minha busca nestas florestas e nestas montanhas? Por isso o meu coração decidiu-me a procurar outro, o mais piedoso de todos os que não acreditam em Deus: resolvi procurar Zaratustra!

Assim falou o velho, e fixou um olhar penetrante no que estava de pé diante dele. Zaratustra pegou a mão do antigo Papa, e contemplou-a por muito tempo com admiração.

– Olha, então, venerando – disse-lhe depois –, que bela mão afilada. É a mão de quem sempre deu a bênção. Agora, porém, estreita aquele a quem tu procuras, a mim, Zaratustra.

Eu sou Zaratustra o ímpio, que diz: "Quem há mais ímpio do que eu, para me regozijar com o seu ensinamento?"

Assim falava Zaratustra, penetrando com o olhar nos pensamentos mais íntimos do velho Papa. Finalmente, este principiou a dizer:

– Aquele que mais o amou e o possuiu foi também o que mais o perdeu. Olha: creio agora que o mais sem-Deus de nós sou eu. Mas quem se poderia regozijar com isso?

– Serviste-o até o fim? – perguntou Zaratustra pensativo, depois de longo e profundo silêncio. – Sabes como morreu? É verdade o que se diz, que o asfixiou a compaixão? Ao ver o *homem* suspenso na cruz, não pôde evitar que o amor pelos homens se tornasse o seu inferno e lhe causasse a morte?

O antigo Papa sem responder afastou os olhos com espanto e expressão dolorosa e sombria.

– Deixa-o ir – acrescentou Zaratustra, depois de longa reflexão, olhando sempre o velho bem nos olhos.

– Deixa-o ir. Findou-se. E embora te honre dizer só bem desse morto, tu sabes, como eu, quem ele era, e que seguia caminhos singulares.

– Para dizê-lo entre três olhos – disse tranquilizado o Papa, que de um olho era cego – estou mais ao corrente das coisas de Deus que o próprio Zaratustra, e devo estar.

Longos anos o serviu o meu amor, e a minha vontade seguia a dele por toda a parte. Um bom servidor, porém, sabe tudo, e até certas coisas, que o seu senhor oculta a si mesmo.

Era um Deus oculto, cheio de mistérios. Nem sequer procurou um filho, senão por caminhos escuros. Às portas da sua crença encontra-se o adultério.

Quem o louva como Deus do amor, não forma juízo bastante elevado do amor em si. Esse Deus não queria ser juiz também? Pois o que ama, ama acima do castigo e da recompensa.

Em sua juventude, esse Deus do Oriente era ríspido e estava sedento de vingança: criou um inferno para distrair os seus favoritos.

Mas acabou por tornar-se velho, e brando, e terno, e compassivo, assemelhando-se mais a um avô do que a um pai, e até mais, a um avô decrépito.

Mantinha-se ali murcho, sentado ao lado do fogo, preocupado com a fraqueza das pernas, cansado do mundo, cansado de querer, e um dia acabou por perecer sufocado em sua excessiva compaixão.

– E tu, velho Papa – disse Zaratustra, interrompendo-o –, viste tudo isso com os teus próprios olhos? Pode muito bem ter sido assim que tudo se passou ou de outra maneira, porque os deuses, quando morrem, morrem de várias espécies de mortes.

Mas, vamos para a frente! Desta ou de outra maneira, desta e de outra maneira, ele já não existe! Era contrário ao gosto dos meus olhos e dos meus ouvidos: era o que eu podia dizer de pior contra ele.

A mim, agrada-me tudo o que tem o olhar límpido e fala francamente. Ele, porém – e tu bem o sabes, velho sacerdote –, tinha qualquer coisa das tuas maneiras, maneiras de sacerdote: era um santo equívoco.

Também tinha o espírito confuso. Quantas vezes se irritou contra nós, colérico, porque nós o compreendíamos erradamente?

Por que não se expressava melhor? E se a culpa era de nossos ouvidos, para que nos deu maus ouvidos? Se havia lama nos nossos ouvidos, quem a pôs lá?

Saíram mal muitas coisas a esse oleiro, mau aprendiz. Mas vingar-se nos seus cacos e nas suas vasilhas, porque lhe haviam saído más, foi um pecado *contra o bom gosto*.

Também há um bom gosto na compaixão; esse bom gosto acabou por dizer: "Basta de *tal* deus! Vale mais não haver nenhum, vale mais cada um criar seu destino, vale mais ser doido, vale mais ser nós mesmos deuses.

– Que ouço? – disse o velho Papa neste momento, apurando o ouvido. – Zaratustra, com essa incredulidade és mais piedoso do que julgas. Deve ter havido algum deus que te inspira a tua impiedade.

Não é a tua impiedade que te impede de crer em um Deus! É a tua excessiva lealdade que te conduz além do bem e do mal.

Vês tudo quanto te está reservado! Teus olhos, mão e boca que estão predestinados a abençoar de toda a eternidade. Não é só com as mãos que se abençoa.

A teu lado, embora queiras ser o pior dos ímpios, percebo um secreto aroma de incensos e de dilatadas bênçãos, e ao mesmo tempo doloroso para mim.

Permite-me ser teu hóspede uma só noite, Zaratustra! Em nenhuma parte da terra me sentirei melhor que a teu lado!

– Amém! Assim seja! – exclamou Zaratustra, admiradíssimo. Ali em cima está o caminho que conduz à caverna de Zaratustra.

Na verdade, gostaria de te conduzir, Santo padre, pois estimo todos os homens piedosos. Agora, porém, chama-me para longe de ti um grito de angústia.

Nos meus domínios a ninguém nada de mau deve acontecer; a minha caverna é um bom porto. E eu quereria, sobretudo, pôr em terra firme, e com pé direito e ajudar a todos os aflitos.

Quem poderá, contudo, arrancar-te dos ombros a *tua* melancolia? Eu sou demasiado débil para tanto. Na verdade, muito teríamos que esperar para que alguém conseguisse ressuscitar o teu Deus.

Pois esse Deus antigo já não vive; está morto, e bem morto.

Assim falava Zaratustra.

O homem mais feio

E Zaratustra continuou a seguir pelas montanhas e pelas selvas, e os seus olhos procuravam por todos os lados, sem ver, em parte alguma, aquele que clamava por socorro, atormentado por profunda angústia. Enquanto caminhava, o coração enchia-se-lhe de alegria e de reconhecimento.

– Que boas coisas – disse – tem-me dado este dia para indenizar-me de o ter começado tão mal! Quantos singulares encontros! Hei de ruminar, por muito tempo, as suas palavras, como se fossem bons grãos, os meus dentes devem triturá-las e moê-las muitas vezes, até me correrem pela alma como leite.

Mas quando deu volta a outro penhasco do caminho, mudou de súbito a paisagem, e Zaratustra entrou no reino da Morte.

Negros e vermelhos penhascos surgiram ali, e não havia erva, árvores, nem cantos de pássaros. Era um vale que todos os animais desprezavam, e até as feras; só uma horrível espécie de grandes cobras verdes dirigiam-se para lá, quando envelheciam. Por isso os pastores chamavam aquele vale "Morte das serpentes".

Zaratustra abismou-se em negras recordações, porque lhe parecia ter já estado naquele vale. E preocuparam-lhe o espírito coisas pesadas. E foi diminuindo, diminuindo o passo, até que terminou por parar, e fechar os olhos.

Quando os abriu, viu qualquer coisa sentada à beira do caminho, qualquer coisa semelhante à forma de um homem, qualquer coisa inexprimível. E Zaratustra sentiu imensa vergonha de terem seus olhos visto semelhante coisa. Ruborizou-se até à raiz dos cabelos brancos, desviou os olhos e deu um passo para afastar-se daquele sítio nefasto. Subitamente o morno deserto povoou-se de ruídos; do solo se ergueu um gorgolejo e um estertor como o da água à noite em canos tapados! E esse ruído acabou por se tornar voz humana e humana palavra.

A voz dizia:

– Zaratustra! Zaratustra! Adivinha o meu enigma! Fala! Qual é *a vingança contra o testemunho*?

Eu atraio-te para trás; aqui há gelo resvaladiço. Cuidado, cuidado, que o teu orgulho não quebre as pernas!

Julgas-te sábio, orgulhoso Zaratustra?

Pois decifra o enigma, decifra o enigma que eu sou. Fala, pois: quem sou eu?

Mas quando Zaratustra ouviu estas palavras, que pensais se lhe passou na alma?

Viu-se dominado pela *compaixão*, e caiu subitamente como uma massa, como um carvalho que, depois de resistir muito tempo aos lenhadores, cai, de repente e pesadamente, com espanto dos que o queriam abater. Mas, imediatamente, ergueu-se do solo e o semblante tornou-se-lhe duro.

– Conheço-te bem – disse com voz de bronze: – *tu és o Assassino* de Deus. Deixa-me ir embora.

Não *suportaste* que ele te visse sempre, e até no mais íntimo teu, ó dos homens o mais feio! Vingaste-te dessa testemunha!

Assim falava Zaratustra, e quis ir-se embora: mas o inexprimível segurou-o pelo manto e começou a gorgolejar de novo e a procurar as suas palavras:

– Detém-te – disse por fim. – Detém-te!

Não vás embora! Compreendi qual foi o machado que te derribou! Glórias a ti, Zaratustra, que estás outra vez de pé!

Adivinhaste, sei-o perfeitamente, quais são os sentimentos do que matou Deus, do Assassino de Deus. Fica. Senta-te aqui ao meu lado; não será em vão. A quem queria eu encontrar senão a ti? Fica, e senta-te. Mas não olhes para mim. Respeita, assim, a minha fealdade!

Perseguem-me; tu és o meu último refúgio. *Não é que me persigam com o seu ódio nem com seus esbirros.* Zombaria então de tais perseguições! Estaria orgulhoso e satisfeito.

O bom êxito não esteve sempre do lado dos que foram bem *perseguidos?*

E o que persegue, aprende facilmente a *seguir* – porque segue atrás do que persegue. Mas o que sucedeu foi a sua *compaixão...*

É contra a compaixão deles de que eu *fujo*, ao vir *refugiar-me* em ti. Defende-me, Zaratustra, último refúgio meu, único ser que me adivinhou.

Porque adivinhaste os sentimentos daquele que matou a Deus. Fica! E se és tão impaciente que te queiras ir embora, não tomes o caminho por onde eu vim. *Esse* caminho é mau.

Tens-me rancor, porque há muito tempo que te falo imprudentemente? E por que te dou conselhos? Fica sabendo que eu, o Mais Feio dos Homens, sou também o que tem o pé maior e mais pesado. Todo o caminho que pisei se tornou mau. Eu esmago e destruo todos os caminhos.

Bem vi, porém, que passavas por diante de mim em silêncio, e que te envergonhavas: foi por isso que compreendi que eras Zaratustra.

Outro qualquer atirar-me-ia uma esmola, ou com o olhar e a palavra, a sua compaixão. Não sou porém bastante mendigo para aceitá-la, tu o percebeste.

Eu sou demasiado *rico*, rico em coisas grandes e terríveis, as mais feias e inexprimíveis. A tua vergonha *honra-me*, Zaratustra!

Difícil me foi sair da multidão dos compassivos para encontrar o único que ensina hoje que "a compaixão é importuna" – para te encontrar a ti, Zaratustra.

Venha de um Deus ou dos homens, a compaixão é ela contrária ao pudor. E não querer auxiliar pode ser mais nobre do que essa virtude que assalta pressurosa e solícita.

Mas a isso mesmo é que toda a gente pequena chama hoje virtude a compaixão: tal gente não guarda respeito à grande desgraça, nem à grande fealdade, nem à grande queda.

O meu olhar passa por cima dos pequenos como o de um cão por cima dos buliçosos rebanhos de ovelhas. É gentinha de boa vontade, cinzenta e peluda. Como a garça real, que, de cabeça erguida, domina desdenhosamente com o olhar os lagos, meu olhar segue além do formigueiro das pequenas ondas cinzentas, dos mesquinhos quereres cinzentos, das pequenas almas cinzentas.

Há muito tempo já se dá razão a essa gentinha, e assim se acabou por lhe dar igualmente o poder. Agora ensinam: "Só o que a gentinha acha bom é que é bom".

E, hoje, chama-se "verdade" ao que diz o pregador que sai das fileiras dessa gente, aquele santo raro, aquele advogado dos humildes, que afirmava de si mesmo: "Eu sou a verdade".

E aquele homem presunçoso que há tanto tempo enche de orgulho os pequenos, e que pregou não um pequeno erro, quando afirmou: "Eu sou a Verdade".

Deu-se resposta mais cortês a um presunçoso? Contudo, tu, Zaratustra, tu ultrapassaste ao dizer:

"Não! Não! Três vezes não!"

Tu deste a voz de alarme contra o seu erro; foste o primeiro a dar a voz de alarme contra a compaixão; não a todos, nem a nenhum, mas a ti e aos que são da tua raça.

Envergonhas-te da vergonha dos grandes sofrimentos; e quando dizes: "Da compaixão vem uma grande nuvem, cuidado, humanos".

E quando ensinas: "Todos os criadores são duros, pois todo o grande amor triunfa da sua compaixão", parece-me conheceres bem os sinais do tempo, Zaratustra!

Mas, tu mesmo... livra-te também da tua própria compaixão. Que há muitos que se encaminham para ti, muitos dos que sofrem, dos que duvidam, dos que desesperam, dos que estão em perigo de morrer afogados ou gelados.

Ponha-te também em guarda contra mim. Tu decifraste o melhor e o pior dos meus enigmas, decifraste a mim mesmo, e o que tenho feito.

Conheço o machado que te pode derrubar.

Quanto a ele, foi preciso, contudo, que ele morresse: via com olhos que tudo viam, via as profundidades e os abismos do homem, toda a sua oculta ignomínia e fealdade.

A sua compaixão não conhecia a vergonha; introduzia-se nos mais sórdidos recantos. Foi mister morrer o mais curioso, o mais importuno, o mais compassivo.

Olhava-me sempre; quis vingar-me de tal testemunha, ou deixar de viver.

O Deus que via tudo, e *até o homem*, esse Deus devia morrer! O homem *não suporta* a vida de semelhante testemunha.

Assim falou o Homem Mais Feio. E Zaratustra levantou-se e dispôs-se a partir, porque estava gelado até à medula, e disse:

– Ser inexpressável, puseste-me em guarda contra o teu caminho. Para te recompensar, recomendo-te o meu. Olha: ali em cima fica a caverna de Zaratustra.

A minha caverna é grande e profunda, e tem muitos recantos; o mais escondido encontra lá o seu esconderijo. E, perto, há cem rodeios e cem fugas para os animais que se arrastam, revoluteiam e saltam.

Proscrito voluntário, tu não queres viver mais entre os homens e a compaixão dos homens? Pois bem, faze como eu! Assim aprenderás também comigo. Pois é agindo que se aprende.

E fala logo, e em primeiro lugar, aos meus animais. Sejam para nós dois os verdadeiros conselheiros: o animal mais altivo e o animal mais astuto.

Assim falou Zaratustra, e prosseguiu o seu caminho ainda mais pensativo e vagaroso do que até então, porque interrogava a si mesmo sobre muitas coisas que lhe eram de difícil resposta.

– Como o homem é miserável! – pensava interiormente. – Que feio, que agonizante, e quão cheio de secreta ignomínia!

Dizem que o homem ama a si mesmo! Como deve ser grande esse amor próprio! Quanto desprezo tem de vencer!

Também aquele se amava tanto quanto se desprezava. Nele vejo um grande enamorado e um grande desprezador.

Nunca tropecei com ninguém que se desprezasse mais profundamente. Esta atitude também é grande. Ó, desgraça, talvez seja *aquele* o homem superior cujo grito ouvi!

Eu amo os grandes desprezadores. Mas o homem é uma coisa que deve ser superada.

Assim falava Zaratustra.

O mendigo voluntário

Quando Zaratustra se afastou do Mais Feio dos Homens, teve frio, e sentiu-se só, pois muitas coisas geladas e solitárias lhe passavam pelo espírito, e até os membros se enregelaram.

Mas como continuava a subir por montes e vales, e ao atravessar áridos pedregais, que provavelmente tinham sido noutras épocas o leito de um rio impetuoso, sentiu-se, de repente, mais vivo e animado.

– Que me sucedeu? – perguntou a si mesmo. – De onde vem esse hálito cálido e vivo que me reconforta? Deve andar próximo de mim.

Já estou menos só; companheiros e irmãos rondam inconscientemente em torno de mim; o seu quente hálito agita a minha alma.

Mas quando olhou ao redor, procurando os consoladores da sua solidão, viu que eram vacas, que estavam umas ao lado das outras numa colina; fora a proximidade e o bafo desses animais que lhe haviam reanimado o coração. As vacas, entretanto, assim parecia, estavam escutando atentamente a alguém, e não dirigiram a atenção a quem se aproximava.

Já muito perto delas, Zaratustra ouviu sair do centro, claramente, uma voz de homem, e era visível pois todas viravam a cabeça para o orador.

Então Zaratustra correu para o montículo e dispersou os animais, porque receava houvesse sucedido alguma desgraça a alguém, coisa que dificilmente poderia remediar a compaixão das vacas. Enganava-se, pois o que viu foi um homem sentado no solo, que parecia exortar os animais a não terem medo dele. Era um homem agradável, um pregador das montanhas, cujos olhos pregavam a própria bondade.

– Que procuras aqui? – perguntou Zaratustra admirado.

– Que procuro aqui? – respondeu o homem. – O mesmo que tu, curioso! Isto é, a felicidade na terra.

Por isso queria aprender com estas vacas. Pois, fica sabendo, há meia manhã que lhes estou falando, e iam-me responder. Por que as espantaste?

E se não nos convertermos e nos tornarmos iguais às vacas, não poderemos entrar no reino dos céus. Que há uma coisa que deveríamos aprender delas: é ruminar.

E, na verdade, de que serviria ao homem alcançar o mundo inteiro, se não aprendesse uma coisa: se não aprendesse a ruminar?

Ele não conseguiria libertar-se de sua tristeza, de sua grande tristeza, que hoje se chama *tédio*. Quem não terá hoje o coração, a boca e os olhos cheios de tédio? Também tu. Também tu. Mas olha para estas vacas!

Assim falou o pregador da montanha; depois virou os olhos para Zaratustra, porque até então os fixara amorosamente nos animais.

Mas logo se transformou:

– Com quem estou falando? – perguntou, assustado, erguendo-se de um salto.

Este é o homem sem tédio, Zaratustra em pessoa, o que triunfou do grande tédio; são os seus olhos, a sua boca, e o próprio coração de Zaratustra.

E dizendo estas palavras, beijou as mãos daquele a quem falava, com olhar afetuoso, e em tudo se comportava como se tivesse caído do céu, inopinadamente, um precioso tesouro. Entretanto as vacas contemplavam tudo aquilo com admiração.

– Não fales de mim, homem singular e atraente! – respondeu Zaratustra, esquivando-se ao afagoso. – Antes de tudo, fala-me de ti. Não serás tu o Mendigo Voluntário, que outrora repudiou uma grande riqueza?

Não serás aquele que, envergonhado da riqueza e dos ricos, fugiu para junto dos mais pobres a dar-lhes... a sua abundância e o seu coração? Mas eles nada queriam de ti.

– Não me aceitaram – disse o Mendigo Voluntário; – já o sabes. Por isso acabei por procurar os animais, e estas vacas.

– Assim aprendeste – interrompeu Zaratustra – que é muito mais difícil dar bem do que aceitar bem; que dar bem é a arte suprema, e a mais sutil virtuosidade da bondade.

– Principalmente em nossos dias – respondeu o Mendigo Voluntário –, principalmente hoje que tudo quanto é baixo se ergue altivamente, orgulhoso da sua raça: a rapa plebeia.

Já deves saber que chegou a hora da grande insurreição da populaça e dos escravos, a hora dessa grande, funesta, vasta e lenta insurreição, que cresce continuamente.

Agora os pequenos revoltam-se contra qualquer benefício, e o menor donativo revolta os humildes; e acautelem-se os que são demasiadamente ricos!

Há frascos bojudos que gotejam a pouco e pouco por estreitos gargalos, há frascos assim, corta-se a cabeça com gosto.

Avidez luxuriosa, inveja acerba, vingança reconcentrada, orgulho plebeu; tudo isso me surgiu aos olhos. Não é já verdade dizer-se que os pobres são bem-aventurados. O reino do céu existe entre as vacas.

– E por que não entre os ricos? – perguntou, tentadoramente, Zaratustra, impedindo que as vacas acariciassem com o seu hálito o homem agradável.

– Por que me tentas? – respondeu este – e tu mesmo o sabes muito melhor que eu. Que foi que me impeliu para os mais pobres, Zaratustra? Não era a aversão que sentia pelos mais ricos dos nossos? Belos forçados da riqueza, que aproveitam os seus lucros em todos os detritos, com olhos frios e olhares concupiscentes? Por essa chusma que exalam mau odor até o céu? Por essa dourada e falsa populaça, cujos ascendentes eram gente de unhas compridas, aves carnívoras, ou trapeiros, com mulheres complacentes, lascivas e esquecidas, que pouco diferiam das rameiras?

Populaça acima da escala! Populaça abaixo! Que significam já hoje os "pobres" e os "ricos"! Eu esqueci esta diferença, e acabei por fugir para longe, cada vez mais longe, até parar entre estas vacas.

Assim falou o homem agradável, e, ao pronunciar essas palavras, respirava ruidosamente, banhado em suor: e tanto que as vacas tornaram a admirar-se. Zaratustra, porém, enquanto o homem falava assim duramente, fitava nele os olhos, sorrindo e movendo silenciosamente a cabeça.

– Pregador da montanha, estás violentando a ti mesmo ao empregar expressões tão duras. A tua boca e os teus olhos não nasceram para tais durezas.

E o teu estômago tampouco, segundo me parece, resiste a essa cólera, a esse ódio e a essa efervescência. O teu estômago precisa coisas mais brandas: não és carnívoro.

Antes me pareces homem para viver de plantas e raízes, e talvez mastigues grãos para a tua alimentação. Em todo o caso, repugnam-te os prazeres da carne, e agrada-te o mel.

– Adivinhaste-me perfeitamente – respondeu o Mendigo Voluntário, com o coração aliviado. – Agrada-me o mel e também mastigo grão, porque procurei o que tem bom gosto e purifica o hálito; também é uma tarefa que soma muito tempo, e ocupa por dias inteiros os maxilares dos brandos, preguiçosos e folgazões.

Estas vacas, certamente foram muito mais longe; inventaram o ruminar e deitar-se ao sol. Assim se livram de todos os pensamentos pesados que incham as entranhas.

Zaratustra disse:

– Pois então deverias ver também os meus animais: a minha águia e a minha serpente, que não têm rival na terra.

Olha: aquele é o caminho que conduz à minha caverna: sê meu hóspede por esta noite. E fala com os meus animais da felicidade dos animais, até que eu regresse.

Agora, porém, chama-me apressado para longe de ti um grito de angústia. Também hás de encontrar na minha morada mal fresco, favos de dourado mel, de glacial frescura; come-os!

Agora te despede pressuroso das tuas vacas, homem singular e atraente, embora te custe; pois são os teus melhores amigos e mestres!

– À exceção de um só, a quem prefiro – respondeu o Mendigo Voluntário. – Tu és bom, e ainda melhor que uma vaca, Zaratustra!

– Vai-te daqui! Vai-te depressa, vai, adulador! – exclamou, colérico, Zaratustra. – Por que queres me corromper com o mel de teus elogios e de tuas lisonjas?

Vai-te, vai-te para longe de mim! – gritou outra vez, brandindo o bastão na direção do mendigo adulador, mas este fugiu com presteza.

A sombra

Mal se afastara o Mendigo Voluntário, Zaratustra encontrou-se outra vez só consigo mesmo, quando ouviu uma nova voz gritar:

– Para, Zaratustra! Espera! Sou eu, Zaratustra; eu, a tua Sombra!

Zaratustra, porém, não esperou, porque o invadiu um grande desgosto ao ver a multidão que se amontoava na sua montanha.

– Que foi feito da minha solidão? – disse. – Mas, francamente, é demais; esta montanha formiga; o meu reino já não é deste mundo; preciso de novas montanhas.

É a minha sombra que me chama. Mas, que me importa a minha sombra? Corra ela atrás de mim... e eu adiante dela!

Assim dizia consigo Zaratustra, ao correr; mas o que estava atrás dele seguia-o, de forma que eram três a correr um atrás do outro: primeiro, o Mendigo Voluntário; a seguir, Zaratustra e, em último lugar, a sua sombra.

Não haviam corrido muito ainda, quando Zaratustra se arrependeu de sua loucura, e expulsou num só ímpeto, para longe de si, todo o despeito e repugnância.

– Quê! – exclamou. – Não é sempre entre nós, santos e eremitas, que têm acontecido as coisas mais ridículas?

Na verdade, a minha loucura cresceu nas montanhas! Agora ouço soar, umas atrás das outras, seis velhas pernas de loucos!

Terá Zaratustra o direito de se assustar com uma sombra? E acabo por acreditar que ela tem as pernas mais compridas que as minhas.

Assim falava Zaratustra rindo com vontade, com todo o seu ser.

Deteve-se, virou-se repentinamente, e quase atirou ao chão a sombra que o perseguia, tão agarrada ia aos seus tacões, e tão fraca era.

Ao examiná-la, assombrou-se, como se de repente lhe houvesse aparecido um fantasma, tão fraco, negro e vão era o seu perseguir, e tão extenuado lhe parecia.

– Quem és? – perguntou Zaratustra com veemência. – Que fazes aqui? E por que te chamas minha sombra? Não me agradas.

– Perdoa-me – respondeu a Sombra – ser eu tua sombra, e não te agradar, Zaratustra! Eu concordo, e cumprimento o teu bom gosto.

Eu sou um viandante que já há muito tempo te segue as pegadas: sempre a caminhar, mas sem destino nem pouso: de forma que pouco me falta para ser o eterno judeu errante, salvo não ser eterno nem judeu.

– Como? Hei de caminhar sempre? Hei de me ver arrastado sem trégua por todos os ventos? Ó terra, tornaste-te demasiado redonda!

Já me coloquei em todas as superfícies e planos, adormecida à semelhança do cansado pó sobre os vidros e vidraças.

Tudo recebe de mim; ninguém me dá. Eu diminuo, quase pareço uma sombra. Mas a quem tenho seguido e perseguido mais tempo tem sido a ti, Zaratustra; e embora me tenha ocultado de ti, fui, contudo, a tua melhor sombra; onde quer que parasses, parava eu também.

Eu te acompanhei pelos mais longínquos e frios mundos, como um fantasma que se compraz em correr sobre a neve, sobre tetos embranquecidos de gelo. Contigo penetrei em todo o proibido, pior e mais longínquo; e se alguma virtude há em mim, é não ter recuado ante nenhuma proibição.

Contigo, aniquilei quanto o meu coração adorou, derribei todas as fronteiras e todas as imagens, correndo após os mais perigosos desejos; realmente, passei, uma vez ao menos, por todos os crimes.

Contigo, perdi a fé nas palavras, nos valores, e nos grandes nomes. Quando o demônio muda de pele, não muda ao mesmo tempo de nome?

Porque o nome é apenas uma espécie de epiderme. Talvez até o demônio não seja mais... que uma epiderme.

"Nada é verdade: tudo é permitido"; assim eu me dizia para me consolar. E nas águas mais frias, mergulhei de coração e de cabeça.

E quantas vezes não saí nu e vermelho como um caranguejo!

Ai! Para aonde foi tudo o que era bom em mim, meu pudor, e a fé nos bons? Ai! Para onde fugiu aquela inocência enganadora que dantes possuíra a inocência dos bons e de suas nobres mentiras?

Com demasiada frequência espezinhei a verdade, e ela enfrentou-me face a face. Às vezes julgava mentir, e eis que ela me surgia, a verdade.

Muitíssimas coisas se me tornaram claras; agora já me não importam. Já nada vive do que eu amo. Como poderia amar-me ainda a mim mesmo?

"Viver, como me agrade, ou não viver de modo nenhum; eis o que quero, eis o que quer também o mais santo. Mas, ó desventura! Como poderia eu satisfazer-me ainda?

Acaso *tenho*... um fim? Um porto para onde encaminhe a *minha* vela?

Um bom vento? Só o que sabe para *aonde* vai, sabe também qual é o seu bom vento, qual é o seu vento favorável.

Que me resta? Um coração fatigado e impertinente, uma vontade instável, asas trêmulas, uma espinha quebrada. Esse afã de correr em busca da *minha* pátria, sabes, Zaratustra, essa busca foi a *minha obsessão*: devora-me.

Onde está... a minha pátria? Eis o que pergunto, o que procuro, o que procurei e não encontrei.

Ó, eterno 'em toda a parte!', ó, eterno em 'parte nenhuma'. Ó, eterno... 'em vão!'

Assim falava a Sombra e o semblante de Zaratustra dilatava-se ao ouvi-la.

– Sim, és a minha sombra! – disse afinal, com tristeza.

Não é pequeno o teu perigo, espírito livre e vagabundo! Tiveste mau dia: cuidado que a noite não seja pior.

Inquietos, como tu, acabam por sentir-se bem até num cárcere.

Já alguma vez viste como dormem os criminosos presos? Dormem tranquilamente: gozam a sua recente segurança.

Olha, não acabe por se apoderar de ti uma fé acanhada, uma ilusão dura e rígida! Pois daqui por diante será seduzido e tentado por tudo quanto é estreito e sólido.

Perdeste o teu alvo! Como te poderia consolar dessa perda! Por isso perdeste também o caminho!

Pobre vagabundo, espírito volúvel, mariposa fatigada! Queres ter esta noite descanso e asilo? Sobe então até à minha caverna!

Por ali é o caminho que conduz à minha caverna. E agora quero fugir apressadamente de ti. Sinto já como uma sombra que pesa sobre mim. Quero querer sozinho até tudo ficar claro à minha volta. Por isso precisarei ainda mover alegremente as pernas durante muito tempo.

Mas esta noite, em minha moradia, com certeza, dançar-se-á."

Assim falava Zaratustra.

Ao meio-dia

E Zaratustra correu e correu sem encontrar mais ninguém. Finalmente se encontrou só, gozando a sua solidão, e pôs-se a pensar em boas coisas durante horas inteiras. Ao meio-dia, porém, quando o sol se encontrava exatamente sobre a sua cabeça, Zaratustra passou perto de uma velha árvore, retorcida e nodosa, enlaçada e envolta pelo exuberante amor de uma vinha que a envolvia toda. E dessa árvore caíam, abundantes, dourados cachos que se ofereciam ao viandante. Zaratustra teve desejos de acalmar a sede que sentia, e arrancar um cacho de uvas, e já estendia a mão, quando o dominou outro desejo, ainda mais violento: o desejo de se deitar ao pé da árvore, em pleno meio-dia, para dormir.

E assim fez: e enquanto esteve estendido no meio do silêncio e do mistério da florida erva, esqueceu a sede e adormeceu. Pois há um provérbio de Zaratustra: "de duas coisas uma é mais necessária que a outra".

Contudo, os olhos conservavam-se-lhe abertos: é que se não cansavam de olhar e gabar a árvore e o amor da vinha. Entre os seus devaneios, Zaratustra falou assim ao seu coração.

Silêncio! Silêncio! Não acaba de alcançar o mundo a sua perfeição?

Que é que me sucede?

Como uma brisa deliciosa dança, invisível, sobre a superfície do mar, tão leve, tão leviana como uma pena, assim o sono dança em mim.

Não me fecha os olhos, deixa a minha alma desperta. Na verdade, é leve, leve como uma pena.

Persuade-me, não sei como. Com sua mão carinhosa afaga a minha fibra mais íntima. Domina-me. Sim; domina-me e obriga a minha alma a se dilatar.

Como me parece longa e cansada, essa alma singular!

É já a tarde do sétimo dia que a surpreende em pleno meio-dia? A noite de um sétimo dia? Vagueou ela demasiado tempo com delícia entre as coisas boas e maduras?

Ei-la estendida ao comprido, mais comprida ainda. Ei-la tranquilamente deitada, a minha alma singular. Já saboreou demasiadas coisas boas, esta dourada tristeza a oprime, sua boca se contrai.

Como barca que entrou na mais serena baía que existe na terra, ela se encosta agora à terra, fatigada das longas viagens e dos mares incertos. Não é a terra mais fiel?

Como uma barca se encosta e arrima à terra: basta então que uma aranha estenda o seu fio da terra até ela. Não é preciso cabo mais forte.

Como uma dessas barcas fatigadas, na mais tranquila das baías, assim repouso agora ao contato da terra, fiel, confiante, na espera, preso à terra pelos mais tênues fios.

Ó ventura! Ó ventura! Queres cantar, minha alma?

Tu repousas sobre a erva. Esta, porém, é a hora secreta e solene, em que nenhum pastor sopra mais a flauta.

Acautela-te! O calor do meio-dia repousa nos prados. Não cantes!

Silêncio! O mundo alcançou sua perfeição! Não cantes, ave dos prados, minha alma! Nem sequer murmures! Olha bem... silêncio! O velho meio-dia adormeceu. Mexe os lábios; não bebeu nesse instante uma gota de felicidade? Uma velha gota dourada de felicidade, de dourado vinho?

A felicidade desliza por ele, e sorri. Assim sorriu um deus. Silêncio!

Que felicidade, quão pouco é preciso para serem felizes – assim dizia eu em outras épocas, julgando-me sábio. – Era, porém, uma blasfêmia: foi o que aprendi até agora. Os doidos, em sua sabedoria, dizem coisas melhores.

O mínimo, precisamente, o mais simples, o mais leve, um roçar de lagarto, um sopro, um psiu! Um abrir e fechar de olhos, é desse *pouco* que se compõe a característica da melhor felicidade. Silêncio!

Que me sucedeu? Escutai! Fugiu o tempo? Será que caio, que caí... – escutai! – no poço da eternidade?

Que me sucede? Silêncio. Estou ferido – ai de mim! – no coração? No coração? Ó, quebra-te, meu coração, depois de tal felicidade, depois de semelhante ferida!

Como! O mundo não acaba de alcançar a sua perfeição? Não é demasiado redondo e maduro? Ó círculo de ouro, de uma rotundidade perfeita, para onde voará, para que eu corra atrás dele. Psiu!

Silêncio!... – E neste ponto, Zaratustra estirou-se, e sentiu que dormia.

"Levanta-te, dorminhoco, dormindo ao meio-dia! – disse consigo mesmo. – Vamos, velhas pernas! É tempo, e mais que tempo; ainda nos falta andar uma boa parte do caminho.

Entregaste-te ao sono. Durante quanto tempo? Uma semieternidade! Vamos, levanta-te agora, velho coração. Depois de tal sono, quanto tempo precisarás para despertar?

(Já outra vez, porém, adormecia, e a alma resistia-lhe e defendia-se e tornava a deitar-se ao comprido.) Deixa-me! Silêncio! Não acaba o mundo de alcançar a sua perfeição? Ó! Essa bela esfera 'redonda e dourada'!

– Levanta-te, preguiçoso! – disse Zaratustra! – Que é isso de estares sempre a esticar-te, bocejando, suspirando, caindo no fundo dos poços profundos?

Quem és tu, então? Minha alma!

(E nesse momento assustou-se porque do céu lhe caía um raio de sol sobre o semblante.)

– Ó, céu! – disse com um suspiro, tornando a si. – Contemplas-me? Escutas a minha alma singular? Quando beberás essa gota de rocio caída sobre as coisas terrestres? Quando beberás essa alma singular?

Poço de eternidade, alegre abismo do meio-dia, que faz estremecer... quando absorverás em ti a minha alma?"

Assim falava Zaratustra ao pé da árvore, e ergueu-se como se saísse de estranha embriaguez: e, no entanto, o sol achava-se exatamente acima de sua cabeça: do que se podia concluir com razão que Zaratustra pouco dormira.

A saudação

Ia já a tarde muito alta quando Zaratustra, depois de muito andar e de inúteis buscas, voltou à sua caverna. Mas, quando apenas se encontrava a vinte passos da entrada, sucedeu o que menos ele podia esperar: tornou a ouvir o grande *grito de angústia*.

E, coisa assombrosa, naquele instante o grito saía da sua própria caverna; mas era um grito prolongado, estranho e múltiplo, e Zaratustra distinguiu claramente que era produzido por muitas vozes, conquanto, de longe, parecesse provir de uma só boca.

Zaratustra precipitou-se para a caverna. Que espetáculo o esperava a seguir aquele concerto! Estavam ali, reunidos, todos os que encontrara durante o dia: o Rei da Direita e o Rei da Esquerda, o Velho Encantador, o Papa, o Mendigo Voluntário, a Sombra, também o Espírito do Escrúpulo, o Profeta de mau augúrio e o Asno; mas o Homem mais Feio colocara uma coroa e cingira duas faixas de púrpura, porque gostava, como todos os feios, de se disfarçar e adornar. No meio daquela triste reunião, a águia de Zaratustra estava de pé, inquieta e com as penas eriçadas, porque lhe faziam inúmeras perguntas às quais o seu orgulho lhe interditava responder; e a astuta serpente pendia enlaçada em torno do pescoço.

Zaratustra olhou tudo aquilo com grande assombro; depois examinou cada um dos hóspedes com benévola curiosidade; tendo lido em suas almas, tornou a assombrar-se. Enquanto ele assim procedia, os que estavam reunidos puseram-se de pé, aguardando respeitosamente que Zaratustra tomasse a palavra.

E Zaratustra falou assim:

– Vós desesperados! Vós singulares, foi pois o vosso *grito de angústia* que ouvi? E sei agora onde se encontra aquele que hoje procurei em vão, o *homem superior*.

Está sentado na minha própria caverna, o homem superior! Por que me hei de admirar? Não fui eu mesmo que o atraí com os meus oferecimentos de mel e com a maliciosa tentação da minha felicidade?

Mas vós me pareceis malpreparados para entrar em acordo; vós não cessais de vos irritar uns contra os outros, vós que proferis gritos de angústia, tendes necessidade que um outro se junte a vós.

Alguém que vos fizesse rir outra vez, um bom palhaço bem jovial, um dançarino, um cata-vento, um ventoinha, algum velho louco: que vos parece?

Perdoem-me, ó desesperados, empregar eu tão frívolas palavras, indignas de tais hóspedes. Contudo, não percebeis o que me alegra o coração. Sois vós mesmos; é ver todos aqui, perdoai-me. Na verdade, recobra-se ânimo quando se vê um desesperado, e, para dar coragem a um desesperado, qualquer um se julga suficientemente forte.

A mim destes-me vós essa força – um dom precioso, hóspedes ilustres, um verdadeiro presente de hóspedes! Vamos, não vos irriteis se, por meu turno, oferecer-vos o que eu tenho. Este é o meu reino e o meu domínio, mas tudo que me pertence deve ser vosso durante esta tarde e esta noite. Sirvam-vos. Os meus animais vos servirão e a minha caverna será o vosso lugar de repouso!

Em minha moradia não quero desesperados; eu protejo toda a gente contra os animais selvagens dos meus domínios. Segurança: eis a primeira coisa que vos ofereço! A segunda é o meu dedo mínimo. E quando eu vo-lo der, tomareis a mão inteira, e o coração também.

Sede bem-vindos aqui: saúde, hóspedes meus!

Assim falava Zaratustra, rindo com um ar de ternura e também de malícia. Depois daquela saudação, os hóspedes tornaram a inclinar-se, guardando respeitoso silêncio. Mas o Rei da Direita respondeu em seu nome:

– À maneira de nos ofereceres a mão, e a tua saudação, conhecemos que és Zaratustra. Tu te humilhaste perante nós, e um pouco mais terias ferido nossa deferência. Mas qual outro senão tu saberia curvar-se com tal orgulho? Tal gesto nos eleva, e reconforta nossos olhos e nossos corações.

Só para contemplar tal coisa, subiríamos, de bom grado, montanhas mais altas do que esta. Viemos com olhos ávidos, desejosos de ver o que aclara olhos entristecidos.

E vê, agora esquecemos os nossos gritos de angústia. Já estão abertos e extasiados os nossos sentidos e os nossos corações.

Um pouco mais, e o nosso ânimo se tornará presunçoso.

Nada, Zaratustra, na terra é mais tônico que uma elevada e forte vontade; a planta mais bela da terra. Toda a paisagem é animada por essa única árvore.

É ao pinheiro que eu compraria, Zaratustra, aquele que, como tu, cresce esbelto, silencioso, duro, solitário, feito da madeira mais flexível, soberbo, querendo atingir ao topo os seus verdes e vigorosos ramos, dirigindo enérgicas perguntas aos ventos, às tempestades, e a tudo quanto é familiar às alturas, e dando respostas mais vigorosas ainda, imperativo e vitorioso. Quem não subiria às mais altas montanhas para contemplar semelhantes plantas?

Tua árvore, Zaratustra, dá ânimo ao triste e abatido, e também serena o inquieto, e cura o seu coração.

E, certamente, para a tua montanha e para a tua árvore dirigem-se hoje muitos olhares: há muitos que aprenderam a perguntar: "Quem é Zaratustra?"

E todos aqueles em cujos ouvidos distilas o teu mel e as tuas canções, todos os homens secretos, todos os solitários disseram sozinhos ou a dois, subitamente, em seu coração:

– Ainda vive Zaratustra? Já não vale a pena viver; tudo é igual, tudo é vão, se não vivemos com Zaratustra! Por que não chega o que se anunciou há tanto tempo? – assim pergunta um grande número – devorá-lo-ia a solidão? Ou nós teremos de ir buscá-lo?

Agora até a própria solidão abranda e se quebra, como túmulo que se abre, e já não pode reter os seus mortos. Por toda a parte vemos ressuscitados.

Agora as ondas sobem cada vez mais em torno de tua montanha, Zaratustra. E, apesar da elevação da tua altura, é mister que muitas subam até ti; a tua barca já não deve permanecer muito tempo abrigada.

E termos vindo à tua caverna, nós, os que desesperamos, e já não desesperamos, é apenas um sinal e um presságio de que já vêm a caminho outros melhores do que nós.

Porque o que se põe a caminho para ti é a última sobra do que há de divino no homem, são todos os homens animados da grande nostalgia, do grande tédio, da grande saciedade. Todos aqueles que não querem viver sem encontrar a *esperança*, a menos que não aprendam de ti, Zaratustra, a *grande* esperança.

Tendo assim falado, o Rei da Direita pegou a mão de Zaratustra para beijá-la, mas Zaratustra deteve o seu gesto de veneração e retrocedeu assombrado, taciturno, e retirou-se rapidamente para longe.

Passados alguns instantes, voltou para junto dos hóspedes, e, olhando-os com olhos límpidos e perscrutadores, disse:

– Hóspedes meus, homens superiores, quero falar-vos com clareza e em bom alemão.

Não era a vós que eu esperava nas montanhas.

– Com clareza e em bom alemão! Que Deus tenha piedade de nós! – disse então o Rei da Esquerda. – Bem se vê que este sábio do Oriente não conhece estes bons alemães! Quererá dizer "grosseiramente e em alemão". Bem! Hoje ainda não é este o pior dos gostos!

Zaratustra continuou:

– Pode ser que todos vós sejais homens superiores, mas, para mim, não sois bastante altos nem bastante fortes.

"Para mim" significa o implacável que se cala em mim, mas que não se calará sempre. E se sois dos meus, não vos considero como meu braço direito.

Pois, os que, como vós, andam com pernas doentes e fracas, o que primeiro querem, conscientemente ou não – *é ser contemplados*.

Eu, porém, não guardo contemplações com os meus braços e as minhas pernas, *eu não guardo contemplações com os meus guerreiros*.

Como podereis ser bons para a *minha* guerra?

Convosco perderia todas as batalhas. E há alguns de vós que cairiam só ao ouvir o rufar dos meus tambores.

Também para mim não sois bastante belos nem bem nascidos. Espelhos preciso para as minhas doutrinas, mas límpidos e polidos; na vossa superfície deforma-se a minha própria imagem.

Sobre os vossos ombros pesam muitas cargas, muitas recordações. Nos vossos recônditos estão sentados muitos anões malévolos. Também em vós há populaça escondida.

E embora sejais grandes e de alta espécie, há em vós ainda demasiadas deformidades e defeitos.

Não há ferreiro no mundo capaz de vos reformar e endireitar.

Apenas sois pontes: possais servir de pontes para outros maiores que vós.

Representais degraus; não vos enfadeis, portanto, com aquele que suba por cima de vós até atingir a sua altura.

Talvez de vossa semente nasça um dia para mim um verdadeiro filho, um herdeiro completo; mas esse ainda está muito longe.

Vós, porém, não sois os seres a quem pertencem o meu nome e os meus bens deste mundo.

Não é a vós que espero nestas montanhas, não é convosco que descerei aos homens pela última vez.

Vós apenas sois sinais precursores, anúncios de que se encaminham para mim outros mais elevados; e *não* os homens do grande anelo, do grande tédio, da grande saciedade, nem do que chamastes vestígios de Deus entre os homens.

Não, não! Três vezes não! A *outros* espero nestas montanhas e sem eles não me arredo daqui a não ser em sua companhia; espero outros mais altos, mais fortes, mais vitoriosos, mais alegres, retangulares de corpo e alma: os *leões risonhos* que virão.

Hóspedes meus, homens singulares, ainda não ouvistes falar dos meus filhos? Não ouvistes dizer que se encaminham para aqui?

Falai dos meus jardins, das minhas Ilhas Bem-aventuradas, da minha bela e nova espécie. Por que me não falais disso?

O que reclamo de vossa estima é esta fineza: falai-me de meus filhos. É por eles que eu sou rico, é por eles que me empobreci. Quanto dei!

E quanto daria para ter uma coisa: *esses* filhos, *essas* plantas vivas, *essas* árvores da vida, da minha vontade e da minha mais alta esperança!

Assim falava Zaratustra, mas interrompeu de súbito o discurso, porque a nostalgia o assaltou, e a agitação de seu peito fechou-lhe os olhos e os lábios.

E todos os hóspedes guardaram silêncio também, e permaneceram imóveis e confusos, a não ser o velho Profeta, que fazia com as mãos, e por contorções, toda espécie de sinais.

A ceia

Neste momento o Profeta interrompeu as saudações que trocavam Zaratustra e seus hóspedes. Adiantou-se pressuroso como quem não tem tempo a perder, pegou na mão de Zaratustra, e exclamou:

– Mas, Zaratustra, tu mesmo disseste que de duas coisas uma é mais necessária que a outra! Pois bem, agora há uma coisa que para mim é mais necessária que todas as outras.

A propósito; tu não me convidaste para uma refeição? Estão aqui muitos que deram longas caminhadas, e é de supor que os não queiras satisfazer com palavras.

Já a todos falaste demasiado do perigo de morrer de frio, de se afogarem, de se asfixiarem e de outras fraquezas do corpo; mas ainda ninguém se lembrou do mal que sofro, e que é a fome.

(Assim falou o Profeta, mas quando os animais de Zaratustra ouviram essas palavras fugiram espavoridos. Pois viram bem que tudo quanto haviam trazido durante o dia não bastaria para encher apenas o estômago daquele Profeta.)

– Sem falar da sede – continuou o Profeta. – E conquanto ouça correr a água abundante e infatigavelmente, como os discursos da sabedoria, eu, pela minha parte, quero vinho!

Nem todos são como Zaratustra, bebedores natos de água. A água também não é boa para gente cansada e prostrada; nós precisamos de vinho, só vinho cura rapidamente e dá uma saúde sempre alerta.

E como o Profeta reclamava vinho, o Rei da Esquerda, o taciturno, tomou também a palavra, dizendo:

– Do vinho nos encarregamos nós, eu e meu irmão, o Rei da Direita! Vinho temos bastante. Uma carga completa de asno. Portanto, só falta pão.

– Pão! – exclamou Zaratustra, rindo. – Pão positivamente, não têm os solitários. Mas nem só de pão se alimenta o homem, mas também da suculenta carne de cordeiros, e eu tenho dois.

Deveis esquartejá-los depressa e aromatizá-los, com salva, pois é como me agrada a carne de cordeiro. E não nos faltam raízes nem frutos, que até contentariam gastrônomos e paladares delicados, sem falar de nozes e outros enigmas menores para partir.

Vamos, pois, fazer já uma boa refeição. Mas quem quiser comer conosco tem que deitar mãos à obra, todos, sem exceção, inclusive os reis. Pois nos domínios de Zaratustra até um rei pode ser cozinheiro.

A proposta agradou a todos; o Mendigo Voluntário era o único que se opunha à carne, ao vinho e às raízes.

– Olhem o glutão do Zaratustra! – disse em ar de zombaria. – Vêm-se então para as cavernas e para as altas montanhas, a fim de celebrar semelhantes festins?

Agora compreendo o que ele nos pregou noutra ocasião. "Bendita seja a modesta pobreza!" E por que quer suprimir os mendigos?

– Tem bom-humor como eu – respondeu Zaratustra. – Conserva os teus hábitos, bom homem! Mastiga o teu grão, bebe a tua água, louva a tua cozinha, desde que te contentem.

Eu apenas sou lei para os meus, não sou lei para todos. Mas quem pertencer ao número dos meus, tem de ter ossos fortes e pernas ágeis; há de estar sempre disposto para as guerras e festins; nem melancólico nem sonhador; disposto para as coisas mais difíceis como para uma festa; são e robusto.

O melhor que existe pertence-nos, a mim e aos meus, e se não no-lo derem, tomá-lo-emos: o melhor alimento, o céu mais puro, os pensamentos mais fortes, as mulheres mais formosas!

Assim falava Zaratustra; e o Rei da Direita respondeu:

– É singular! Ouviu-se alguma vez coisas tão judiciosas na boca de um sábio?

E o que há ainda de mais singular por se tratar de um sábio é que é ainda inteligente, e nada tem de asno.

Assim falou admirado o Rei da Direita, e o jumento concluiu maliciosamente com um IA.

E foi este o princípio da longa refeição que se chama "a ceia" nos livros de História. Durante essa refeição só se falou do *Homem Superior*.

Do Homem Superior

I

"Quando pela primeira vez estive com os homens, cometi a loucura do solitário, a grande loucura: fui para a praça pública.

E como falava a todos, não falava a ninguém: e de noite tinha por companheiros saltimbancos e cadáveres; eu próprio era quase um cadáver!

Mas a nova manhã trouxe-me uma nova verdade: aprendi então a dizer: 'Que me importam a praça pública e a populaça, e as orelhas compridas da populaça!'

Homens superiores, aprendei isto de mim: na praça pública ninguém acredita no homem superior. E se teimais em falar lá, a populaça retruca: 'Todos somos iguais'.

'Homens Superiores – assim retruca a populaça: – não há homens superiores: todos somos iguais: um homem é um homem, perante Deus – todos somos iguais!'

Perante Deus! Mas agora esse Deus morreu; e perante a populaça, nós não queremos ser iguais. Homens superiores, afastai-vos da praça pública!

II

Perante Deus! Mas agora esse Deus morreu! Homens Superiores, esse Deus foi o vosso maior perigo.

Desde que ele jaz na sepultura, vós ressuscitastes. Só agora vai luzir o Grande Meio-dia; do qual o Homem Superior será o senhor.

Compreendeis esta palavra, meus irmãos? Assustai-vos: apodera-se de vosso coração a vertigem? Abre-se aqui para vós o abismo? Ladra-vos o cão do inferno?

Vamos! Coragem, Homens Superiores! Só agora vai dar à luz a montanha do futuro humano. Deus morreu: agora queremos que viva o Além-Homem.

III

Os mais preocupados perguntam hoje: 'Como fazer para conservar o homem?' Mas Zaratustra pergunta – e é o primeiro e único a fazê-lo: – 'Como fazer para que o homem seja *superado*?'

O super-humano é o que trago no coração, é o meu primeiro e único, e *não* o homem: não o próximo, não o mais pobre, não o mais aflito, não o melhor.

Meus irmãos, o que eu posso amar no homem é ser ele uma transição e um declínio. E em vós também há muitas coisas que me fazem amar e esperar.

Desprezastes, homens superiores: é o que me faz esperar: porque os grandes desprezadores são também os grandes reverenciadores.

Desprezastes, eis o que merece grande respeito; porque não aprendestes a resignar-vos, nem aprendestes as prudências mesquinhas.

Hoje, os pequenos tornaram-se senhores: todos pregam a resignação, e a modéstia, e a prudência, e a aplicação, e os cuidados, e ademais o *etcétera* das virtudes pacatas.

Os homens efeminados, os filhos de escravos e sobretudo a turba plebeia querem agora assenhorear-se do destino humano.

Repugnante! Repugnante! Repugnante!

Esse pergunta e pergunta, sem se cansar: 'Como se conservará o homem melhor, por mais tempo e mais agradavelmente?' Assim são hoje os senhores. Ó, meus irmãos! Subjugai-me esses senhores atuais, subjugai-me essa gentinha: é o maior perigo do Além-Homem.

Homens Superiores, dominai as mesquinhas virtudes, essas pequenas prudências, os crepúsculos grandes como grãos de areia, o bulício de formigas, a ruim complacência, a 'felicidade do maior número'.

E preferi desesperar do que render-vos. Pois, na verdade, amo-vos, homens superiores, porque não sabeis viver no tempo de hoje. E sois vós, aqueles que vivem... melhor!

IV

Tendes coragem, meus irmãos? Estais decididos? *Não* falo da coragem perante testemunhas, mas da coragem de solitários, a coragem das águias, do que não tem por espectador nenhum deus.

As almas frias, os aleijados, os cegos, os bêbados não têm o que eu chamo coragem. Coragem tem aquele que conhece o medo, mas *domina* o medo; o que vê o abismo, mas com *altivez*. Quem vê o abismo, mas com olhos de águia; quem se *prende* ao abismo com garras de águia: este tem coragem.

V

'O homem é mau.' Assim falavam os mais sábios para consolo meu. Se tal fosse verdade ainda hoje! Pois o mal é a melhor força do homem.

'O homem deve fazer-se melhor e pior': é o que eu ensino. O maior mal é necessário para o maior bem do Além-Homem.

Padecer pelos pecados dos homens podia ser bom para esse pregador dos humildes.

Eu, porém, rejubilo-me com o grande pecado como o meu melhor reconforto.

Estas coisas não são ditas para as orelhas compridas. Nem qualquer palavra convém a qualquer boca. São coisas sutis e longínquas, que não as podem apanhar patas de carneiros.

VI

Homens Superiores: acreditais que estou aqui para fazer bem o que vós fizestes mal?

O que deseje daqui por diante dar melhor leito aos que sofrem? Ou para ensinar-vos, a vós, que andais errantes e extraviados e perdidos na montanha, caminhos mais fáceis?

Não! Não! Três vezes não! É preciso que morram cada vez mais e os melhores da vossa espécie: porque é preciso que o vosso destino seja cada vez mais duro e doloroso. Só assim...

Só assim cresce o homem até a altura em que o raio o fere e o aniquila! Há suficiente altura para o raio!

A minha inteligência e o meu desejo tendem para o pequeno número, para as coisas longínquas e de grande alcance. Que me importaria a vossa mesquinha, comum e breve angústia?

Para mim ainda não sofreis bastante. Pois sofreis de vós mesmos; e ainda não sofrestes pelo *homem*. Mentireis se disserdes o contrário! Vós não sofreis pelo que *eu* sofri.

VII

Não me basta que o raio já se tenha tornado inofensivo. Não quero desviá-lo; quero que aprenda a trabalhar para *mim*.

A minha sabedoria acumula-se, há muito tempo, como uma tempestade; cada vez se torna mais tranquila e sombria. Assim procede toda a sabedoria que há de chegar e engendrar o *raio*.

Para estes homens de hoje não quero ser *luz*, nem chamar-me luz. A *estes*... quero cegá-los. Raio da minha sabedoria, cega-os!

VIII

Nada quereis superior às vossas forças: adoecem de deplorável hipocrisia os que querem coisas superiores às suas forças.

Mormente quando querem grandes coisas! Pois esses moedeiros falsos, esses cômicos sutis, despertam a desconfiança pelas grandes coisas, e acabam por se mascararem ante si mesmos, com seus olhares de revés, retrógrados, disfarçados com palavras solenes, de virtudes aparatosas, de obras vistosas.

Tomai bastante cuidado com eles, Homens Superiores! Para mim nada é hoje mais precioso e raro do que a probidade.

Não é a hora de hoje a da populaça. Pois a populaça não sabe o que é grande, o que é pequeno, o que é reto, nem o que é honrado: é inocentemente tortuosa; ela mente sempre.

IX

Deveis ter hoje uma salutar desconfiança, Homens Superiores, Homens animosos, Homens francos! E conservai secretas as vossas razões: porque a hora presente é da populaça.

O que a populaça aprendeu a crer sem razão, quem o poderia derruir com razões?

Na praça pública persuade-se com gestos. As razões inspiram desconfianças à populaça.

E se alguma vez, lá, a verdade triunfa, perguntai a vós mesmos com salutar desconfiança: 'Qual foi o erro robusto que lutou por ela?'

Livrai-vos também dos doutos! Odeiam-vos: porque são estéreis! Têm olhos frios e secos, todos os pássaros parecem-lhes depenados.

Vangloriam-se de não mentir; mas a incapacidade de mentir está ainda muito longe do amor à verdade. Acautelai-vos!

A ausência de ardor difere muito do conhecimento. Eu não creio nos espíritos resfriados. Quem não pode mentir ignora o que é a verdade.

X

Se quereis subir, servi-vos apenas de vossas pernas! Não vos deixeis *levar* ao alto; não subi sentado nas costas nem na cabeça de outrem!

Montaste a cavalo! Galopas agora em bom passo até o fim? Bem, meu amigo! Mas o teu pé coxo te acompanha, sobre teu cavalo!

Quando chegares ao teu fim, quando desceres do cavalo, será no teu *cimo*, Homem Superior, que precisamente tropeçarás.

XI

Homens Superiores, homens que criais! Não trazemos em nós senão o próprio filho.

Não vos deixeis induzir em erro! Quem é, pois, o *vosso* próximo? E também fazeis as coisas 'pelo próximo'! Não criais, contudo, nada por ele.

Esquecei esse 'por', vós criais: a vossa virtude quer justamente que nada façais 'por', nem 'devido a', nem 'porque'.

Precisais fechar os ouvidos a essas palavras falsas.

Aqui 'pelo próximo' é a virtude dos pequenos, dos que dizem 'o que se reúne se assemelha' e 'uma mão lava a outra'. Não têm o direito nem a força do *vosso* egoísmo.

No vosso egoísmo, criadores, há a previsão e a precaução da futura mãe! O que ainda ninguém viu com os olhos, o fruto, é isso que o vosso amor protege, conserva e alimenta.

Onde está todo o vosso amor, no vosso filho, está também toda a vossa virtude! A vossa obra, a vossa vontade, eis que é *para vós* o 'próximo': não vos deixeis induzir a falsos valores!

XII

Homens Superiores, homens que criais! Quem quer que há de dar à luz está enfermo: mas o que deu à luz está impuro.

Perguntai às mulheres: não se dá à luz por prazer. A dor faz cacarejar galinhas e poetas.

Em vós que criais há muitas impurezas. É que tivestes de ser mãe.

Um novo filho: quantas impurezas vieram ao mundo! Afastai-vos! O que dá à luz deve levar e purificar a alma.

XIII

Não quereis ser virtuosos além de vossas forças. E não exijais de vós o que ultrapasse o verossimilhante.

Segui as pegadas que deixou a virtude de vossos pais. Como quereríeis subir muito, se a virtude de vossos pais não subir convosco?

Mas aquele que quiser ser o primeiro, cuide-se bem de não ser o último. E não coloqueis a santidade onde estejam os vícios de vossos pais!

Que sucederia se aquele cujos progenitores foram afeiçoados às mulheres, aos vinhos fortes e à caça dos javalis exigisse de si castidade?

Seria loucura! Na verdade, será muito já aos meus olhos, se se contenta de ser homem de uma só mulher, ou de duas ou de três.

E se fundasse conventos, eu diria da mesma maneira: para quê? É uma nova loucura.

Fundou para si mesmo uma prisão e um refúgio. Bom proveito! Eu, porém, não acredito nisso.

O que cresce na solidão é o que cada um leva consigo, inclusive a besta interior. Por isso a muitos é preciso desaconselhar-lhes a solidão.

Terá havido até hoje na terra coisa mais impura do que um santo anacoreta? À volta *deles* não era apenas o diabo que se desmandava... mas também o porco.

XIV

Tímidos, envergonhados, encolhidos, como o tigre que falhou no salto, assim vos vi fugir muitas vezes, homens superiores. Errastes o *vosso golpe*.

Mas que vos importa, jogadores de dados! Não estamos sempre sentados a uma grande mesa de divertimento e de jogo?

E por se vos haverem malogrado grandes coisas, haveis de ser entes malogrados? E por vós o serdes, sê-lo-á consequentemente o homem?

Mas se é o homem que malogrou, então, para diante, coragem!

Quanto mais elevada no seu gênero é uma coisa, mais raramente ela tem bom êxito. Vós, Homens Superiores, que vos encontrais aqui, não sois todos seres malogrados?

Tende coragem! Isso que importa? Quantas possibilidades permanecem ainda. Aprendei a rir-vos de vós como é mister saber rir!

É de admirar que sejais malogrados ou semimalogrados, vós que sois semipartidos? O que se agita e se resolve em vós, não é o *futuro* do homem?

O que o homem tem de mais longínquo, de mais profundo, da maior altura estelar, a sua força imensa, salta e choca-se em vosso pote em ebulição.

É de admirar que muitos pobres se quebrem? Aprendei a rir-vos de vós mesmos, como é preciso rir! Ó Homens Superiores, quantas possibilidades permanecem ainda.

E, realmente, quantas coisas alcançaram bom êxito! A terra é rica de pequenas perfeições, de afortunados resultados! Rodeai-vos de pequenas coisas boas e perfeitas, Homens Superiores. A sua dourada maturidade cura o coração. As coisas perfeitas ensinam-nos a esperar.

XVI

Qual tem sido até hoje, na terra, o maior pecado? Não foi a frase daquele que disse: 'Ai dos que riem aqui...?'

Seria porque não encontrava na terra nenhum motivo de riso, quem disse tal frase? É porque procurou mal. Até uma criança encontra aqui motivos.

Esse... não amava bastante, senão amar-nos-ia também a nós, os risonhos! Mas ele nos odiava e anatematizava e nos prometia gemidos e ranger de dentes.

Precisamos acaso maldizer o que não amamos? Para mim, é coisa de mau gosto. E foi o que fez aquele intolerante. Ele saíra da populaça.

Ele não amava bastante; pois se irritaria muito pouco por não ter sido bastante amado.

O que *quer* todo o grande amor não é que o amemos, quer mais.

Afastai-vos do caminho de todos esses intolerantes! É gente pobre, enferma, plebeia; olha esta vida malignamente, tem um mau olhado para a terra.

Afastai-vos do caminho de todos esses intolerantes! Pesam-lhes os pés e o coração; não sabem dançar. Como a terra seria leve para tal gente?

XVII

Todas as coisas boas alcançam o seu fim por caminhos tortuosos. Como os gatos, arqueiam o lombo, e rosnam interiormente, sentindo que se aproxima a sua felicidade. Todas as coisas boas riem.

O modo de andar de uma pessoa revela se trilha o seu caminho.

Vede andar a mim! Aquele que se aproxima do seu fim, dança.

E eu certamente não me converti em estátua nem me encontro postado como uma coluna, rígido, intumescido, petrificado: gosto da carreira veloz.

E embora haja na terra atoleiros e denso nevoeiro, aquele que tem os pés leves corre e dança por cima da lama como sobre gelo liso.

Elevai: elevai cada vez mais os vossos corações, meus irmãos! E não vos esqueçais das pernas também. Erguei também as pernas, bons bailarinos, e mais ainda, dançai sobre a vossa cabeça!

XVIII

Esta coroa do que ri, esta coroa de rosas, eu mesmo a coloquei sobre a minha cabeça; eu mesmo proclamei que o meu riso era sagrado.

Ainda não encontrei ninguém bastante forte para fazer outro tanto. Eu, Zaratustra, o dançarino, Zaratustra, o leve, o que agita as suas asas, pronto para voar, cúmplice de todos os pássaros, ligeiro, ágil, em sua bem-aventurada despreocupação; eu, Zaratustra, o profeta, Zaratustra, o risonho, nem impaciente nem intolerante, afeiçoado aos saltos, eu mesmo coloquei esta coroa sobre a minha cabeça.

XIX

Elevai, elevai cada vez mais os vossos corações, meus irmãos! E não vos esqueçais também das pernas! Erguei as pernas, bons bailarinos, e o que será melhor, dançai um pouco sobre a vossa cabeça!

Também animais pesados conhecem a ventura; há coxos de nascimento que fazem bizarros esforços à maneira de um elefante que tentasse suster-se sobre a cabeça.

Mas vale mais estar doido de alegria do que de tristeza; vale mais dançar pesadamente do que andar claudicando. Aprendei, pois, comigo o que ensina a minha sabedoria: até a pior das coisas tem pelo menos dois lados bons. A pior das coisas tem pernas para bailar; aprendei, pois, vós Homens Superiores, a firmar-vos sobre boas pernas.

Esquecei a melancolia e todas as tristezas da populaça. Como homem me parecem tristes estes palhaços plebeus! Mas o presente pertence à populaça.

XX

Fazei como o vento quando se precipita das cavernas montanhosas; quer dançar à sua vontade. Os mares tremem e saltam à sua passagem. Louvado seja aquele que dá asas aos burros, e ordenha as leoas esse espírito bom e indômito, que chega como um furacão para tudo o que é de hoje, para toda a populaça!

Louvado seja o inimigo de todas as folhas murchas e mortas; esse espírito de tempestade, esse espírito selvagem, bom e livre, que dança acima dos atoleiros e das melancolias, como no meio dos prados!

Bendito seja o que odeia os cães da populaça e a todos os produtos malogrados e sombrios. Bendito seja esse espírito de todos os espíritos livres, a tempestade risonha que sopra o pó nos olhos de todos os pessimistas e de todos os ulcerados.

Homens superiores, o pior que tendes é não haverdes aprendido a dançar como é preciso dançar: a dançar por cima de vós mesmos! Que importa se tiverdes malogrado!

Quantas possibilidades permanecem ainda: *Aprendei*, pois, a rir acima de vós mesmos. Elevai, elevai cada vez mais os vossos corações, bons bailarinos! E não esqueçais também o bom riso!

Esta coroa do que ri, esta coroa de rosas, lanço-a a vós, meus irmãos! Canonizei o riso; *aprendei*, pois, a rir, homens superiores!"

O canto da melancolia

I

Quando Zaratustra pronunciou estes discursos, encontrava-se junto da entrada da sua caverna; mas, às últimas palavras desapareceu de diante dos hóspedes, e foi, por um instante, para o ar livre.

– Ó, aromas puros que me envolveis! – exclamou. – Ó, bem-aventurada tranquilidade que me envolve! Mas onde estão os meus animais? Vinde, vinde, águia e serpente minhas!

Dizei-me, animais meus, aqueles Homens Superiores, todos eles, será que... não *cheiravam* bem?

Ó! Aromas puros! Só agora sei, e sinto quanto vos amo, animais meus!

E Zaratustra tornou a dizer:

– Quanto vos amo, animais meus!

A águia e a serpente, por sua vez, juntaram-se-lhe quando ele pronunciou estas palavras, e puseram-se a olhá-lo. Estavam assim reunidos todos os três, sem nada dizer, aspirando e saboreando juntos o ar salubre. Porque o ar era melhor lá fora do que perto dos Homens Superiores.

II

Mal Zaratustra saíra da caverna, o Velho Feiticeiro ergueu-se, e, olhando maliciosamente, disse:

– Foi-se embora. E, Homens Superiores, permiti vos envaideça com este nome de elogio e lisonja como ele o fez – já de mim se apodera o espírito maligno e falaz, o meu espírito feiticeiro, o demônio da melancolia, que é o adversário irredutível de Zaratustra. É preciso desculpá-lo! Quer agora realizar os seus passes de mágica na vossa presença; é positivamente a sua hora. Em vão luto contra este espírito mau.

A todos vós, sejam quais forem os nomes honrosos que derdes, quer vos chameis "os espíritos livres", ou "os verídicos", quer os "penitentes do espírito", ou os "libertos", ou então "os companheiros do grande desejo" – a todos os que, como eu, sofrem do *"grande tédio"*, vós, para quem morreu o antigo Deus e para quem não existe ainda no berço, envolto em faixas, nenhum deus novo; a todos vós é propício o meu espírito maligno, o meu demônio encantador.

Conheço-vos, Homens Superiores, e conheço também este duende que estimo apesar de tudo, este Zaratustra. Às mais das vezes parece-me uma lavra de santo.

Parece-me reconhecer nele o novo e estranho artifício, no qual se compraz o meu espírito maligno, meu demônio da melancolia. Muitas vezes me parece que amava Zaratustra devido ao meu espírito maligno.

Mas já se apodera de mim e me subjuga esse espírito de melancolia, esse demônio do crepúsculo; e, na verdade, Homens Superiores, o que ele anseia... o que ele anseia é mostrar-se *nu* aos vossos olhos – não sei se como homem ou mulher; mas se aproxima, subjuga-me, ai de mim – alerta com os vossos sentidos!

Extingue-se o dia para todas as coisas, e vem o crepúsculo, até para as mulheres. Ouvi e vede, Homens Superiores, que espécie de demônio, homem ou mulher, é este espírito de melancolia crepuscular!

Tendo assim falado, o Velho Feiticeiro olhou maliciosamente à sua volta, e estendeu a mão para a sua harpa.

III

"Na serena atmosfera, quando já o consolo do rocio desce à terra, invisível e silencioso – porque o rocio consolador veste sandálias delicadas como todos os mensageiros consoladores – recordas-te, coração ardente, recordas-te como estavas sedento de lágrimas divinas e de gotas de orvalho, quando te sentias abrasado e fatigado, por caminho de arbustos amarelecidos, em que os raios cruéis do sol vesperal te perseguiam por entre escuras árvores, maliciosos raios de sol poente, ardentes olhares de sol, deslumbrantes e malévolos.

'Enamorado da *verdade*?' Tu? – Assim zombavam de ti. – Não. Apenas um poeta. Um animal, um astuto rastreador de caças, mascarado de cores vivas, máscara para si próprio, presa para si mesmo. Esse o enamorado da verdade?... Não apenas um pobre louco, apenas um poeta. Fértil apenas em discursos pitorescos, perorando frases coloridas sob as máscaras de demente, que vagueia por enganosas pontes de palavras, por ilusórios arco-íris, por falsos céus e falsas terras, errante, bamboleando ao acaso. Não, apenas um louco!

Apenas um poeta. Esse... o enamorado da verdade!... Nem silencioso, nem rígido, nem frio como uma imagem, como uma estátua de um deus, nem postada ante os tempos como guarda dos umbrais de um deus. Não! Inimigo destes monumentos de virtude, mais à vontade nos desertos do que nos templos, cheio de manhas felinas, saltando por todas as janelas para te lançares em todas as aventuras, farejas todos os bosques virgens, e entre as feras de pelo pintado, rapace, astuto, embusteiro, correr com lábios sensuais, saudável, corado e belo como o pecado, soberbamente zombador, soberbamente infernal, soberbamente cruel.

Ou és como a águia que olha e torna a olhar fixamente o abismo, o seu abismo... Como desce, como cai, como se some, girando em profundidades cada vez mais profundas! E, depois, que maneira de se precipitar de súbito, faminta, ansiosa de cordeiros, cheia de feroz aversão por tudo quanto tem aparências virtuosas, cortesia humilde, pelo encrespado e aspecto sereno, como a meiga benevolência do cordeiro!

São assim iguais à águia e à pantera, os desejos do poeta são teus desejos sob mil larvas. Tu louco! Tu poeta!

Tu, que és um homem, viste Deus como um cordeiro... *Despedaçado* o Deus no homem e também o cordeiro no homem, e *rir* ao despedaçá-lo, esta é a tua felicidade! A felicidade de uma pantera e de uma águia, a felicidade de poeta e de louco!

Assim como na serena atmosfera, quando já a lua crescente desliza invejosa, verdejando entre rubores purpurinos, empalidecem à sua passagem as rosas celestes até caírem e sumirem-se na noite: assim caí eu mesmo, outrora, da minha loucura de verdade, dos meus anelos do dia, fatigado do dia, enfermo de luz. Assim caí para o acaso, para as sombras... abrasado pela sede, nada mais aspirando que a uma verdade.

Recordas-te, coração ardente, recordas-te, como então estavas sedento? *Que eu fique desterrado de toda a verdade! Apenas um* louco! Apenas um poeta!"

Da ciência

Assim cantava o Feiticeiro, e todos os que ali estavam reunidos caíram como pássaros na rede da sua astuta e melancólica voluptuosidade. O único que se não deixou apanhar foi o Espírito do Escrúpulo Intelectual que, arrebatando-lhe a harpa das mãos, gritou:

– Ar! Deixa entrar o ar puro! Deixa entrar Zaratustra! Infeccionas esta caverna e tornas a atmosfera sufocante, sinistro feiticeiro.

Homem falso e ardiloso, a tua sedução conduz a desejos e a desertos desconhecidos! E, ai de nós, se homens como tu dão em falar da *verdade* com ares importantes!

Ai de todos os espíritos livres que não estejam precavidos contra *semelhantes* feiticeiros! Podem despedir-se da sua liberdade, porque tu pregas o regresso às prisões e a elas conduzes!

No teu lamento, demônio melancólico, percebe-se um chamariz: és semelhante àqueles que ao cantar elogios à castidade impelem secretamente à voluptuosidade!

Assim falou o Escrupuloso. Mas o Velho Feiticeiro olhava à sua volta, gozando a sua vitória, e por isso suportava o desgosto que lhe causavam as palavras do Escrupuloso.

– Cala-te – disse com voz modesta: – as boas canções requerem bons ecos; depois de boas canções é preciso haver silêncio durante um bom espaço de tempo. Assim fazem todos os Homens Superiores. Tu, porém, pouco compreendeste do meu canto, provavelmente! Tens pouco senso da magia.

Honras-me – replicou o Escrúpulo – distinguindo-me destes aqui. Mas, que vejo? Vós ainda continuais aí assentados com olhares ansiosos? Ó, almas livres! Que foi feito então da vossa liberdade?

Creio que deveis parecer com aqueles que por muito tempo veem bailar jovens nuas – até as vossas próprias almas se põem a bailar!

Deve haver em vós, homens superiores, muito mais do que aquilo que o Feiticeiro chama o seu maligno espírito de encantamento e de fraude; sem dúvida, somos diferentes.

E, na verdade, antes de Zaratustra tornar à sua caverna, falamos e pensamos juntos o suficiente para saber que somos diferentes. Pois *eu procuro mais certeza*, por isso me aproximei de Zaratustra, que é a torre e a vontade mais firme, hoje que tudo vacila e treme na terra.

Quanto a vós, porém, basta-me ver os olhos que fazeis para apostar que procurais *mais incertezas*, mais estremecimentos, mais perigos, mais tremores de terra.

Parece-me – desculpai-me a presunção, Homens Superiores – parece-me que desejais a vida mais lastimável e perigosa, a que a mim me inspira temor; a vida dos animais selvagens, os bosques, as cavernas, as montanhas abruptas e os labirintos.

E os que mais vos agradam não são os que conduzem para fora do perigo; mas os que levam para fora de todos os caminhos, os sedutores. Mais se tais desejos estão *realmente* em vós, a mim parecem-me totalmente *impossíveis*.

O sentimento inato e primordial é o medo: pelo medo se explica tudo; o pecado original e a virtude original.

A *minha* própria virtude nasceu do medo: chama-se ciência.

E o medo que mais foi inoculado no homem é o medo aos animais selvagens, inclusive ao animal que o homem oculta e receia em si, aquele a que Zaratustra chama "a besta interior".

Esse longo e antigo medo requintado afinal, e espiritualizado, intelectualizado, é, ao que me parece, o que hoje se chama ciência.

Assim falava o Escrupuloso; mas Zaratustra, que nesse mesmo instante tornava à caverna, e que ouvira e adivinhara a última parte do discurso, atirou ao Escrupuloso um punhado de rosas, e se pôs a rir de suas "verdades".

– Quê? – exclamou – que acabo de ouvir? Na verdade, ou tu estás louco ou então eu é que o estou; e tua "verdade" vou já virá-la de cabeça para baixo.

O *medo* é, com efeito, nossa exceção.

Em compensação, a coragem e a paixão pelas aventuras, pelo incerto, pelas coisas ainda não apontadas: a *coragem*, numa palavra, parece-me resumir toda a pré-história do homem.

Invejou e arrebatou aos animais mais selvagens e valorosos todas as suas virtudes: só assim se fez homem.

Essa coragem, requintada, espiritualizada e intelectualizada, essa coragem de homem com asas de águia e astúcia de serpente, parece-me chamar-se hoje...

– *Zaratustra!* – exclamaram simultaneamente todos os ali reunidos, com uma só *boca*, soltando uma gargalhada; mas qualquer coisa se elevou deles que se assemelhava a uma nuvem negra. Também o Feiticeiro se pôs a rir e disse maliciosamente:

– Vamos! Foi-se-me embora o espírito maligno!

Eu preveni-vos contra ele, quando vos dizia que era um impostor, um espírito mentiroso e fraudulento.

Sobretudo quando se mostra a nu. Que posso *eu* fazer, porém, contra seus ardis? Acaso fui *eu* que o criei, e quem criou o mundo?

Vamos! Tornemos a ser bons e joviais! E conquanto Zaratustra franza o sobreolho – olhem-no! Tem-me aversão. Antes de chegar a noite aprenderá outra vez a amar-me e a elogiar-me: não pode estar muito tempo sem fazer dessas loucuras...

Esse... ama os seus inimigos. Dos que tenho encontrado é quem melhor conhece tal arte. Mas vinga-se deles... nos amigos!

Assim falou o Velho Feiticeiro, e os Homens Superiores aclamaram-no; de forma que Zaratustra, rodeado, foi estreitando, maliciosa e amoravelmente, as mãos dos amigos, como quem tem de que se desculpar; mas quando chegou à porta da caverna, tornou a ansiar pelo ar puro de fora e pela companhia dos seus animais, e quis sair.

Entre as filhas do deserto

I

– Não te retires – disse então o viandante que se dizia a sombra de Zaratustra. – Fica ao pé de nós, pois do contrário poderia tornar a invadir-nos a antiga e esmagadora aflição.

Já o Velho Feiticeiro nos prodigalizou o melhor da sua colheita; e olha: ainda, esse bom e velho Papa, tão piedoso, tem os olhos inundados de lágrimas, e tornou a embarcar no mar da melancolia.

Estes reis ainda podiam mostrar boa presença diante de nós todos; porque são os que melhor aprenderam a lição de hoje. Aposto que, se estivessem sós e sem testemunhas, recomeçaria neles a má peça, a má peça das nuvens passageiras, úmida e melancólica, do céu nublado, dos sóis roubados, dos ventos de outono que zumbem: a má peça do nosso alarido e dos nossos gritos de angústia. Zaratustra, fica conosco! Há aqui muita miséria oculta, que desejaria exprimir-se, muita noite, muitas nuvens, muito ar pesado!

Alimentaste-nos de fortes alimentos viris e de preceitos enérgicos. Não permitas que na sobremesa nos surpreendam novamente os espíritos da covardia, os espíritos efeminados!

Só tu sabes tornar à tua volta a atmosfera forte e clara. Onde encontrei na terra o ar tão puro como na tua caverna e nos teus domínios?

E, contudo, tenho visto muitos países; as minhas narinas aprenderam a examinar e a apreciar ares diversos; mas é ao teu lado que elas saboreiam o seu maior prazer.

A não ser que... a não ser que... Ó, perdoa-me uma antiga recordação! Perdoa-me um antigo canto de sobremesa que compus uma vez às filhas do deserto.

Entre elas, respirava-se esse mesmo ar puro e luminoso do Oriente; foi onde estive mais longe da Velha Europa, nebulosa, úmida e melancólica.

Nessa época, eu amava as filhas do Oriente e aquele céu azulado, ao qual não mancham as nuvens nem os pensamentos.

Nem imaginas com que decência elas permaneciam sentadas quando não dançavam, profundas, mas sem pensamentos, nem segredinhos, nem enigmas engalanados, como nozes de sobremesa, coloridas e verdadeiramente singulares, mas sem nuvens: enigmas que se deixam adivinhar. Em honras dessas donzelas, inventei então um salmo de sobremesa.

Assim falou o viandante ou Sombra; e antes que alguém pudesse impedi-lo, pegou da harpa do Velho Feiticeiro, cruzou as pernas, e olhou tranquilamente ao seu redor, aspirando o ar pelo nariz, com expressão interrogadora, como quem aprecia ar novo em novos países. Depois principiou a cantar com uma voz que parecia um rugido.

O deserto cresce. Ai daquele que oculta desertos!

Ah! Solene! Verdadeiramente solene esse digno exórdio, de uma solenidade africana! Digno de um leão ou de um símio bramador, de um moralista, mas não de vós, arrebatadoras amigas, a cujos pés me é dado a mim, europeu, sentar-me entre palmeiras. Selá!

Maravilhoso na verdade! Eis-me agora aqui, próximo ao deserto, e já outra vez tão longe do deserto, absorto por este pequenino oásis, porque mesmo agora abriu ele a boca bocejando, a mais perfumada de todas as bocas, e eu dentro dele caí profundamente, entre vós, arrebatadoras amigas. – Selá!

Bendita, bendita aquela baleia, que tão bondosa quis ser para o seu hóspede! Compreendeis a minha douta alusão!... Bendito o seu ventre, se foi tão grato como este, encantador ventre do oásis. Mas, duvido, no entanto, porque, devo confessar, venho da Europa, que é a mais incrédula de todas as velhas esposas.

Que Deus a melhore. Amém!

Eis-me aqui, pois, neste pequenino oásis, como uma tâmara, madura, açucarada, de áureo suco, ansiosa da boca redonda da donzela, e sobretudo por virginais dentes, incisivos, acerados, frios como o gelo e brancos como a neve, que por eles sonha o ardente coração de todas as tâmaras.

Semelhante a esses frutos de Meio-dia, aqui estou cercado de alados insetos minúsculos, que dançam e folgam ao meu redor, assim como os desejos e pensamentos mais pequeninos, mais loucos, e ainda mais maliciosos; aqui estou, gatinhas donzelas, mudas e cheias de reticências, assediado por vós – *esfingezado*, para condensar *numa palavra* muitas impressões... (Que Deus me perdoe este pecado linguístico!...) eis-me aqui aspirando o melhor dos ares, verdadeiro ar de paraíso, ar diáfano e tênue, raiado de ouro, o melhor ar que jamais caiu da lua. Seria casualidade ou presunção, como o contam os antigos poetas? Eu, porém, cético, duvido, porque venho da Europa, que é a mais incrédula de todas as velhas esposas. Que Deus a melhore! Amém!

Saboreando este belo ar, com as narinas dilatadas, sem futuro, sem recordação, assim estou aqui, arrebatadoras amigas, e vejo a palmeira arquear-se, dobrar-se e vergar-se – à força de a olhar acaba-se por imitá-la – como uma bailarina que, eu creio, susteve-se já muito, muito, com perigosa insistência, sobre uma só perna, até esquecer, eu creio, a outra. É pelo menos em vão que eu procuro essa joia gêmea desaparecida – quero dizer a outra perna – nas santas imediações das suas graciosas e arrebatadoras saias, das suas saias enfeitadas, ondulantes como leques. Mas se quereis acreditar em mim, belas amigas, perdeu-a... Desapareceu para sempre a outra perna. Ó, pobre pernazinha! Onde parará, abandonada e triste, essa perna solitária! Talvez prostrada por fero leão monstruoso, de ruivas guedelhas? E já roída, que horror! Miseravelmente dilacerada!

Não me choreis, ternos corações! Não me choreis corações de tâmaras, seios de leite, corações açucarados! Não chores mais, Dudu! Sê homem, Zuleica! Coragem! Ou talvez, quem sabe, um tônico, um cordial estaria bem aqui, um sábio conselho cheio de unção, uma solene exortação!

Ergue-te, dignidade! A mim, virtude, dignidade do Europeu. Sopra, sopra outra vez, fole da virtude. É bramar uma vez ainda, bramar como moralista, bramar como um leão da moral ante as filhas do deserto! Que os alaridos da virtude, deliciosas jovens, são mais poderosos que todos os ardores do Europeu, que a fome voraz do Europeu. E vede, já em mim o Europeu: não posso remediá-lo. Que Deus me ajude! Amém!

O deserto cresce. Ai daquele que oculta desertos!

O despertar

I

Depois do canto do viandante ou Sombra, a caverna encheu-se *subitamente* de risos e ruído; e como todos os hóspedes falavam ao mesmo tempo (e até o próprio asno, com tal animação não podia estar quieto), Zaratustra experimentou certo aborrecimento e certa ironia para com os visitantes, embora tal regozijo o satisfizesse, pois era para ele um sinal de cura. Saiu furtivamente para o ar livre, para falar aos seus animais:

– Para aonde iria agora a sua angústia? – disse, e sentia já dissipar-se-lhe o aborrecimento. – Em minha moradia desaprenderam de lançar seus gritos de angústia, ao que me parece, embora, desgraçadamente, não perdessem o costume de gritar.

E Zaratustra tapou os ouvidos, porque nesse momento os IA do asno, e a algazarra dos Homens Superiores formavam um estranho concerto.

– Estão alegres – prosseguiu – e, quem sabe? Talvez à custa do seu hóspede; embora lhes tenha ensinado a rir, não foi o meu riso, contudo, que eles aprenderam.

Mas, que importa? São *velhos*; curam-se à sua maneira, riem a seu modo; os meus ouvidos já suportaram coisas piores.

Este dia foi uma vitória. Já retrocede, já foge o *espírito do Pesadume,* meu antigo inimigo mortal! Como quer acabar bem este dia, que tão mal e tão maliciosamente principiou!

E *quer* acabar. Chega o crepúsculo; atravessava o cavalo o mar, o bom corcel. Como se balanceia, o bem-aventurado, que torna na sua sela de púrpura.

O céu o olha luminoso; o mundo dilata-se nas profundidades. Ó, meus singulares hóspedes, vós que viestes até mim, certamente vale a pena viver ao pé de mim!

Assim falava Zaratustra. E de novo os gritos e os risos dos Homens Superiores retumbaram, saindo da caverna. Então Zaratustra continuou:

– Eles mordem, e o meu alimento faz o seu efeito; também deles foge o inimigo, o Espírito do Pesadume. Já aprenderam a rir de si mesmos: ouvirei bem?

O alimento que eu destino aos fortes, meus preceitos cheios de seiva e de força atuam sobre eles, e, na verdade, não os alimentei com legumes ocos, mas com a carne que convém aos guerreiros, aos conquistadores: neles despertei novos desejos.

Novas esperanças estão em suas pernas e em seus braços; neles o coração dilata-se. Encontram novas palavras; e em breve o seu espírito respirará a audácia.

Compreendo que este alimento não é para crianças, nem para mulherzinhas lânguidas, velhas ou jovens. São precisos outros meios para convencer-lhes as entranhas: deles não sou médico nem professor.

Foge o *tédio* desses homens superiores; tanto melhor, eis a minha vitória. Sentem-se seguros no seu reino; perdem a falsa vergonha, expandem-se livremente. Expandem os corações: para eles retornam os bons momentos; divertem-se e ruminam: tornam-se *agradecidos*.

Eis o que é aos meus olhos o melhor dos sintomas; aprenderam a agradecer. Não passará muito tempo e inventarão festas e erigirão monumentos comemorativos às suas antigas alegrias.

São convalescentes!

Assim falava Zaratustra com íntimo júbilo, olhos perdidos no longe; e os seus animais vieram encostar-se nele, respeitando-lhe a felicidade e o silêncio.

II

Subitamente, porém, sobressaltaram-se os ouvidos de Zaratustra, porque a caverna, até então cheia de tumulto e risos, encheu-se de repente de um silêncio sepulcral. As narinas de Zaratustra captaram um odor agradável de fumo e de incenso, que parecia provir de pinhas postas ao fogo.

– Que sucedeu? Que estarão a fazer? – perguntou a si mesmo, aproximando-se da entrada para ver os convidados sem ser visto. Mas, maravilha das maravilhas! Que viram então os olhos dele?

– Tornaram-se todos *piedosos! Rezam!* Estão doidos! – disse numa admiração sem limites.

E, efetivamente, todos aqueles Homens Superiores – os dois reis, o ex-Papa, o sinistro Feiticeiro, o Mendigo Voluntário, o Viandante ou Sombra, o Velho Profeta, o Escrupuloso e o Homem Mais Feio estavam prostrados de joelhos, como velhas beatas: estavam de joelhos a adorar o asno.

E o Mais Feio dos Homens começou a soprar, como se dele quisesse sair qualquer coisa inexprimível: mas, quando afinal se pôs a falar, salmodiava uma piedosa e singular ladainha em louvor do adorado e incensado asno. Eis qual era a litania:

"Amém. E louvor e honra, a sabedoria e gratidão, louvores e forças sejam com o nosso Deus, de eternidade em eternidade".

E o burro zurrava: IÁ[1].

---

1. IÁ (Ja) em alemão, *sim*.

"Ele leva as nossas cargas; tomou a forma de um servidor; é humilde de coração e nunca diz não. E quem ama bem a seu Deus, castiga-o bem."

E o burro zurrava: IÁ.

"Não fala senão para dizer sim ao mundo que criou: é a sua maneira de louvar a sua criação. Se não fala é por fineza; por isso mesmo rara vez erra."

E o burro zurrava: IÁ.

"Ignorando passa pelo mundo. Cinzenta é a cor do seu corpo, com a qual reveste a sua virtude. Se tem talento, oculta-o; mas todos acreditam nas suas compridas orelhas."

E o burro zurrava: IÁ.

"Que recôndita sabedoria é ter orelhas compridas e dizer sempre sim e nunca não. Não criou ele o mundo à sua imagem? Isto é, o mais besta possível?"

E o burro zurrava: IÁ.

"Tu segues caminhos direitos e caminhos tortuosos; aquele a que os homens chamam direito ou torto, pouco te importa. O teu reino encontra-se além do bem e do mal. A tua inocência é não saber o que se chama inocência."

E o burro zurrava: IÁ.

"Eis, tu não repeles ninguém, nem mendigos nem reis. Deixas vir a ti as criancinhas, e quando os velhacos te querem tentar, dizes simplesmente: IÁ."

E o burro zurrava: IÁ.

"Gostas das burras e dos figos frescos, e desdenhas a boa comida. Um cardo te satisfaz as entranhas, quando tens fome.

Nisso reside a sabedoria de um deus."

E o burro zurrava: IÁ

A festa do asno

I

Neste ponto da litania, Zaratustra não se pôde conter mais. Gritou por sua vez lA, com voz ainda mais forte que a do asno, e irrompeu no centro dos seus enlouquecidos hóspedes.

– Mas, que estais aí fazendo, filhos de homens? – exclamou, erguendo do solo bruscamente os que rezavam. – Pobres de vós, se outro que não fosse Zaratustra que vos visse!

Todos acreditariam que com a vossa nova fé vos havíeis tornado nos piores blasfemos, ou nas mais absurdas das velhas insensatas.

E tu, velho Papa, como podes estar de acordo contigo mesmo, adorando assim um asno como se fosse um deus?

– Perdoa, Zaratustra – respondeu o Papa; – mas das coisas de Deus ainda eu entendo mais do que tu. Nada há aí que não seja natural.

Antes adorar a Deus sob esta forma do que não adorá-lo de forma alguma! Reflete nestas palavras, eminente amigo, e breve compreenderás que contêm sabedoria.

Aquele que disse "Deus é espírito" foi o que até hoje deu na terra o passo, o salto maior para a incredulidade! Tais palavras não são fáceis de reparar na terra!

O meu velho coração salta e rejubila ao ver que ainda há sobre a terra o que se possa adorar.

Perdoa, Zaratustra, esse velho coração de um Papa cheio de devoção.

– E tu – disse Zaratustra ao Viandante ou Sombra –, consideras-te, e imaginas que és um espírito livre? E entregas-te a semelhantes idolatrias e a essas momices de sacerdotes?

Na verdade, conduzes-te aqui pior do que com as maliciosas mulheres de pele morena, novo e malicioso crente.

Respondeu o Viandante ou Sombra:

– Desgraçadamente, tens razão: mas que havia eu de fazer? Digas o que quiseres, Zaratustra, mas o Deus antigo revive.

A causa de tudo isto é o Mais Feio dos Homens: foi ele que o ressuscitou. E diz que ele foi morto outrora, mas a *morte* entre os deuses é apenas um preconceito.

– E tu, sinistro velho Encantador, que fizeste? – prosseguiu Zaratustra. – Quem há de crer em ti nestes tempos de liberdade, quando tu crês em tais asnices divinas? Como tu, tão astuto, pudeste cometer semelhante tolice?

– Tens razão, Zaratustra – respondeu o astuto Encantador – foi uma tolice, e muito me custou fazê-la.

– E eu também – disse Zaratustra ao Escrupuloso –, reflete e põe o dedo no nariz! Nada vês nisto que te perturbe a consciência? Não será o teu espírito demasiado limpo para tais adorações e para e presunção de semelhantes beatos?

– Há neste espetáculo – respondeu o Escrupuloso, levando o dedo ao nariz –, há neste espetáculo qualquer coisa que faz bem à minha consciência.

Talvez eu não tenha o direito de crer em Deus; mas uma coisa é certa, é que, sob esta forma, Deus ainda me parece altamente digno de fé.

Deus deve ser externo, segundo o testemunho dos mais piedosos: quem tem tanto tempo, gasta bastante tempo. De forma que andando com toda a lentidão e estupidez que queira, um deus pode ir verdadeiramente longe.

E quem tenha inteligência demais pode muito bem suspirar pela estupidez e pela loucura. Pensa em ti mesmo, Zaratustra!

Tu mesmo, na verdade, poderias muito bem tornar-te asno à força de riqueza e de sabedoria.

Um sábio perfeito não gosta de seguir os caminhos mais tortuosos? A aparência o diz Zaratustra: a tua aparência!

– E tu, afinal – disse Zaratustra dirigindo-se ao Mais Feio dos Homens, que permanecia prosternado no chão, estendendo os braços até ao asno para lhe dar vinho a beber –, fala, inexprimível, que foi que fizeste?

Pareces-me transformado; teu olhar brilha, tua fealdade se veste do manto do sublime. *Que* fizeste?

É verdade que o ressuscitaste, como estes dizem? E por quê? Não fora executado e liquidado com razão?

Tu mesmo me pareces ressuscitado; que fizeste? Por que voltaste atrás? Como te converteste? Fala inexprimível!

– Oh! Zaratustra! – respondeu o Mais Feio dos Homens. – És um maroto!

Quanto a saber se ele ainda vive, ou se ressuscitou, ou se morreu completamente, qual de nós dois sabe melhor, eu te pergunto.

Sei, porém, uma coisa – e contigo a aprendi há tempos, Zaratustra: Quando queremos matar radicalmente, ponhamo-nos a rir.

Não é com a cólera, mas com o riso que se mata. Assim falavas tu. Ó, Zaratustra! Tu que permaneces oculto, destruidor impassível, santo perigoso, és um maroto!

II

Sucedeu então que Zaratustra, surpreso de tantas respostas sofísticas, deu um salto para a porta da caverna, e, dirigindo-se a todos os convidados, começou a gritar com voz forte:

– Refinados loucos, farsantes! Para que vos dissimulais e ocultais diante de mim!

Como folgava de alegria e malícia o vosso coração, porque havíeis retornado a ser crianças – quero dizer, piedosos –, porque afinal fazíeis como o fazem as crianças, que rezam de mãos juntas e dizem "Amado Deus!"

Mas agora ireis sair deste quarto de crianças, desta minha caverna, onde hoje estão como em sua casa todas as infantilidades.

Refrescai lá fora os vossos ardores infantis e apaziguai o tumulto do vosso coração!

É verdade que, se não tornais a ser como crianças, não podereis entrar no tal reino dos céus – e Zaratustra ergueu as mãos para o ar.

– Nós, porém, não queremos entrar no reino dos céus; tornamo-nos homens: por isso *queremos o reino da Terra*.

III

E tornando a usar da palavra, Zaratustra disse:

– Ó, meus novos amigos, homens singulares, Homens Superiores! Como me agradais desde que vos tornastes alegres!

Estais em plena expansão, e parece-me que, para flores como vós, é mister festas novas, um pequeno absurdo corajoso, um culto e uma festa do asno, e algum velho tresloucado e alegre como Zaratustra, e um turbilhão que com o seu sopro vos varra a alma.

Não esqueçais esta noite e esta Festa do Asno, Homens Superiores! Foi o que inventastes na minha mansão, e para mim é um bom sinal; não há como convalescentes para inventarem tais coisas!

E se celebrardes de novo esta Festa do Asno, fazei-a por amor de vós, e por amor de mim. E fazei-a em minha memória.

Assim falava Zaratustra.

O canto da embriaguez

I

Entretanto, todos haviam saído, um após outro, e se encontravam ao ar livre, no seio da noite fresca e silenciosa; e Zaratustra pegou na mão do Mais Feio dos Homens, para lhe mostrar o universo noturno, a grande lua redonda, e as cascatas prateadas perto da caverna. Por fim, todos aqueles velhos de coração consolado e valoroso se detiveram, admirando-se intimamente de se sentirem tão bem na terra; a placidez da noite penetrava-lhes nos corações, cada vez mais profundamente. E Zaratustra pensava de novo consigo: "Ó, como me agradam agora estes Homens Superiores!" – mas não lhes disse, porque lhes respeitava a felicidade e o silêncio.

Então surgiu o mais surpreendente de quanto de surpreendente acontecera naquele dia. O Mais Feio dos Homens começou por última vez a resfolegar, e, quando conseguiu falar, saiu-lhe dos lábios uma boa, profunda e clara pergunta, que agitou o coração de quantos a ouviram.

– Meus amigos, todos que estais aqui presentes – disse o Mais Feio dos Homens –, que vos parece? Graças a este dia, *eu* estou pela primeira vez satisfeito de ter vivido a vida inteira.

E ainda não me basta fazer tal declaração. Vale a pena viver na Terra: um único dia e uma só festa em companhia de Zaratustra me ensinaram a amar a Terra.

– Era isto a vida? – direi à morte.

Pois bem: uma vez mais!

Meus amigos, que vos parece? Não quereis como eu dizer à morte: "*Era isso* a vida? Então, por amor de Zaratustra, outra vez mais!"

Assim falava o Mais Feio dos Homens, não muito longe da meia-noite. E que julgais suceder nesse momento? Enquanto os Homens Superiores ouviram a pergunta, repararam na sua transformação e cura, e pensaram em quem as proporcionara; por isso se precipitaram para Zaratustra, beijando-lhe a mão, e testemunhando-lhe gratidão, cada qual a seu modo; de forma que uns riam e outros choravam. O Velho Profeta dançava de prazer. E se é verdade, como afirmam certos narradores, que estava então cheio de vinho doce, mais doce estava certamente de vida doce, e esquecera toda a melancolia. Há ainda quem conte que o asno também se pusera a dançar; porque não fora debalde que o Homem Mais Feio lhe dera vinho. Fosse verdade ou não, pouco importa, e se o asno não bailou nessa noite, sucederam, contudo, coisas maiores e mais singulares do que a de um asno bailar.

Em suma, como diz o provérbio de Zaratustra:

"Que importa!"

II

Mas Zaratustra, vendo o que se passou com o Mais Feio dos Homens, parecia um embriagado. Extinguia-se-lhe o olhar e a sua língua tartamudeava, e vacilavam-lhe os pés. Quem poderia adivinhar os pensamentos que naquele instante afloravam na alma de Zaratustra? Era visível, porém, que o seu espírito vagueava por longínquas regiões como "sobre elevada cordilheira (conforme está escrito), interposta entre dois mares [e] suspenso como uma pesada nuvem entre o passado e o futuro".

E a pouco e pouco, enquanto os Homens Superiores o amparavam nos braços, tornou a si, afastando com o gesto seus assustados veneradores: mas não falava. Subitamente voltou a cabeça, porque lhe parecia ouvir qualquer coisa: então pôs o dedo sobre os lábios, e disse: *"Vinde!"*

E imediatamente tudo ficou tranquilo e em silêncio em torno dele; mas da profundidade subia lentamente o som de um sino. Zaratustra prestou atenção, assim como os Homens Superiores, depois tornou a pôr o dedo nos lábios, e disse outra vez: *"Vinde! Vinde"! Aproxima-se a Meia-noite!"*

E sua voz transformou-se; mas continuava ele imóvel no mesmo lugar. Então o silêncio e o mistério redobraram, e todos prestaram ouvidos, até o asno e os animais heráldicos de Zaratustra, a águia e a serpente, e também a caverna, e a fria luz, e a própria noite.

Mas Zaratustra ergueu-se pela terceira vez, levou a mão aos lábios e disse:

"Vinde! Vinde! Vinde! É a hora: caminhemos pela noite!"

III

"Homens Superiores, aproxima-se a Meia-noite: quero-vos dizer uma coisa ao ouvido, como ao ouvido me disse aquele velho sino: um segredo terrível e reconfortante como o que me disse esse sino da Meia-noite, cuja experiência é maior do que a de qualquer homem, e que já cantou as palpitações dolorosas dos corações de vossos pais.

Ah! Como suspira! Como ri em sonhos a venerável e profunda, profundíssima Meia-noite.

Silêncio! Silêncio! Ouvem-se muitas coisas que se não atrevem a erguer a voz durante o dia; mas agora o ar é puro e se calou também o ruído dos nossos corações. Agora as coisas falam e se fazem ouvir, agora se introduzem nas almas noturnas e lúcidas. Ah! Como ela suspira! Como ri em sonhos!

Não ouves como *te fala* a ti secretamente, terrível e cordial, essa venerável, essa profunda, essa velha, profunda, profunda Meia-noite?

Oh! Homem! Escuta!"

IV

"Ai de mim! Para onde foi o tempo? Em que profundos poços eu caí? O mundo dorme.

O cão uiva: brilha a lua. Preferiria morrer do que dizer-vos o que pensa agora o meu coração de Meia-noite!

Já estou morto. Tudo findou. Aranha, por que teces a tua teia à minha volta: Queres sangue! Cai o orvalho, chega a hora que me fará tremer de frio, a hora que pergunta e torna a perguntar incessante: 'Quem tem coração para tanto? Quem há de ser o senhor da Terra? Quem quer dizer: eis em que sentido tendes de correr, grandes rios e pequenos?'

Aproxima-se a hora! Homem, Homem Superior, escuta! Este discurso é para ouvidos sutis, para os teus ouvidos.

Que diz a profunda Meia-noite?"

V

"Vejo-me arrebatado; a minha alma dança. Quotidiana tarefa! Quotidiana tarefa! Quem deve ser o senhor do mundo?

A lua é fria; o vento emudece. Ah! Já voastes bem alto? Dançastes? Mas uma perna não é ainda uma asa.

Bons dançarinos, agora desvaneceu-se toda a alegria, o vinho converteu-se em fezes; um murmúrio sai das sepulturas.

Não voastes bem alto; agora um murmúrio sai das sepulturas: 'Mas salvai os mortos! Por que é noite há tanto tempo? Não vos embriaga a lua?'

Salvai as sepulturas, Homens Superiores! Despertai os cadáveres! Ai, por que é que o verme ainda rói? Aproxima-se, aproxima-se a hora. Soa o sino; ainda o coração anela; o verme, o verme do coração ainda roía.

O Mundo é profundo!"

VI

"Suave lira! Suave lira! Adoro o teu som, o teu encantador som de batráquio.

Há que tempos e que de longe – dos lagos do amor – chega a mim esse som!

Velho sino! Suave lira! Todas as dores te têm desfibrado o coração; a dor de pai, a dor dos antepassados, a dor dos primeiros pais; a tua voz amadureceu como o dourado outono e a tarde, como o meu coração de solitário. Agora dizes: o primeiro mundo amadureceu; a uva torna-se dourada, e agora quer morrer, morrer de felicidade. Não sentis esse perfume, Homens Superiores?

Um perfume que sobe secretamente, um perfume de eternidade, um aroma – como de dourado vinho, delicioso como um perfume de rosa, perfume de uma antiga felicidade.

Ventura inebriante de morrer à Meia-noite a ventura que canta:

O mundo é profundo, e *mais profundo do que o dia imagina.*"

VII

"Deixa-me! Deixa-me! Sou pura demais para ti. Não me toques! Não alcançou o mundo a sua perfeição?

A minha pele é demasiado pura para as tuas mãos. Deixa-me, triste, estúpido e sombrio dia! Não é mais clara a Meia-noite!

Os mais puros devem ser os senhores da Terra, as almas da Meia-noite, que são mais claras e profundas que todos os dias.

Ó, dia! Procuras pegar-me? Exploras a minha felicidade? Serei para ti, rico solitário, um tesouro oculto, uma câmara de ouro?

Ó, mundo, queres-me tu? Serei terrestre para ti? Serei espiritual para ti? Serei divino para ti? Dia e mundo são demasiado tristes; tendes mãos mais aptas, colhei uma felicidade mais profunda, um infortúnio mais profundo; colhei um deus qualquer; não me prendais a mim. A minha desdita e a minha dita são profundas, dia singular; mas não sou um deus, nem o inferno de um deus: *Profunda é a sua dor.*"

VIII

"A dor de Deus é mais profunda, mundo singular! Procura a dor de Deus; não me procures a mim! Quem sou eu? Suave lira, cheia de embriaguez; uma lira da meia-noite, um hino plangente que deve falar diante dos surdos, Homens Superiores. Que vós outros não me compreendeis!

Ó, mocidade! Ó, Meio-dia! Ó, tarde! Chegou agora o crepúsculo, e a noite, e a Meia-noite; uiva o cão, o vento – não será também o vento um cão? – Geme, ladra, uiva. Como suspira! Como ri e geme e Meia-noite!

Como agora fala sobriamente esta ébria poetiza! Passar-lhe-ia a embriaguez? Tornou-se extralúcida? Rumina?

A velha e profunda Meia-noite rumina em sonhos a sua dor e ainda mais a sua alegria: pois se a dor é profunda, *a alegria é mais profunda do que o sofrimento.*"

IX

"Por que me elogias, vinha? Eu, contudo, talhei-te. Sou cruel: sangras: que quer o teu louvor da minha sombria crueldade?

'Tudo quanto alcança a sua perfeição, tudo quanto está sazonado quer morrer!' Assim falas tu. Bendita seja a poda do vindimador! Tudo que não está maduro quer, porém, viver. Ó, desventura!

A dor diz: 'Passa! Vai-te, dor!' Mas tudo que sofre quer viver para amadurecer, regozijar-se, e anelar, anelar o mais longínquo, o mais alto, o mais luminoso. Quero herdeiros (assim fala todo aquele que sofre), quero filhos: não sou eu a quem quero.

A alegria, contudo, não quer herdeiros nem filhos; a alegria quer a si mesma, quer a eternidade, quer o regresso, quer tudo igual a si eternamente.

A dor diz: 'Desfibra-te, sangra, coração. Caminhai, pernas! Asas, voai! Então, vamos, coragem, meu velho coração!' A *dor diz: 'Passa!*'"

X

– Que vos parece, Homens Superiores? Serei um adivinho? Um sonhador? Um bêbado? Um intérprete de sonhos? Um sino da Meia-noite? Uma gota de orvalho? Um vapor e um perfume da eternidade? Não ouvis, não percebeis, que o mundo, o meu, acaba de alcançar a sua perfeição? A Meia-noite é também Meio-dia. A dor é também uma alegria, a maldição é também uma bênção, a noite é também um sol. Afastai-vos ou ficareis sabendo, um sábio é também um louco.

Dissestes alguma vez "sim" a uma alegria? Ó, meus amigos! Então dissestes "sim" a todas as dores! Todas as coisas estão encadeadas, encaixadas, amorosamente ligadas. Se algum dia quisestes que uma vez se repetisse, se algum dia dissestes: "Agradas-me, felicidade!", então quisestes que tudo retornasse.

Tudo de novo, tudo eternamente, tudo encadeado, forçado: assim amastes o mundo; vós outros, os eternos, amai-o eternamente, e sempre, e dizei também à dor: "passa, mas torna!" *Porque toda a alegria quer eternidade!*

XI

"Toda a alegria quer a eternidade de todas as coisas, quer mal, quer fezes, quer a embriaguez da Meia-noite e quer sepulturas, quer o consolo das lágrimas funerárias, quer o esplendor dourado do crepúsculo...

Quem não há de querer a alegria! É mais ávida, mais terna, mais terrível, mais secreta que todos os males; quer a si mesma, morde a sua própria carne, agita-se nela a vontade do ciclo eterno. Ela quer amor, quer ódio, é de uma riqueza superabundante, dá, malgasta, suplica que a aceitem, agradece a quem a recebe, quereria ser odiada; é tão rica que tem sede de dor, de inferno, de ódio, de vergonha, *do mundo*, porque este mundo, ah! Já o conheceis.

Homens Superiores, por vós suspira a alegria, a desenfreada, a bem-aventurada; suspira pela vossa malograda dor. Toda a alegria eterna suspira pelas coisas malogradas.

Pois toda a alegria se estima a si mesma; por isso quer também o sofrimento! Ó, felicidade! Ó, dor! Desfibra-te coração! Aprendei-o, Homens Superiores: a alegria quer a eternidade.

A alegria quer a eternidade de *todas as coisas, quer uma profunda, profunda eternidade*."

XII

"Aprendestes agora o meu canto? Adivinhastes o que ele quer dizer? Vamos, coragem, Homens Superiores! Entoai agora o meu refrão.

Cantai-me agora o canto, cujo título é 'Ainda uma vez' e cujo sentido é 'por toda a eternidade'. Cantai, Homens Superiores, cantai o refrão de Zaratustra!

Homem, escuta!

Que diz a profunda Meia-noite?

'Tenho dormido, tenho dormido!

De um profundo sono despertei:

O mundo é profundo, mais profundo do que o dia imagina.

Profunda é a sua dor e a alegria mais profunda do que o sofrimento!

A dor diz: Passa!

Mas toda alegria quer uma profunda, profunda eternidade!'"

O sinal

Na manhã seguinte, Zaratustra saltou da cama, apertou os rins, e saiu da caverna, ardente e vigoroso, como o sol matinal que surge dos sombrios montes.

– Grande astro – disse como já o dissera outra vez –, olho profundo de felicidade, que seria de tua felicidade se te faltassem aqueles a quem iluminas?

Se eles permanecessem em seus aposentos, quando tu já estás desperto e vens dar e repartir, como o teu orgulhoso pudor se irritaria.

E se ainda dormem estes homens superiores, eu estou acordado! Não são os verdadeiros companheiros que convêm! Não é a eles que espero aqui nas minhas montanhas.

Quero principiar o meu labor, o meu dia, mas eles não compreendem quais são os sinais da minha alvorada; os meus passos não são para eles uma voz que os arranca do sono.

Dormem ainda na minha caverna, ainda o seu sono saboreia os meus cantos de embriaguez. Mas o ouvido que me ouvirá, o ouvido que me obedecerá, não lhes foi dado.

Dizia Zaratustra estas palavras ao seu coração, como o sol que nascia. Depois dirigiu para as alturas um olhar interrogador, porque ouviu acima de si com chamado penetrante de sua águia:

– Bem! – gritou para cima. – Assim me agrada e convém. Os meus animais estão acordados, porque eu estou acordado.

A minha águia acordou e saúda o sol como eu. Com as suas garras apanha a nova luz. Vós sois os meus verdadeiros animais: tendes a minha afeição.

Não encontrei ainda os Homens que serão verdadeiramente meus.

Assim falava Zaratustra, quando de repente se sentiu rodeado por uma infinidade de aves que revoavam em torno dele: o ruído de tantas asas, e o conjunto que lhe rodeava a cabeça, eram tais que fechou os olhos. E, na verdade, foi como envolto de uma nuvem, de uma nuvem de setas atiradas sobre um novo inimigo! Mas era uma nuvem de ternura, que se abateu sobre um amigo novo.

"Que me sucedeu?" perguntou Zaratustra a si mesmo assombrado, e deixou-se cair vagarosamente na pedra grande que havia à entrada de sua caverna. Agitando, porém, as mãos em torno de si, por cima e por baixo de si, para se subtrair às carícias das aves, sucedeu-lhe uma coisa ainda mais singular, e foi que, sem dar por isso, pôs a mão sobre quentes e fartas guedelhas, e ao mesmo tempo se ouviu um rugido, um prolongado e suave rugido de leão.

"Chega o sinal", disse Zaratustra, e o coração transbordou-se-lhe. E viu diante de si, estendido a seus pés, um corpulento animal ruivo, que encostava a cabeça aos seus joelhos e não queria afastar-se dele, como um cão afetuoso, que torna a encontrar o antigo dono. Mas as pombas, em sua ternura, não demonstravam menos carinho que o leão, e de cada vez que alguma passava pelo focinho do leão, este sacudia a cabeça, e punha-se a rir.

Vendo tudo isto, Zaratustra só disse uma coisa:

– *Estão perto os meus filhos*. E depois emudeceu completamente: mas sentiu o coração aliviado, e dos seus olhos correram lágrimas que lhe banhavam as mãos. E ali permanecia imóvel, sem nada mais o preocupar, sem sequer se defender dos animais. Entretanto, as pombas voavam de um lado para outro, pousavam-lhe nos ombros, acariciavam-lhe os brancos cabelos, e eram infatigáveis na sua ternura. E o possante leão lambia incessantemente as lágrimas que corriam pelas mãos de Zaratustra, rugindo e rosnando timidamente. Eis o que fizeram estes animais.

Tudo isto poderia durar muito ou pouco tempo: porque, falando propriamente, na Terra não há tempo para tais coisas.

Durante este tempo, tinham os Homens Superiores acordado na caverna, e dispunham-se a ir ao encontro de Zaratustra, para saudá-lo, porque já haviam notado a sua ausência. Quando chegaram, porém, à porta da caverna, o leão, ao ouvir-lhes os passos, afastou-se rapidamente de Zaratustra, e precipitou-se para a caverna, rugindo furiosamente. Ouvindo-o rugir, os Homens Superiores começaram a gritar como uma só boca, retrocedendo, e desapareceram num abrir e fechar de olhos.

Por seu lado, Zaratustra, aturdido e distraído, ergueu-se do seu assento, olhou a sua volta, assombrado, interrogou-se, refletiu, e permaneceu sozinho.

– Mas, que foi que ouvi? – disse, afinal, lentamente. – Que acaba de me suceder?

E, recuperada a memória, compreendeu o que sucedera entre a véspera e o dia em que se encontrava.

– Aqui está a pedra onde ontem pela manhã me sentei – disse cofiando a barba –, aqui se abeirou de mim o Profeta, e ouvi, pela primeira vez, o grito que acabo de ouvir, o grande grito de angústia.

Homens Superiores, a vossa angústia foi o que ontem, pela manhã, predisse-me o Velho Profeta; quis atrair-me à vossa angústia para me tentar.

– Ó, Zaratustra, disse-me ele –, venho aqui induzir-te ao último pecado.

– Ao meu último pecado!? – exclamou Zaratustra, rindo-se das suas próprias palavras. – Que será que ainda me está reservado como último pecado?

E outra vez se concentrou em si mesmo, tornando a sentar-se na pedra para refletir.

De repente ergueu-se:

– *Compaixão! A compaixão pelo Homem Superior!* – exclamou, e o semblante tornou-se-lhe de mármore. Seja! Isto... teve o seu tempo! Minha paixão e minha compaixão... que importa? É à minha felicidade que aspiro? Aspiro à minha obra. De pé! O leão é vindo, meus filhos se aproximam, Zaratustra está maduro, é chegada a minha hora.

Eis a minha alvorada, meu dia que surge. Sobe, sobe ao céu, Grande Meio-dia!

Assim falou Zaratustra, e afastou-se da caverna, ardente e vigoroso como o sol matinal, que surge dos sombrios montes.

Conecte-se conosco:

- **f** facebook.com/editoravozes
- **⌾** @editoravozes
- **𝕏** @editora_vozes
- **▶** youtube.com/editoravozes
- **☏** +55 24 2233-9033

www.vozes.com.br

Conheça nossas lojas:

www.livrariavozes.com.br

Belo Horizonte – Brasília – Campinas – Cuiabá – Curitiba
Fortaleza – Juiz de Fora – Petrópolis – Recife – São Paulo

EDITORA VOZES LTDA.
Rua Frei Luís, 100 – Centro – Cep 25689-900 – Petrópolis, RJ
Tel.: (24) 2233-9000 – E-mail: vendas@vozes.com.br